Outro lugar

Ayelet Gundar-Goshen

Outro lugar

tradução
Paulo Geiger

todavia

Para minha mãe
e para Ioav

Parte I
Califórnia

1.

Olho para os dedos pequeninos do bebê que acabou de nascer e tento compreender como é possível que eles cresçam para se tornarem os dedos de um assassino. O menino morto chama-se Jamal Jones. Na foto do jornal, os olhos dele são como veludo negro. Meu filho chama-se Adam Shuster. Os olhos dele são da cor do mar de Tel Aviv. Estão dizendo que ele matou Jamal. Mas isso não é verdade...

2.

Não me chamo Lila. Para os americanos, é difícil pronunciar Lilach, então todos aqui me chamam de Lila. Mas eu não me chamo Lila.

No caso de Michael* é fácil. Eles simplesmente o chamam de "Maikael". Ele nunca os corrige. Não seria bem-educado. E diferentemente de mim, que sempre digo Lilach na primeira vez e depois deixo que o novo conhecido usufrua da dúvida e me transforme em Lila, sem criar caso por isso — mas também sem colaborar —, Michael já há muito tempo começou a dizer "Maikael". Ele alega que não faz diferença, é quase a mesma coisa.

* Em hebraico, a pronúncia aproximada é "Mirraêl", o "rr" articulado como o "ch" em alemão, como em Bach. O "ch" de Lilach também se pronuncia assim. [Esta e as demais notas são do tradutor.]

Mas em minha imaginação, quando o conectaram ao polígrafo e perguntaram como se chamava, quatro meses e meio depois que Jamal morreu, ele disse Maikael, e a agulha começou a tremer.

Quando transamos, eu o chamo de Michael. Uma vez o chamei de Maikael, e a sensação foi de que estava deitada com outra pessoa.

E quando Adam nasceu, nós lhe demos um nome neutro. Um desses que funciona tanto em inglês como em hebraico. Um nome que deslize na garganta dos americanos como um bom vinho da Califórnia e não fique atolado no esôfago, como Lilach e Michael, nomes que nos denunciam no momento em que eles os leem em nossos passaportes — não são daqui. Criamos um filho na América. Nosso israelismo nós guardamos no armário, junto com as taças do futebol que Michael mantém desde o ensino médio — guardou só como lembrança, não porque tenham alguma utilidade. Criamos um menino americano, que foi para o colégio junto com meninos americanos, e agora dizem que ele matou outro menino, americano.

3.

Jamal Jones. Seu rosto, Jamal, é bom, mas seu tamanho é ameaçador. Seus ombros são largos, tanto que parecem surpreender até mesmo você. Talvez tudo tenha acontecido de uma só vez, esse salto de crescimento, um verão durante o qual você, de menino magro e baixo, passou a ser, sem aviso prévio, um rapaz imenso e largo. Mas o rosto não acompanhou o ritmo dos outros órgãos. O corpo se tensionou e dilatou, e os olhos continuaram a ser os de menino, e também os lábios, sem sombra de bigode, um tanto espichados para a frente, num gesto muito doce, de criança.

À noite, na rua, eu teria medo de você. Não me deteria para dar uma espiada em seus olhos, que agora, na foto no jornal, me parecem gentis e agradáveis. Provavelmente apressaria meus passos, a mão no bolso para me certificar de que o telefone estaria lá, para o caso de precisar dele. Atravessaria para o lado iluminado da rua e esperaria até que sua silhueta — de um rapaz negro de ombros largos — passasse por mim e desaparecesse na próxima curva.

E se Adam estivesse comigo, eu ficaria ainda mais tensa. Não apenas uma mulher na rua e um homem negro atrás dela, mas uma mulher com um menino pequeno, que ela tem de proteger. E não importa que vocês dois tenham a mesma idade. Você é um homem, Jamal, e Adam é um menino. Magro, baixo, os ombros um pouco caídos, como um filhote de passarinho que ainda não conseguiu abrir as asas. E por isso não consigo compreender. Sua foto no jornal, os olhos generosos, os ombros largos. Pensar que todo esse tempo eu tive medo de você, quando talvez fosse você que devesse ter medo de mim, daquilo que sou capaz de trazer ao mundo.

Agora tenho medo o tempo todo, Jamal. Medo de tudo. Mas então eu não tinha tanto medo, só muito espaçadamente. Lembro que toda noite nós três descalçávamos os chinelos no carpete e íamos dormir. Na cama de casal, eu lia as notícias de Israel no telefone, até Michael dizer: "É tarde", e baixar as persianas apertando um botão. Do outro lado das persianas ficava o quintal, e depois do quintal um espaço verde e tranquilo, que se juntava a uma alameda verde e tranquila, numa das cidades mais verdes, tranquilas e seguras da América.

4.

Na véspera de Rosh Hashaná, um homem empunhando um facão entrou numa sinagoga reformista em uma das cidades mais verdes, tranquilas e seguras da América. Na sinagoga havia duzentas e vinte pessoas rezando, e quinze funcionários da firma de catering. No grande salão, em geral usado nas comemorações de bar mitzvah, já estavam arrumadas as mesas para a comemoração de Rosh Hashaná. Junto às paredes havia cadeiras com dispositivos especiais para bebês e crianças, pois, embora os fiéis assíduos da sinagoga fossem na maioria aposentados, nas festas vinham também famílias mais jovens, e netos e bisnetos. A oração no andar de cima acabara de terminar e as pessoas começavam a descer pela escada. No salão do primeiro andar os funcionários estendiam toalhas brancas nas mesas e dispunham sobre elas tigelas com maçãs e vidrinhos com mel de Israel.

Depois, no noticiário, disseram que eles tiveram sorte, o homem que atacou a sinagoga em Pittsburgh estava armado com um fuzil semiautomático e conseguiu matar dez pessoas que estavam rezando, antes de ser preso. Aqui em Palo Alto quatro pessoas ficaram feridas e só uma mulher foi morta. Entendi a que eles estavam se referindo no noticiário, mas eu sabia que para os pais de Lia Weinstein não tinha havido sorte alguma. A filha deles estava junto à porta de entrada quando o rapaz entrou correndo com seu facão…

Na foto no noticiário ela parecia mais jovem do que seus dezenove anos. Talvez devido à maquiagem. Tinha um rosto redondo e olhos castanhos e suaves, e a maquiagem, em vez de fazê-la parecer mais velha, ressaltava ainda mais a sua juventude. Nas fotos que foram tiradas pouco antes do atentado, ela está na entrada da sinagoga, num vestido branco de festa, as mãos abraçando o corpo num gesto de alguém que na verdade não gosta de ser fotografada, mas sabe que é preciso, que a família não abriria mão. Uma garota educada, mas, quando aquele homem correu para a sinagoga com o facão na mão, Lia Weinstein não se comportou como uma garota. Ela empurrou sua avó para trás e pôs-se na frente dela, e isso foi a última coisa que fez.

Eu vi o vídeo algumas vezes nos dias que se seguiram ao atentado. A jovem gorducha de vestido branco está de pé no vestíbulo, com seu avô e sua avó. Ao fundo ressoam as vozes do coro da sinagoga entoando um pot-pourri de canções festivas. É difícil identificar o momento exato em que o rumor alegre de canções e conversas se transforma em gritos de pavor. Primeiro ouvem-se algumas vozes no lado de fora, mas ainda não dá para saber que são gritos de garotas, e às vezes é difícil distinguir entre sons de riso e sons de pânico. E, subitamente, de uma só vez, já não pode haver engano: os sorrisos se apagam dos rostos, as pessoas procuram abrigo. O homem com o capuz corre para dentro e todos fogem dele, pisoteando-se, menos Lia Weinstein, que, em vez de fugir, empurra sua avó para trás, e talvez tenha sido esse movimento, diferente dos outros, que atraiu o olhar do homem que corria e o dirigiu para ela. No vídeo, ele se curva sobre ela por um momento, só um instante, e então puxa a faca e continua a correr para dentro da sinagoga. Quem filmou tudo isso, um dos fiéis no andar de cima, documentou o atacante continuando a correr, por isso é impossível ver o que aconteceu exatamente com Lia nos momentos seguintes, apesar de os gritos de seu avô e de sua avó serem claros, e também os de um garotinho que estava ali perto deles e que não conhecia Lia antes disso, mas viu a garota de branco desabar subitamente, coberta de sangue. Até as ambulâncias terem permissão para entrar, Lia já tinha perdido tanto sangue que não puderam fazer nada.

Estávamos em casa quando noticiaram o atentado. Lembro-me exatamente de onde cada um de nós estava. Michael, na churrasqueira, lá fora, com seu irmão, Assi, que tinha chegado de Israel naquele mesmo dia para uma visita, com Iael e as crianças. Adam estava na piscina atrás da casa, com Tamir e Aviv. Eu e Iael estávamos na cozinha, tentando salvar um bolo de mel que não tinha crescido como deveria. Michael entrou de repente, o telefone na mão, e disse: "Houve um atentado". E quando Iael perguntou, preocupada, onde em Israel, ele balançou a cabeça negativamente e respondeu: "Não em Israel, aqui".

Ficamos acompanhando as notícias durante todo o jantar. Após a sobremesa, as crianças subiram para ver alguma coisa no computador e nós ficamos na sala de estar assistindo aos relatos na televisão. Tarde da noite, quando já estávamos na cama, alguém enviou pelo WhatsApp o vídeo da sinagoga. Eu não sabia se deveríamos assistir. Disse a Michael que talvez fosse um desrespeito às pessoas que estiveram lá. Não era um filme de ação. Eram pessoas reais, e aquele tinha sido o momento em que a vida delas foi destruída. Mas Michael insistiu e quis assistir. Disse que era importante. "Não estamos vendo como diversão", ele disse, "estamos vendo para compreender o que aconteceu lá e para pensar como é preciso se comportar se acontecer de novo." Assistimos ao vídeo uma vez e mais uma. Quando Michael se dispôs a assistir novamente, eu disse "basta".

Tarde da noite, minha mãe ligou de Israel e quis ouvir mais detalhes. A notícia que eu tinha lhe enviado assim que soubemos do atentado não bastara. Assegurei-lhe mais uma vez que estávamos todos bem e lhe contei o que já se sabia.

"Disseram no noticiário aqui que ele é negro", ela disse. "Desde quando negros atacam judeus? Isso sempre foi coisa de brancos. Um ataque exatamente na véspera de Rosh Hashaná", ela prosseguiu, "quer dizer que ele planejou com antecedência", e acrescentou que tinha enviado pelo correio naquele dia um presente de Rosh Hashaná para Adam. Ele com certeza o receberia dentro de alguns dias.

"Você viu o vídeo da sinagoga?", ela perguntou. "Sim", respondi. "Que coisa terrível", minha mãe suspirou ao telefone. "Só não me diga depois que aí onde vocês estão é um lugar mais sadio para criar os filhos."

À noite tive pesadelos dos quais não consegui me lembrar quando acordei, mas sabia que a garota da sinagoga estivera neles. Naquela manhã pedi a Adam que não assistisse ao vídeo, se alguém o enviasse para ele. Ele perguntou se Michael e eu tínhamos assistido. Respondi que não.

Na manhã do enterro, Michael e eu levamos Adam para a escola e depois fomos juntos ao cemitério. Não conhecíamos a família e não frequentávamos a sinagoga reformista, mas queríamos demonstrar solidariedade. Quando chegamos, vimos mais israelenses que também vieram expressar seu apoio. Alguém nos contou que Lia Weinstein tinha terminado o ensino médio na escola de Adam dois anos antes e estudava em Boston. Seus pais tinham comprado uma passagem aérea para ela voltar para casa por ocasião da festa de Rosh Hashaná. No estacionamento do cemitério, os israelenses se aglomeravam e falavam hebraico, e não longe deles estavam os judeus americanos, falando baixinho em inglês, e nos dois grupos dizia-se a mesma coisa: que era inconcebível que isso tivesse acontecido aqui, em Palo Alto. Depois entramos no cemitério. Os pais de Lia Weinstein choravam amargamente. Ela era filha única.

Na mesma tarde buscamos Adam na escola e fomos todos à sinagoga onde tudo havia acontecido, para acender uma vela e depositar uma flor nos degraus do lado de fora. Havia muita gente na praça diante da sinagoga, bem como algumas equipes de noticiários. Uma repórter de televisão de cabelos loiros e curtos falava para a câmera com expressão séria. Ficamos todos prestando atenção nela, como se a essa mulher estranha coubesse a prerrogativa de nos contar quem éramos, o que acontecera conosco. "Paul Reed nasceu e cresceu em East Palo

Alto. Quando Palo Alto foi inundada pelas pessoas do high-tech que vieram trabalhar no Vale do Silício, os aluguéis subiram também nos bairros mais pobres, e a família Reed teve de mudar para Oakland. Cerca de uma hora antes de sair de casa com o facão na pasta e entrar no ônibus para Palo Alto, Reed fez upload de um post antissemita no Facebook. Seus pais contam que nas últimas semanas seu estado de espírito foi desmoronando. No passado ele foi internado duas vezes numa instituição psiquiátrica."

"Ele não tem problemas psiquiátricos", resmungou Assi baixinho, "ele é um merda antissemita e terrorista. Que não façam dele um maluco irresponsável por seus atos e depois o libertem." "Ninguém vai libertá-lo", disse Michael. "Mas é preciso levar em consideração que esse homem foi internado duas vezes. Pode ser que, assim como atacou uma sinagoga, ele tivesse atacado uma mesquita, ou um banco, e aí não seria exatamente um incidente antissemita."

Assi fez um gesto de desprezo com a mão. "Se os seus malucos na América podem atacar qualquer outro lugar, por que, de algum modo, no fim eles sempre chegam numa sinagoga?"

A repórter estava escutando alguma coisa que lhe estava sendo dita nos fones de ouvido e então assumiu de novo uma expressão séria e encarou a câmera. "Testemunhas oculares na sinagoga de Palo Alto disseram que viram dois homens nas proximidades do lugar antes do atentado. Estão fazendo varreduras no local. O FBI ainda não concluiu se Reed agiu sozinho ou se é parte de um grupo de ódio capaz de atacar novamente."

A última frase provocou murmúrios no público. Iael e Assi trocaram olhares. Adam disse: "Mãe, se é um grupo de ódio, então o mais lógico é que eles venham aqui para fazer mais um atentado, pois neste momento tem muitos judeus na rua". Michael pôs a mão em seu ombro. "Essa jornalista está criando um pânico generalizado à toa. Eu lhe digo que em noventa e nove por cento dos casos quem realiza atentados como esse são psicopatas que agem sozinhos." "Não podemos ter certeza disso", eu disse. E vi nos olhos das pessoas à minha volta o mesmo ponto de interrogação. As fileiras de velas acesas nos separavam da rua. Barreiras policiais nos cercavam do outro lado do gramado. Tensos a cada rumor, olhando para os lados, nos aproximamos uns dos outros como carneiros na noite.

5.

O temor que começou naquela noite ficou mais forte nos dias seguintes. Mesmo depois que o FBI estipulou que Paul Reed agiu sozinho, a comunidade judaica de Palo Alto recusou-se a ficar tranquila. Talvez porque nesse caso não se tratasse apenas de pânico, mas também de humilhação. A gravação das câmeras de segurança externas mostravam Reed atacando, entrando pelo vestíbulo da sinagoga, com pelo menos dez homens olhando sem fazer nada, estupefatos demais para poder agir. O vídeo das câmeras internas mostrava os fiéis, solidéu na cabeça, fugindo para os lados, enquanto Reed avançava aos gritos, um só homem fazendo ali o que quisesse.

Talvez por isso, quando um dos pais israelenses sugeriu que se fizesse uma oficina de defesa pessoal com os jovens, muitos acharam a ideia ótima. Einat Grinbaum falou-me sobre a oficina quando fomos buscar as crianças na escola, três dias depois do atentado. "É o pai de uma menina do ensino médio", ela disse, "ele tem experiência no krav maga e se ofereceu para ensinar às crianças."

Quando Adam entrou no carro, eu lhe falei, entusiasmada, sobre a oficina. Ele disse imediatamente que não queria ir. Sua resposta não me surpreendeu. Ele nunca gostou dessas coisas. Uma das mães tinha me dito uma vez que o mundo se divide em dois tipos de criança: as que vão para o grupo de caratê e as que vão para o grupo de xadrez. Adam foi para o xadrez, e eu até que fiquei contente com isso. Mas depois do Rosh Hashaná, depois do vídeo com Lia Weinstein, de repente fiquei triste por ele nunca ter estudado metodicamente como brigar. "É uma oficina com apenas três encontros", eu lhe disse, "e é um conhecimento para a vida inteira." Adam manteve sua recusa durante todo o trajeto para casa. Pediu que eu não o pressionasse. Eu sabia que não valia a pena insistir, que a melhor maneira de fazer um garoto odiar um curso é obrigá-lo a frequentá-lo. Mas as cenas na sinagoga continuaram a me perseguir. A possibilidade de isso acontecer com Adam não me largava. Eu sabia que Michael tinha razão, que era só pânico coletivo, e ainda assim queria que ele participasse da oficina, tal como quis que se vacinasse contra a hepatite, não que a doença fosse comum, mas por via das dúvidas.

"Faça isso por mim", eu disse, quando entramos em nossa rua, "para eu ficar tranquila." "Você está me obrigando", ele disse. "Não é justo." "Pelo menos pense nisso", eu lhe supliquei, e me odiei por isso, por precisar implorar. "Está bem", disse ele, quando eu estacionava na porta de casa. "Vou pensar."

Naquela noite ficamos novamente, os adultos, diante da televisão. Ao contrário do que era habitual, Adam juntou-se a nós. Na CNN exibiram as gravações das câmeras de segurança da sinagoga. Assi sibilava entre os dentes: "Como é que ninguém o deteve?". "Não é tão fácil assim segurar um sujeito desses", eu disse. Pus sobre a mesa uma tigela com sementes de girassol que eles tinham trazido de Israel. Toda vez que vinha de visita, Assi trazia três quilos de sementes de girassol e as entregava a nós com o orgulho de um médico que estivesse trazendo antibióticos para os membros de uma tribo remota.

Adam estava sentado no sofá a meu lado e olhava alternadamente para mim e para o tio. A porta do quarto de hóspedes abriu-se lá em cima, e Tamir e Aviv saíram do quarto correndo. Ouvi seus passos descendo a escada, fortes, seguros, e sabia que Adam nunca na vida iria correr com aquele desembaraço no corredor de uma casa estranha. Eles entraram na sala e sentaram-se ao lado de Adam, concentrados em seus telefones. Pensei que não estavam prestando atenção, mas, após alguns instantes, Tamir levantou a cabeça e fez um gesto para a televisão. "Em Israel isso não aconteceria." "Mas em Israel também tem atentados", disse Adam. "Tem atentados", respondeu Tamir, "mas não tem isso de um terrorista entrar num lugar e ninguém sequer tentar segurá-lo."

Eu quis dizer algo sobre a oficina, mas me contive. Pedi para nós comida indiana. Pensei que íamos ficar acordados até tarde, mas às nove horas eles já estavam esgotados por causa do jet lag e disseram que iam dormir. "As crianças acordam cedo", disse Assi com orgulho.

Tamir e Aviv exercitavam-se para ficar em forma segundo os padrões das unidades de elite do Exército israelense. Nos dias em que estiveram conosco, eles saíam para correr toda manhã, uma hora antes de nós acordarmos. Adam acordava e descia em seu agasalho, e os encontrava na cozinha, preparando um shake de proteínas, suados e ofegantes após o prolongado exercício. Na escola de Adam havia esportistas que se jogavam uns em cima dos outros no campo de futebol americano, mas os esportistas do ensino médio não tinham nenhum tipo de ligação com ele, ele olhava para eles como quem olha para um urso-pardo, uma criatura distante. Tamir e Aviv eram seus primos. Toda manhã ele deparava com imagens de uma vida que poderia ser a sua. O cheiro de suor pós-exercício continuava na cozinha mesmo depois que eles a deixavam. Durante os jantares, todos reunidos, eles perguntavam a Michael sobre a unidade em que servira no Exército. As respostas comedidas que ele lhes dava só os espicaçavam ainda mais. Após alguns dias, Adam começou a perguntar também. Nunca se interessara por isso antes.

Nos dias que se seguiram, a presença dos gêmeos encheu a casa. Fortes, bronzeados, ruidosos, atrevidos, e atrás deles arrastava-se o meu menino, como um cão, não se sabe se valente ou não, que eles permitiam que os seguisse, mas nunca olhavam para ele nem o chamavam por iniciativa própria. Ele os admirava. Bebia sequiosamente toda frase que lhes saía da boca, num hebraico atualizado que nem sempre entendia. Eles gostavam dele, assim me parecia. Desde o momento em que chegaram já o tratavam como se fosse um velho conhecido. Em vez de "Adam", eles o chamavam de "Adamame", e todos ríamos.

Antes de eles chegarem, temi que Adam ficasse de fora. Como na visita dois anos atrás, quando os gêmeos ficaram enfurnados num mundo particular só deles, não paravam de cochichar e de fazer graça um com o outro numa gíria que Adam não conhecia, pois, apesar de só falarmos hebraico em casa, a língua envelhecera em nossa boca sem que percebêssemos. Tamir e Aviv falavam como garotos israelenses de dezesseis anos, e meu menino falava como seus pais de quarenta, e por isso — mas não só —, durante aquela visita, Adam comportou-se como um estranho em sua própria casa. Neste ano tentei me preparar com antecedência: outra família vai morar conosco durante duas semanas. Eles vão ver o que temos na geladeira, vão entrar no banheiro depois de nós, vão lavar a cabeça com nosso xampu até todos estarmos cheirando igual. Eles vão perceber as pequenas tensões que existem em nosso trio, e nós vamos perceber as rachaduras entre eles. As brigas de casal vão acontecer com vozes abafadas. As brigas entre pais e filhos serão em voz alta. Não haverá outras brigas. Foi assim que me preparei para todos os cenários, menos para o mais estranho — um atentado que soldaria nossas famílias uma na outra, pois, apesar de não nos ter acontecido nada — afinal, estávamos em casa —, mesmo assim algo ocorreu a todos nós.

"Acho que já se pode propor novamente a ele aquela oficina", disse-me Michael após alguns dias nos quais Adam passara a tarde com Tamir e Aviv. Eu queria que Adam aprendesse autodefesa, mas a mim parecia que meus motivos eram diferentes dos de Michael. Quando fomos para a cama, ele disse: "Talvez agora ele finalmente concorde em fazer alguma atividade esportiva. Isso pode ser saudável, tanto física quanto socialmente". Eu me encolhi toda. Era a primeira vez que Michael falava assim sobre Adam, como se houvesse com ele algo de errado que tinha que ser reparado. Eu sabia que era só por causa de Tamir e Aviv. Aquela postura ereta ao caminhar, que não era absolutamente ereta, os dois encurvavam os ombros quase que de propósito, arrastavam os pés, mas exatamente essa teimosia do corpo em adotar um relaxamento confortável, exatamente nela havia certa postura ereta interior. Michael percebera isso nos filhos de Assi, impossível que não. Trinta anos atrás, ele e Assi urinavam juntos na grama do kibutz e comparavam, sem parar, quem urinava mais longe. E por mais tempo. Quem conseguia acertar nos arbustos. Assim como comparavam então seus paus, estavam comparando agora seus filhos. E Michael, o equilibrado, o forte, o inteligente — Michael estava perdendo.

6.

Nunca soube dizer exatamente quando se ergueu essa muralha — Michael e eu de um lado, Assi e Iael do outro —, mas era claro que tinha a ver com dinheiro. Em algum momento ao longo do caminho, nosso dinheiro, meu e de Michael, passou a ser uma coisa da qual não se falava. E no momento em que não se fala sobre alguma coisa, você passa a entender que ela é importante. Assim que chegamos à América, antes de Michael progredir na empresa, conversávamos livremente sobre dinheiro com Assi e Iael. Eu reclamava com eles do preço absurdo dos jardins de infância nos Estados Unidos, e eles da taxa de juros que os bancos cobram em Israel sobre as hipotecas. Mas à medida que as diferenças entre nós aumentavam, o assunto foi sendo abandonado.

O pior foi quando Assi quis apresentar a Michael a ideia de uma start-up. Falava com grande entusiasmo, olhando para os lados, como se a qualquer momento alguém pudesse roubar aquela ideia genial que ele tinha concebido. Michael ouvia atentamente, fazendo uma ou duas perguntas. Acho que fazia isso por gentileza, mas para Assi as perguntas de Michael eram como querosene derramado no fogo de suas esperanças. Imediatamente se inflamava, falava agitando as mãos, planejando a apresentação que os dois fariam aos investidores. Houve um tempo em que isso acontecia em cada visita que nos faziam, mas, depois do empréstimo, diminuiu.

A visita anual passou rápido. Toda manhã preparávamos portentosas chakchukas. À tardinha íamos buscar Adam na escola — Tamir e Aviv ficaram perplexos ao descobrir como se levam a sério os estudos aqui — e depois comer nos melhores restaurantes da cidade. Toda vez que era apresentada a conta, Michael se apressava a pegar o cartão e dizer "pode deixar comigo". A intenção era boa, mas acho que esse é um gesto prejudicial. O empréstimo que Michael fez a Assi três anos atrás estava presente entre nós, e não se falava nele. Cinquenta mil dólares para deslanchar um projeto que era impossível-não-dar-certo. Quando tudo desmoronou, Assi devolveu o que era possível. Quis devolver mais, mas Michael lhe disse que bastava, não era preciso. Naquele momento pensei que, por isso, Assi amaria Michael para sempre, mas pelo visto também o odiaria um pouco, para sempre.

Mesmo depois do empréstimo e do fracasso, as férias em comum continuaram, nas datas costumeiras — nas festas do mês de Tishrei. Rosh Hashaná, Yom Kippur, Sucot, em nossa casa. Pessach, na deles. As férias atuais não eram para ser diferentes das outras, mas o atentado na véspera de Rosh Hashaná, apesar de não ter ligação direta conosco, se fazia sentir em tudo. Assi não parava de falar nisso. Dizia, a cada oportunidade, que para ele aquilo era só o início, que o antissemitismo na América estava só começando a erguer a cabeça. A ida de Tamir e Aviv para o Exército, no fim do ano, estava presente em toda conversa. Quantas abdominais eles fazem. Quantos quilômetros correm. No sábado, quando faziam as malas para embarcar no voo para Israel, enfiando nelas a imensidade de coisas que tinham comprado, fiquei surpresa ao descobrir o tamanho de meu alívio.

No dia seguinte, acordei Adam cedo para o primeiro encontro da oficina. Ele dormia profundamente e não queria se levantar. Michael o levou até o salão, bocejando e reclamando, e eu o busquei duas horas depois, no estacionamento. Enquanto esperava por ele, estava com medo de que entrasse no carro e avisasse que uma vez já fora o bastante, mas quando abriu a porta estava surpreendentemente animado. O menino sonolento que entrara na oficina naquela manhã saiu dela totalmente desperto e com um sonho — um terrorista ia atacar a sinagoga e seria ele quem conseguiria prendê-lo.

Para o segundo encontro, já não precisei acordar Adam. Ele se arrumou sozinho. Quando fui buscá-lo, vi os rapazes saindo juntos do salão, tagarelando animadamente em inglês, andando lado a lado em direção ao estacionamento. Talvez só então eu tenha compreendido que nunca tinha visto meu filho andar em grupo. Ele teve amigos ao longo dos anos. Não muitos, mas teve. Garotos tranquilos, educados. Sempre soube que aquela não era a juventude que ele desejava, percebi como era diferente da outra juventude, a que nos contemplava das telas da televisão. Mas não me preocupava. O ensino médio talvez pareça ser longo como a eternidade quando se está nele, mas na realidade sua duração é muito curta. E depois dele, há a vida inteira. Só depois que tudo se complicou é que percebi como estava errada. Como é que não compreendi o quanto era importante para ele aquela caminhada pela rua, num grupo ruidoso, cada um deles extraindo força da presença de outros a seu lado.

A diferença estava no instrutor. Ele não permitiu que os garotos fizessem aquela divisão natural, não verbalizada, em que havia um grupo central cercado de agregados e refugiados. Logo no primeiro encontro, ele lhes disse que não lhe interessava quem eram os aceitos e os não aceitos, os populares e os não populares. Se alguém tentasse atacá-los, eles seriam a única esperança um do outro. Tinham de estar unidos, pois na manhã seguinte poderia vir mais um merda como Paul Reed, e a única maneira de detê-lo era a cooperação entre todos. Adam contou-me isso com os olhos brilhando. A mim pareceu um tanto pomposo, como o discurso de um comandante num curso para oficiais, mas guardei meu cinismo para mim mesma. Para Adam e para os outros garotos, aquela oficina era o que poderia separá-los de mais um massacre na sinagoga. Eles estavam se dedicando a ela com toda a sua energia. E quando os três encontros chegaram ao fim, eles pediram mais.

"Ainda restaram exercícios para ensinar a vocês?", perguntei. "Claro que sim", disse Adam, "além de autodefesa vai ter também krav maga, técnicas de ataque, orientação." Não fosse o atentado na sinagoga, talvez eu erguesse uma sobrancelha, dissesse que o curso dele começava a parecer um treinamento de recrutas na divisão Guivati.* Mas o medo ainda

* Uma das unidades de elite do Exército israelense.

pulsava sob a minha pele. Acalmava-me saber que Adam continuava a frequentar a oficina. Alegrava-me vê-lo se integrar com os outros rapazes. E me agradava o fato de o instrutor os estar ensinando em hebraico. Quando ele avisou que teríamos de lhe comprar uma bússola para o próximo encontro, sorri comigo mesma e corri para encomendar uma. Era ótimo vê-lo florescer finalmente, como parte de algo maior. Eu tinha medo que depois de mais uma ou duas vezes ele saísse do curso e se fechasse novamente. Que aquela preguiça dos dezesseis anos deixasse meu filho diante do computador, em casa, ainda mais porque a ida até o salão levava vinte minutos de bicicleta. Fiquei positivamente surpresa quando ele conseguiu perseverar, apesar da distância. Houve tempo em que passava toda a tarde sozinho no laboratório do jovem químico que tinha montado na nossa garagem. Agora, dificilmente entrava lá. Voltava para casa suado do percurso de bicicleta, o rosto corado e os olhos ardendo. E eu sabia que não era só por causa da bicicleta que todo o seu corpo estava assim, era outra coisa.

Somente depois que Jamal Jones morreu foi que descobri que o grupo era bem grande. Dez garotos. Eles se encontravam todo domingo ao meio-dia. Sob o acariciante sol da Califórnia eles se orientavam, se camuflavam, atacavam e defendiam e então voltavam para casa, para comer schnitzel no jantar e se preparar para a prova de matemática. Certo domingo chuvoso, ele voltou para casa encharcado. "Você devia ter ligado, eu iria te buscar." Ele ouviu o que eu disse e riu. "Fizemos todo o exercício na chuva, Uri diz que na guerra não há guarda-chuvas." Só então prestei atenção, pela primeira vez, nesse nome — Uri — e no modo como Adam o pronunciava. Com grande respeito, quase reverência, como se a simples menção do nome lhe conferisse um grande crédito. "Você poderia ficar resfriado", eu disse, mas ele jurou que não ficara com frio nem por um momento. Nem mesmo se apressou, em casa, a despir as roupas molhadas. O orgulho o aquecia.

Nas semanas seguintes, Michael e eu ouvimos falar cada vez mais de Uri. Ele estava presente em cada frase de Adam. Corria o boato de que Uri fora da Sayeret Matkal, a unidade de elite do Exército de Israel. As crianças do curso dizem que, depois que deu baixa no Exército, Uri foi do Mossad. Uri não fala sobre isso. Não está disposto a responder a perguntas. Eu conhecia esse tipo de modéstia de quem esteve nessas unidades de elite, o modo silencioso com que se comportavam no mundo, num orgulho feito de humildade. E, de fato, quanto menos Uri informava as crianças sobre si mesmo, mais elas eram atraídas por ele. "Talvez Uri ainda esteja servindo no Mossad", disse-nos Adam uma noite. A essa altura Michael interveio. Ele preparou suco de laranja para nós, enquanto eu fazia panquecas e Adam punha a mesa. Adam disse que talvez a permanência de Uri nos Estados Unidos fosse parte de uma missão secreta, e Michael reagiu de repente, com aquele seu meio-sorriso irônico: "Você acha que está mobilizando a futura geração dos agentes do Mossad?". Adam ficou calado. Michael cortou uma laranja em duas num golpe de faca e continuou, no mesmo tom divertido: "Quem sabe toda a ideia desse curso é na verdade uma cobertura. Talvez, no próximo encontro, ele mande vocês para Muir Woods, a fim de raptar uma figura importante do Hamas que veio para San Francisco". Esperei que Adam risse ou respondesse a Michael com sua própria observação sarcástica. Não estávamos preparados para o silêncio ofendido, inabalável, que nos acompanhou pelo resto da refeição.

Só depois, quando as falas na televisão amenizaram o silêncio zangado de Adam, e Chandler e Joey nos carregaram em seus braços para o sono e nos cobriram com o cobertor e nos deram um beijo de boa-noite, Michael disse em voz sonolenta: "Acho que eu o conheço".

"Quem?"

"Esse Uri. Acho que ele esteve três classes de serviço militar abaixo de mim."

"E que tal era ele?"

Ele ficou calado. Pensei que tivesse adormecido. "Brilhante. Diziam que ele ainda seria chefe do Estado-Maior."

Eu me virei para ficar de frente para ele. "E então, veja aonde ele chegou, instrutor de krav maga no Vale do Silício."

Michael pousou uma mão pesada e quente em minha coxa. "Você está querendo dizer — agente do Mossad na Califórnia." Na escuridão do quarto, ouvi o sorriso na voz dele, e isso me fez sorrir, e com esse sorriso adormecemos.

7.

Pensei que a estava reconhecendo, junto à prateleira das frutas, mas não tinha certeza. Seu rosto estava voltado para baixo, para as cerejas, e suas mãos seguravam o carrinho de compras, que estava pela metade. Apenas quando ergueu o olhar eu tive certeza. Seus olhos estavam muito vermelhos, as pupilas dilatadas, do tamanho de mirtilos. A mãe de Lia percebeu meu olhar. Apressei-me em me virar e levar meu carrinho para o setor de laticínios, quando a ouvi vindo atrás de mim.

"Desculpe", ela disse numa voz débil, "posso pedir sua ajuda?"

Eu me virei para ela. Disse "é claro". Não soube se deveria lhe dizer que sabia quem era ela, que tinha estado no enterro. Que eu sentia muito.

"Eu estou um pouco tonta. Você poderia me ajudar a chegar nos bancos lá fora?"

Só então percebi o modo como seus dedos agarravam a barra do carrinho. Ela não estava passando pelas prateleiras de frutas, estava se segurando no carrinho para não cair. Larguei meu carrinho e fui rapidamente até ela. "Venha comigo."

Ela hesitou. Como se mesmo depois de ter resolvido pedir minha ajuda ainda não estivesse certa de que realmente precisava dela, de que realmente precisava que uma mulher estranha no supermercado a ajudasse a caminhar. Mas ao cabo de um instante cedeu e levou seu braço em minha direção, sua mão fria pousou em minha mão estendida. "Eu tomei um comprimido", disse, enquanto caminhávamos entre as prateleiras, avançando lentamente para as portas de vidro. "Pensei que ia me deixar adormecida só por algumas horas, mas parece que ainda estou um pouco grogue." As pupilas dela estavam enormes. Pareceu-me que ela não estava percebendo que se apoiava em mim enquanto caminhava. "A questão é que tenho de fazer uma torta. Esta noite uma jornalista vem conversar conosco. Eu queria preparar para ela a torta que minha filha sempre pedia quando voltava da faculdade para casa."

"Que torta?"

"*Torta de mirtilo*. Não sou boa cozinheira, mas essa torta eu sei fazer muito bem."

As portas de vidro se abriram. Ajudei a mãe de Lia a se sentar no banco. Entrei rapidamente para pedir um copo d'água. "Não acho uma boa ideia você dirigir de volta para casa." Ela bebeu a água em pequenos goles. "Às vezes, quando estou dirigindo, eu espero que me aconteça um acidente. Minha filha morreu faz cinquenta e um dias."

"Eu sei", disse. "Estive no enterro." E acrescentei: "Somos de Israel".

Ela virou-se a fim de olhar para mim. "É gentil de sua parte. Os israelenses quase não vêm à nossa sinagoga, foi bonito de sua parte terem vindo ao enterro." Ela apertou minha mão em sua mão, ainda fria, e bebeu um pouco mais de água. "Não é que eu pense que vou vê-la novamente se morrer num acidente, eu não sou uma dessas sortudas que acreditam no paraíso. Simplesmente espero que então não vai doer mais."

Não soube o que dizer quanto a isso. Tornei a entrar correndo e trouxe mais um copo d'água. A mãe de Lia ficou segurando o copo na mão, mas não bebeu. "Quer que eu a leve para casa?", perguntei.

"Nosso rabino disse que eu e Pete devíamos começar a sair um pouco de casa. Eu lhe contei que fico o tempo todo cheirando as roupas de Lia. Entro no quarto dela, abro o armário, e cheiro as roupas."

Eu me perguntei se valeria a pena contatar Pete, para que viesse buscá-la. Não sabia que comprimido ela tinha tomado, mas ela decididamente não parecia alguém capaz de fazer uma torta naquele dia. "Quem sabe você quer ligar para seu marido?"

"Por que não?", porém ela não se mexeu. Sua bolsa pendia do ombro, mas ela não estendeu a mão para ela. "O cheiro dela está se evaporando."

Uma mulher de cabelos vermelhos que estava prestes a entrar no supermercado olhou para nós, interessada. Eu não sabia se ela era uma conhecida da mãe de Lia ou apenas a estava reconhecendo dos noticiários. Esperei que fossem amigas, queria que a mulher estranha viesse até nós e se sentasse no banco, para eu poder dar o fora dali. Mas a mulher de cabelos vermelhos acabou entrando, e outras pessoas, apesar de algumas delas olharem em nossa direção, não se detiveram. A mãe de Lia tirou o telefone da bolsa, ligou para o marido e ele disse que viria logo. A mim pareceu que o fato de ter falado com ele a reanimou um pouco. Perguntou então meu nome, o nome de meu marido, quis saber desde quando estávamos na América. "E vocês têm filhos?" "Sim", eu disse, "um filho." Esperei que perguntasse como ele se chamava, mas ela não perguntou. Conversamos por mais alguns minutos. Ela parecia estar melhor. Um jipe azul-metálico entrou no estacionamento, ela se aprumou e disse: "É o Pete". E acrescentou: "Não tenho como lhe agradecer o bastante". E então concluiu: "Sabe, isso às vezes dói tanto que penso que seria melhor não ter nascido".

Adam estava na sala quando entrei em casa. Ele perguntou por que eu tinha demorado tanto. Não lhe contei sobre o encontro com a mãe de Lia, mas à noite contei para Michael, que suspirou e disse: "Pobre mulher".

"Espero que eles tenham adiado o encontro com aquela jornalista", eu disse. "Realmente acho que neste momento ela não está em condições de ser entrevistada."

Mas Susan e Peter Weinstein não transferiram a visita da jornalista de cabelos loiros e curtos. Eles não queriam que sua filha fosse esquecida. A rapidez com que o rosto de Lia estava desaparecendo das telas não lhes parecia justa. Tinham o que contar sobre ela. Era muito inteligente. E doce. Tinha salvado sua avó. Achavam que a repórter ia querer ouvir essas coisas, mas ela quis falar sobre Paul Reed. Estava muito mais interessada no assassino do que na vítima. Ele fora expulso do bairro em que cresceu em East Palo Alto. Aos sete anos de idade, viu homens brancos comprando por vinténs a casa em que tinha nascido, para depois alugá-la por altos preços para outras pessoas. Em Oakland o menino ficou exposto a traficantes de drogas que o arrastaram para baixo, e quando a combinação de drogas e uma genética problemática levou à eclosão de uma doença psíquica, Reed não recebeu um tratamento que pudesse equilibrar sua situação, pois era muito caro. Quando a repórter mencionou essas coisas para os pais de Lia, Susan Weinstein explodiu. "Não tenho culpa que esses caras negros prefiram ficar chapados enquanto outras pessoas trabalham duro. Os judeus trabalharam para ter sucesso neste país.

Compramos nossa casa em Palo Alto pelo preço cheio. Não somos racistas de jeito nenhum — meu pai marchou com Martin Luther King e, acredite, Martin Luther se envergonharia de ouvir que um negro atacou uma sinagoga com um facão, como uma fera na selva."

A entrevista foi transmitida durante o noticiário. A frase sobre a selva foi amplamente citada. Duas organizações exigiram que Susan Weinstein se desculpasse por suas observações racistas. Michael e eu estávamos na sala vendo a mãe de Lia falar para a câmera, a testa suada e as pupilas dilatadas.

Nas semanas seguintes, quando ia ao supermercado, eu ficava tensa ante a possibilidade de que ela aparecesse. Mas não a vi mais. Diziam que parou de sair de casa.

8.

Quanto tempo dormimos? Quando tempo caminhamos, trabalhamos, falamos numa grande sonolência? O pavor despertado pelo atentado se desvaneceu e foi absorvido pela vida cotidiana. Paul Reed e Lia Weinstein ainda eram lembrados na televisão, o retrato dele ao lado do dela, mas coisas terríveis continuaram a acontecer — uma criança pequena desapareceu no meio das férias na Flórida, um guarda atirou num negro que saíra para uma corrida em Wisconsin — e essas coisas foram gradualmente tomando o lugar do atentado na sinagoga, até que um dia ele já não era mais lembrado. A véspera de Rosh Hashaná ficava cada vez mais distante.

Toda manhã eu levava Adam para a escola e depois o trazia de volta. Houve um tempo em que indagava toda noite como tinha passado o dia, e me deparava com uma muralha de dar de ombros. Mas ser mãe é saber transpor muralhas. Em vez de questionar diretamente, passei a fazer perguntas mais indiretas — o que estudou, com quem falou, o que foi divertido, o que o irritou, perguntas que encontrei em fóruns de pais, perguntas formuladas por psicólogas empoladas cujas fotos apareciam no canto esquerdo da tela, junto com os números de seus telefones. Como nas meticulosas revistas com raios X no aeroporto Ben Gurion, quando se quer verificar se numa sacola de aspecto inocente não se esconde uma bomba, assim eu observava o rosto dele toda noite, procurando um sinal. Tudo bem com você, garoto? O que se passou com você durante as longas horas em que estivemos separados? Alguém zombou de você, menino? Alguém o magoou? Tudo isso eu tentava ler no rosto dele, buscando uma resposta a todas essas questões, sem ter feito uma única vez a pergunta: E você, garoto, zombou de alguém? Magoou alguém?

A certa altura, mesmo aquelas perguntas deixaram de ser feitas. Continuei a levá-lo para a escola pela manhã e a buscá-lo à tarde, mas não tentava compreender o que se passara com ele no intervalo. Nisso havia também um alívio, não ter de lutar o tempo todo com aquele estranhamento. Deixá-lo crescer. Quando não mais tentei o tempo todo saber e descobrir e compreender e investigar, pude simplesmente curtir o tempo que passávamos juntos no carro, recostar-me no assento do motorista e ouvir música — ele resolvia o que íamos ouvir na viagem de ida, eu resolvia o que íamos ouvir na volta. Eu poderia ficar estarrecida com os palavrões do hip-hop, não que isso realmente me chocasse, mas para deixar que ele desfrutasse de uma vitória juvenil sobre uma mãe antiquada. No caminho de volta, eu tocava Beatles, Pink Floyd, David Bowie. Pensava muito em quais músicas colocar — o que tinha a ver com ele, do que poderia gostar. Tudo que eu queria dizer a ele, dizia por essas canções. E ele prestava atenção, mesmo que nem sempre entendesse. E uma vez, durante a ida para a escola, depois de uma briga entre mim e Michael, ele pôs para tocar, entre um hip-hop e outro, "Life on Mars?"; David Bowie cantava no carro e eu sabia que ele fizera isso por mim, para me alegrar, e me emocionei por trás de meus óculos de sol.

E assim era, hip-hop na ida, Beatles na volta, e no meio, um árido deserto. Ele na escola, eu em casa, Michael no trabalho. Três rios que não se encontram até a noite, quando voltam a se reunir num só mar, para o jantar que às vezes era ruidoso e às vezes tranquilo, e que sempre, sempre transcorria numa grande sonolência. Uma sonolência da qual despertamos de repente numa quinta-feira, às onze horas da noite, quando Adam ligou para Michael e disse numa voz trêmula: "Pai, você pode vir me buscar? Alguém morreu aqui".

9.

Quando ele ligou, estávamos no meio de um episódio dos *Simpsons*. Não estava sendo um episódio especialmente bom, mas nenhum de nós sugeriu mudar de canal. Já tínhamos passado tantas horas com Marge e Homer que era como se fossem mais um casal de amigos do nosso círculo social, e você não expulsa de sua sala um casal de amigos só porque esta noite, por acaso, eles estão menos engraçados ou interessantes do que o normal. E havia mais um motivo — por trás das falas de Marge e Homer, nos emboscava um grande e negro silêncio, como uma pantera que espreita na escuridão. Não tínhamos trocado uma só palavra desde que Adam saíra de casa, duas horas antes, fechando a porta com raiva (não batendo a porta. Meu filho nunca batia portas. Ele tinha uma espécie de movimento raivoso que se refreava um instante antes de a porta bater de verdade, e ela se fechava com ruído, porém contido, uma revolta em pequena escala).

Ele não queria ir àquela festa. Michael o pressionou. Queria que Adam passasse mais tempo com garotos de sua idade. Desde que começara a frequentar o curso, sua situação social tinha melhorado, mas a maioria dos garotos lá era mais jovem do que ele, e, pelo visto, para Michael isso não bastava. Quando soube da festa, ele subornou Adam para que fosse, com incentivos parecidos com os que costumava dar a seus funcionários na empresa. "Sei que você não está a fim de ir, então, vamos resolver que hoje você faz isso e no fim de semana faremos algo que realmente valha a pena. Que tal uma incursão a Bear Valley?" Eu não gostava desses métodos de Michael para condicionar o comportamento das pessoas. Seu método de incentivos me parecia algo que se faz com focas, não com pessoas. Mas Michael insistia, dizia que toda a economia americana funcionava assim e que não havia motivo para que não funcionasse com nosso filho recluso.

Foi por acaso que soube daquela festa. Eu tinha ido ao supermercado fazer compras e encontrei a mãe de Ashley. Ela perguntou se levaríamos as crianças na ida, e eles as trariam de volta. "Levar para onde?", perguntei, e vi seus olhos se arregalarem, surpresos. "Para a festa de Josh. Adam não lhe contou? Toda a turma da biologia está convidada. Tenho certeza de que todos foram convidados." Estávamos na fila do caixa. Quando repetiu que todos os alunos da biologia estavam convidados, eu soube que ela já não estava tão certa assim de que Adam tinha sido convidado. Mas em casa, quando perguntei a Adam, ele respondeu: "Sim, a festa de Josh. Todos da biologia foram convidados".

"E aí, você vai?"

"Não estou a fim."

"Por quê? Tenho certeza de que vai ser legal."

"Por que você tem certeza?"

Havia hostilidade em seu olhar. Mas também um pingo de curiosidade, como se parte dele realmente quisesse que eu lhe explicasse por que tinha tanta certeza de que seria legal. Nesse momento Michael interveio, a voz segura, naquele tom de vice-presidente que sempre me incomodava, falou com Adam e fechou uma ida à festa naquela noite e uma visita a Bear Valley no dia seguinte.

Adam passou as horas seguintes em seu quarto, diante do computador, ouvindo hip-hop atrás da porta trancada. Depois saiu para correr, como fazia toda tarde desde que começara a frequentar o curso. Ouvi Kelev (chamamos o cão de Kelev, que quer dizer "cão" em hebraico) latir junto à porta e fiquei furiosa com Adam por não tê-lo levado consigo para correr. Vesti o casaco, prendi a guia ao entusiasmado pescoço de Kelev e saí para a tarde gelada. Esperava dar de cara com Adam durante o trajeto, já tinha preparado uma frase irritada para repreendê-lo (Se você quer um animal de estimação, tem de se responsabilizar por ele — frases de mãe), mas ele não estava na rua. No caminho de volta, vi uma luzinha acesa na janela da garagem e entrei. Adam estava curvado junto ao laboratório do jovem químico, ao lado de um pequeno armário, e se aprumou assim que me viu. Perguntei-lhe por que não tinha levado o cão. Disse que tinha de aprender a ter consideração, que eu estava com frio, que não me cabia andar pela rua num tempo como aquele só porque ele não cuidava de seu cão. Ele balbuciou um pedido de desculpa e eu percebi pela primeira vez como seu rosto expressava preocupação, e disse a mim mesma que tinha exagerado em minha reprimenda. Nem por um momento pensei que não era devido à repreensão que ele estava perturbado dessa forma, e sim por causa do armário e do que havia dentro dele. Só quando os policiais bateram à nossa porta, algumas semanas depois, ocorreu-me a pergunta, como um olho que estivesse fechado e agora se abrisse de uma só vez — o que você estava fazendo na garagem naquela tarde, Adam? O que havia naquele armário?

10.

Vinte e oito minutos se passaram desde que Adam tinha ligado até o instante em que chegamos, os freios rangendo, diante da casa da família Hart. Não estávamos sozinhos. Os outros pais tinham recebido de seus filhos ligações telefônicas semelhantes. "Mãe, pai, alguém desabou e morreu aqui." A todo instante chegava mais um carro. Mais e mais rostos conhecidos apareciam nas janelas olhando para fora. Mães preocupadas, pais preocupados. Não fazia muito tempo que uma jovem fora assassinada em nossa cidade, e a notícia de mais um rapaz morto caiu sobre os nervos expostos dos pais. Ashley estava sentada na mureta, envolta no casaco de sua mãe, que acenou para mim, mas permaneceu ao lado dela. Algumas garotas choravam no caminho de entrada. A maquiagem se desfizera em seus rostos jovens. Usavam vestidos muito curtos, apesar do frio. Afinal, o plano tinha sido passar a noite dentro da casa iluminada com luzes de festa coloridas, dançando, ou bebendo na cozinha, na cama dos pais de Josh, que tinham viajado para o exterior, no quarto do irmão mais velho que estava na faculdade, ou na cama do próprio Josh. Tinham planejado trocar uns amassos, beijos, talvez algumas chupadas, tinham planejado se embriagar, vomitar no lavabo ou no banheiro ou, se não tivesse outro jeito, num vaso de planta, mas não tinham planejado ficar do lado de fora, no caminho de entrada, expostas a um vento enregelante, enquanto lá dentro, na casa, o cadáver de um jovem jazia no salão.

Um grupo de rapazes se aglomerava num banco próximo. Deles emanava um forte cheiro de cigarros e álcool. Alguns choravam. Não um choro solto, como o das garotas. Um choro contido, constrangido, a mão acionada repetidas vezes para enxugar o rosto. Outros estavam de pé em cima do banco, nas pontas dos pés, com a clara intenção, que não tentavam esconder, de dar uma olhada naquele corpo dentro da casa.

No pátio da frente, fora estendida uma fita adesiva amarela. Eu me surpreendi ao perceber quão conhecida me era aquela fita amarela, ela despertava uma sensação de déjà-vu depois de incontáveis cadáveres em filmes e séries. Como num sonho, caminhei pelo gramado, passando pelas viaturas da polícia, contornando a fita amarela, folhas caídas sendo pisadas sob meus pés. Luzes vermelhas e azuis piscavam no teto do carro de polícia no outro lado do gramado molhado e se refletiam nas vidraças dos carros dos pais, que continuavam a chegar. Por um momento, se poderia pensar que eram as luzes da festa, ainda mais que, com todo aquele pânico, ninguém tinha se lembrado de desligar a música. De dentro da casa da família Hart irrompiam baixos poderosos, incisivos, quase era possível acreditar que aqueles policiais de semblante severo tinham vindo até aqui porque um vizinho irritado telefonara reclamando do barulho, e não porque uma garota quase sufocando ligara para informar sobre um rapaz que tinha desfalecido e morrido. Olhei em torno de mim. Procurei meu filho. Na outra extremidade da rua, vislumbrei Michael. Ele passava entre os rapazes, procurando Adam, percebeu meu olhar e acenou negativamente. Balancei a cabeça num gesto igual — não, eu também não o estou vendo — e continuei caminhando. Uma mulher num vestido de noite dava apoio a um rapaz alto que vomitava na grama. O vômito sujara o pé da mulher, calçado num sapato de salto alto apesar do frio, e respingara nas meias de náilon. Outra mãe, vestindo uma parca por cima do pijama e calçando pantufas, passou por mim e perguntou sem se deter: “Você viu a Cora, uma ruivinha?”. Acenei com a cabeça que não, comecei a caminhar mais rápido. Onde está você, menino?

E de repente temi por ele, sem qualquer motivo real, eu sabia que quem estava estirado dentro daquela casa não era

Adam. Foi Adam quem ligou para nós e disse que um garoto desabara e morrera no meio da festa, foi ele quem nos chamou para vir aqui, mas assim mesmo passam-se os segundos e ele não está aqui, mais e mais crianças caem chorando nos braços dos pais, até mesmo os rapazes mais durões, quando o pai ou a mãe sai do carro, quebram de repente e se deixam abraçar. De tanto olhar para os lados, acabei indo de encontro a uma roseira, galhos espinhentos penetraram no tecido de minhas calças e rasgaram minha pele. "Adam!", gritei. "Adam!" As luzes da rua penetravam com dificuldade pelos arbustos, o piscar das viaturas, o choro das crianças. Tudo estava mais difuso agora, tudo menos o ruído dos baixos, que nessa parte da casa rolavam como trovões. Olhei em volta. Talvez, enquanto isso, Michael já o tivesse encontrado. Talvez estivessem os dois na rua, diante da fachada da casa da família Hart, querendo saber onde eu tinha ido parar. Mas algo dentro de mim me dizia que ele não o tinha encontrado, algo profundo e primevo, que empurrava minhas pernas adiante, cada vez mais assustada, como se a qualquer momento alguém fosse me dizer que na verdade eram dois, dois rapazes mortos, como se a ordem cronológica dos fatos e a certeza de sua voz quando ligou e disse — alguém morreu — já não o protegessem mais, como se de algum modo essa casa lhe tivesse feito mal.

Dei mais um passo. À altura de meu rosto, a parede se abria numa grande janela com persianas de madeira amplamente abertas. Uma cortina transparente se agitava ao vento gelado, mas não foi por causa do vento que eu congelei, foi por causa dele, por causa de seu rosto.

O garoto morto jazia no chão da sala de estar, próximo à janela aberta. Vestia jeans de cor clara e suéter branco, e seu rosto estava tão contorcido e avermelhado que por um momento não consegui respirar. Eu já tinha visto antes pessoas mortas. Fiquei junto ao leito de morte de meu pai, e de minha avó, e de uma amiga querida que morrera de câncer, compareci no enterro de americanos com caixão aberto, e nunca, em lugar algum, tinha visto um rosto que expressasse tal sofrimento. Somente depois, quando vi o retrato no jornal, foi que descobri como era belo aquele rosto antes que a morte o enfeasse assim.

Desviei logo o olhar. O corpo do rapaz era grande, largo, e ele estava estirado lá, metade sobre o tapete, metade sobre o parquê, numa posição admiravelmente natural, como se estivesse se espreguiçando, relaxado como um gato, pronto para, a qualquer momento, dar um salto e ficar de pé de novo. Seus tênis eram exatamente como os de Adam, Adidas cinza da coleção de Kanye West, que Adam tinha pedido como presente de aniversário. Custavam uma fortuna, mas ele implorou, e eu concordei, e fiquei furiosa quando ele disse algumas semanas depois que os tinha perdido no vestiário da piscina. Os mesmos tênis. Talvez tivesse querido imitar esse rapaz, assim como pediu que eu comprasse roupas parecidas com as de Tamir e Aviv. Tênis que entusiasmam crianças que passam horas diante do YouTube e vão perturbar suas mães exigindo que comprem iguais. E naquele momento, por causa dos tênis, compreendi de repente: quem estava aqui estirado era filho de alguém.

Tive uma vertigem. Um policial e um paramédico que estavam ali na sala agora olhavam direto para mim. Saí de lá com o coração palpitando, envergonhada. Dentro da casa alguém por fim desligou a música. Repassei mentalmente os rostos dos poucos amigos de Adam. Não, o menino lá na sala não era nenhum deles. Tinha certeza disso. Havia um menino negro que vinha às vezes em casa, mas era muito mais magro e usava óculos, e eu achava que sua família tinha mudado para San Diego, foi isso que Adam balbuciou quando lhe perguntei por que ele tinha parado de vir. O menino que estava agora estendido na sala eu nunca tinha visto, nem em todas as vezes em que tinha levado Adam à escola e trazido de volta. E, no entanto, pelo visto, tinham a mesma idade e estavam na mesma turma.

Junto à janela, uma grande escada de madeira estava apoiada na parede. Quem sabe Adam tivesse subido ao telhado, uma ideia insólita, mas talvez eu devesse subir para verificar. Não estava raciocinando bem. A visão do menino morto obscurecia meus olhos. Hesitei por mais um instante ao lado da escada, quando com o canto do olho percebi um movimento brusco dentro da casa.

O policial afastou-se para um lado a fim de abrir espaço para alguém. Uma mulher negra tinha entrado. Era larga, alta e robusta. Seu rosto muito maquiado era, em seu modo franco, bonito. Usava um vestido cor-de-rosa com enormes flores brancas e calçava sapatos de salto alto cor-de-rosa que envolviam tornozelos imensos, inchados de tanto uso. Um dos policiais a levou para dentro. Ela seguia atrás dele com passos que pareciam pequenos se comparados com suas medidas, seus olhos negros saltando de um lado para outro, varrendo o recinto. O garoto morto jazia além do sofá, mas, de onde estava, ela não poderia vê-lo. O policial sabia onde o garoto estava estendido e a levou até lá. Por um momento ela ainda estava bem, então passou pelo sofá e de repente seu belo rosto se contorceu totalmente. Eu vi isso acontecer. Seu belo rosto se partiu em dois e o que se revelou ali foi ainda mais terrível do que o rosto do menino morto, que agora, além de qualquer dúvida, estava claro que era seu filho.

Pensei que ela ia correr para ele. Que o abraçaria, mas ela simplesmente ficou ali de pé olhando, e seu olhar era tão oco que comecei a correr. Esqueci a escada e a tola ideia de subir no telhado, corri em volta da casa até o quintal de trás, escuro, em cujo centro havia uma churrasqueira de proporções gigantescas. Tropecei num cano de irrigação, contornei dois anões de jardim, só para me afastar de lá, me afastar daquela janela, chegar aos móveis de vime, às roseiras atrás deles.

E lá estava ele, meu menino. Num primeiro momento, quase não o percebi. Todo enroscado entre os arbustos, estava sentado no chão, os braços abraçando as pernas, a cabeça entre os joelhos, todo o seu ser encolhido.

"Adam?"

Quando ergueu a cabeça, vi que tinha chorado. Rios de lágrimas escorriam pelas faces de meu garoto, barbeadas com desleixo. Ele atirou-se em meus braços, afundou a cabeça em meu colo, abraçou-me tão forte que quase doeu. Seu choro era diferente de todo choro que eu conhecera antes, e sua intensidade me assustou. "Está bem, está tudo bem", balbuciei, mas minhas palavras só fizeram seu choro recrudescer. Parei de falar. Abracei-o em silêncio. Sussurrei sh... sh... como fazia junto à cama quando ele era um bebê, e isso funcionava, em poucos minutos ele se acalmava. "Venha", eu disse, "seu pai com certeza está preocupado."

Não queria passar novamente por aquela janela. Eu o conduzi, ao longo do outro lado da casa, em direção à rua agora ruidosa, iluminada, muito mais cheia de gente do que antes. Já estávamos quase lá quando a porta da família Hart se abriu de repente e saíram dois policiais sustentando a mulher de vestido cor-de-rosa.

Todos ficaram imóveis, olhando. Alguém a nosso lado sussurrou: "Esta é a mãe de Jamal Jones". Ela caminhava devagar pelo caminho de entrada, balançando em cima dos saltos, que soavam a cada passo, clac clac clac. Não olhou para nós. Seus olhos estavam em outro lugar. As roupas ainda eram as mesmas, um vestido cor-de-rosa com enormes flores brancas — mas a mulher dentro dele não se parecia em nada com a que eu tinha visto antes. Clac clac. Agora ela passou pertinho de mim e de Adam. Ouvi como Adam parou de respirar. Todo o seu corpo tremia. A mãe de Jamal passou por nós, acompanhada pelos policiais, e eles chegaram à beira da rua. As pessoas olhavam para ela, virando a cabeça, como se olha para uma celebridade, um político, alguém importante. E talvez, só então pensei nisso, talvez estivéssemos todos a olhando assim porque aquela mulher ali no gramado era quem todos nós tínhamos medo de ser. Não era só com pena que a estávamos olhando, mas também com curiosidade, para saber como é quando seu pior temor se concretiza.

Ela estava prestes a entrar na viatura quando de repente tropeçou e desabou no chão. Um gemido de susto se ouviu na multidão. Alguém gritou: "Ela desmaiou!". Os policiais ergueram a mãe de Jamal e a reanimaram. Uma mulher loira de óculos saiu de seu carro estacionado e gritou: "Eu vou com vocês". Não sei o que os policiais lhe responderam; naquele mesmo momento Michael segurou minha mão: "Aqui estão vocês!".

Fiquei surpresa ao constatar como ele parecia estar tranquilo. Triste, sim, perturbado, com certeza, mas não em pânico. Naquela ansiedade geral, contagiosa, meu marido era um dos únicos que encaravam o acontecimento tal como era — um rapaz desabou e morreu numa festa. Trágico, mas não um perigo para qualquer uma das pessoas que estavam ali na rua.

Soltou então minha mão e pôs a sua no ombro de Adam. "Você está bem?" Adam acenou que sim, estava bem. Tive a impressão de que a presença de Michael o encorajava mais do que a minha.

"O carro está ali", Michael apontou para mais adiante na rua, mas Adam não se apressou a ir. No gramado da frente da família Hart estavam reunidos seus colegas de turma, consolando-se uns aos outros. Abraçavam-se. Alguns falavam baixinho, a voz sufocada, outros calavam-se, juntos. Alguns estavam de mãos dadas. Adam olhava para os rapazes e as moças.

"Podemos esperar um pouco", disse Michael numa voz suave. Adam balançou a cabeça negativamente. "Quero ir para casa." Michael abriu a boca para dizer algo, mas arrependeu-se, deixou a mão no ombro de Adam e pousou a outra em meu ombro, e assim caminhamos os três ao longo do gramado iluminado, subindo a rua, em direção ao carro.

De repente Adam se desvencilhou de nós e começou a correr. Fez isso num movimento brusco, num instante estávamos os três juntos e no seguinte ele já não estava lá, correu para o meio da rua e de lá para a calçada em frente. Michael e eu o acompanhamos com o olhar, confusos, enquanto ele corria em direção a um homem de cabelo cortado curto, com um casaco acolchoado. Eles se abraçaram, um abraço másculo, forte, um abraço que eu e Michael nunca tínhamos visto da parte de Adam. O homem de cabelos curtos bateu no ombro de Adam, como se fosse um sinal combinado. Adam desfez o abraço, virou-se para nós. "Mãe, pai, este é o Uri."

II.

Assim que ele abriu a boca, tudo ficou claro. Algo em sua voz, no modo de falar, era impositivo — não, não impositivo, imposição suscita resistência, e era justamente o contrário, sua voz fazia você *querer* segui-lo. Ele tinha a voz do flautista de Hamelin. Michael tinha uma qualidade semelhante, ele sempre sabia como fazer as pessoas agirem. Mas no seu caso aquilo era arquitetado, como se um programa em sua cabeça estivesse calculando a cada momento o que era preciso dizer para que alguém fizesse o que ele queria. E no caso de Uri essa qualidade era calorosa, sua voz fazia algo derreter no corpo, acalmava os músculos que resistiam. E ele só tinha nos dito a frase mais corriqueira e oca: "Então vocês são os pais de Adam". E no momento em que a disse — em hebraico —, foi como se erguesse em torno de nós uma muralha e uma torre, e não éramos mais uma família que encontra o professor de seu filho numa rua na Califórnia, mas um grupo unido e consolidado, por força de Uri.

Michael foi o primeiro a falar. Elogiou o curso. "Adam fala o tempo todo sobre ele." Uri escutava, e não devolveu os elogios, como qualquer americano faria. Não disse, por exemplo, "seu filho é maravilhoso, realmente algo especial", que era o que me dizia o professor de computação de Adam em toda reunião de pais do ensino fundamental, e o professor de xadrez, após toda aula. Ele simplesmente ficou ouvindo, depois assentiu, e Adam olhou para esse assentimento com a mesma expressão de reverência com que se olharia para um eclipse solar.

Talvez por isso eu tenha me dirigido a ele de repente, pulando o *shalom*-eu-sou-Lilach-prazer-em-conhecê-lo e dizendo: "Pelo que Adam me contou, entendo que vocês foram da mesma unidade do Exército". Uri e Michael trocaram um olhar fugaz, que eu conhecia bem. Um leve tremor de desconforto que contraía os ombros de Michael toda vez que alguém mencionava de forma explícita ou ruidosa demais seu serviço militar na unidade de comando do Estado-Maior. Como se seu número militar tivesse sido gravado em sua carne com um ferro em brasa, junto com uma ordem para eterno sigilo, mesmo vinte anos depois de ter dado baixa. Era quase cômico ver como aquela reação, que eu conhecia tão bem em Michael, se manifestava também em Uri. Um leve enrijecimento das costas, perceptível mesmo através do casaco que vestia. Mas sua voz não deixava transparecer nada. Continuava firme e agradável como antes quando disse: "Com certeza você está com frio, vamos até o carro de vocês".

E como para deixar claro que a voz de Uri não comandava apenas meu filho Adam, mas também os poderes da natureza, no mesmo instante soprou um vento gélido, desses pelos quais a região da baía é famosa e que fez a rua inteira tremer. No gramado da família Hart, pais e filhos tremeram por causa do vento. Em alguns minutos com certeza todos se dispersariam. Estava frio demais, tarde demais.

A caminho de nosso carro, Adam falou com entusiasmo sobre o curso, contou a Michael detalhes sobre o último exercício de navegação. Você realmente esqueceu, menino, o garoto morto mais adiante nesta rua? Eu não sabia se ele estava falando assim porque tinha esquecido ou porque estava buscando esquecer. Talvez quisesse embaçar com suas palavras o que tinha acontecido, como na infância, quando acordava de um sonho ruim e gritava "Mãe, conte-me alguma coisa! Conte-me alguma coisa!", e não concordava em voltar para a cama enquanto não lhe viessem novas visões para cobrir as que o haviam assustado e despertado. Procurei os olhos de Michael, para refletir junto com ele, em silêncio, sobre aquela fala animada de Adam. Mas Michael estava absorto na conversa sobre o curso, alternando o olhar entre Adam e Uri.

São parecidos, pensei, este homem e meu homem. Mas se no caso de Michael a mão que o esculpira se detivera no meio da tarefa — seu rosto era agradável, porém algo nele ficara em botão, não se completara, ele era quase bonito —, no caso de Uri a mão tinha continuado seu trabalho um minuto a mais. Ele era esculpido demais. Bonito demais.

A cada minuto a animada conversa de Uri, Adam e Michael me parecia cada vez menos adequada à situação, uma profanação do sagrado. E talvez Uri também achasse isso, pois de repente percebi que ele tentava, com gestos delicados, quase invisíveis, fazer com que Adam baixasse o tom. Entrasse no carro. Como que o afastando da arena. Fui para o assento do motorista e abri a porta. Esperava que Michael e Adam me seguissem, mas eles demoraram. Sentei-me. Fechei a porta. Eles ainda estavam do lado de fora. Por trás do vidro, que abafava as vozes, ouvi Michael perguntar: "Na época em que Amos era o comandante, certo?", e Uri balbuciar algo naquele tom secreto dos membros da unidade quando se falavam nos becos de Beirute, ou nas ruas de Palo Alto. Enfiei a chave na ignição e liguei o estéreo ostensivamente. Beatles.

Só percebi a viatura quando já era tarde demais. Michael, Uri e Adam, pelo visto, tinham notado as luzes vermelhas-azuis se aproximando, mas eu, mergulhada nos sons do estéreo, não as vi até estarem bem ao nosso lado. Vieram em marcha lenta, como um carro funerário, dois policiais brancos na frente, e no banco de trás a mãe de Jamal. A janela da viatura estava aberta. Pelo visto, depois de seu colapso, eles quiseram que ela tomasse um pouco de ar. E pela janela aberta, os sons alegres dos Beatles, altos e atrevidos, chegaram até a mulher no carro. Como uma piada malvada.

Apressei-me em baixar o volume. Adam e Michael entraram finalmente no carro, seus olhos acusando e culpando. Desliguei completamente o estéreo. Michael abriu a janela e inclinou-se para fora, para Uri: "Onde você estacionou?".

"Perto da casa."

Não precisava dizer a que casa se referia, sabíamos todos que a partir de agora a casa de Josh Hart seria "aquela casa". E que Jamal Jones seria a partir de agora "aquele garoto".

"Venha, vamos levar você até seu carro."

Eram só duzentos metros rua abaixo, mas Uri assentiu, entrou no carro e sentou-se ao lado de Adam. Seu tamanho preencheu o banco traseiro. Dele emanava um cheiro forte de chuva. Quando chegamos à casa da família Hart, ele me sinalizou que parasse. "*Ial'la*, que seja uma noite tranquila." Ele tirou as chaves do bolso do casaco, deu uma batidinha no ombro de Adam, acenou para mim e para Michael através do espelho e saiu.

Quando fechou a porta, passou a reinar no carro um silêncio estranho. Adam encolheu-se em seu casaco. Michael apoiou a cabeça na vidraça empoeirada e fechou os olhos. Avancei vinte metros, pus o carro em ponto morto e esperei que um carro parado na saída do estacionamento me deixasse continuar. Pela janela, vi que os rapazes começavam a ir embora do jardim. Em frente à casa ainda havia um carro da polícia. Pela porta aberta da família Hart, vi policiais conversando no vestíbulo. E vi Uri.

Inclinei-me para a frente, sem ter certeza quanto ao que havia visto. Sim, era ele. As chaves ainda estavam em sua mão. Seu olhar era muito sério, e ele se curvava para a frente a fim de dizer alguma coisa a um policial baixo e corpulento. O policial afastou-se para um lado e fez sinal para que ele entrasse atrás dele na casa, e Uri assentiu e despiu o casaco. Por baixo do casaco acolchoado surgiu uma camisa abotoada e passada. Blusa de diretor. Ele pendurou o casaco num cabide no vestíbulo, entrou diretamente na casa da família Hart e desapareceu em seu interior. Fui embora dali, olhando pelo espelho sua mão grande e ursina, que apareceu de repente de dentro da casa e fechou a porta.

12.

No dia seguinte o céu estava incrivelmente azul. Ventos haviam soprado durante toda a noite e expulsado as nuvens de Palo Alto. Esta era mais uma de nossas vantagens em relação à vizinha San Francisco. Não havia sem-teto. Não havia bêbados. Não havia nevoeiro. Claro, havia pessoas que se sentiam desabrigadas dentro de suas casas, mas elas dormiam em camas de casal, e não em cima de um banco na rua. E havia pessoas que bebiam, garrafas que eram abertas já ao meio-dia, mas quando essas garrafas se esvaziavam, elas eram escondidas em sacos de reciclagem, e não espatifadas no meio da rua. E é claro que havia nuvens, algo cinzento pairando dentro das casas, uma frieza real em certos recintos, mas não no céu lá fora. O céu lá fora era azul, como nos panfletos de venda de imóveis.

Assim que mudamos para cá, Michael disse que o canto dos pássaros pela manhã o fazia lembrar os sons do kibutz. Isso me fazia rir muito. Eu contava isso a quem ligava de Israel para perguntar como estávamos, conversas estranhas que sempre começavam num grande entusiasmo e terminavam numa voz baixa e humilde. Antigamente, quando as pessoas ligavam de Israel para o exterior, elas falavam muito rápido. Os minutos custavam tão caro que queriam comprimir o máximo de palavras em cada um, como se enfiam roupas numa mala que já se tem de fechar. Nessa urgência havia algo de libertador, como se, exatamente por ser a conversa limitada no tempo, fosse possível se dedicar mais a ela. Mas, no Skype, você só para de falar quando não tem mais o que dizer, e, para sua surpresa, descobre que isso acontece bem rapidamente. Aos poucos pararam de ligar, primeiro Tamar, depois Rotem, e enfim até mesmo Noga. Amigas de festas, aniversários e de uma visita a cada dois anos.

Na manhã seguinte à daquele garoto, as tulipas na jarra não estavam mais vermelhas, ou estavam menos vermelhas do que no dia anterior, quando Jamal Jones ainda estava vivo. Isso, é claro, era muito lógico, na mesma medida em que era monstruoso. Decidi ligar para a casa de repouso para avisar que não iria naquele dia, devido ao enterro. Queria pedir a Lucia que pusesse um aviso no meu escritório, para que ninguém se assustasse com a porta fechada. Os moradores da casa acordam cedo e, quando descem para o saguão na manhã de sexta-feira, gostam de ver que já estou lá. Eles pagam pouco, na casa de repouso, mas eu gostava desse trabalho. Idosos não podem ficar o dia inteiro em seu quarto. Precisam sair, ver outras pessoas. Eu organizava ciclos de atividades. Trazia conferencistas.

Nas sextas-feiras, eu mesma cuidava de uma oficina de cinema, que agora estava planejando cancelar.

"Mas não entendo", disse Michael, "se o enterro é só às três horas, por que você não vai agora, como de costume? Adam não vai se levantar antes do meio-dia, o que você tem para fazer aqui?"

Mesmo assim liguei para cancelar, mas a conversa com Lucia fez com que eu mudasse de ideia. "Eu ia falar com você sobre Marta", ela disse, e acrescentou numa leveza que não me pareceu autêntica, "não faz mal, vamos deixar para a semana que vem." De todas as pessoas que moravam na casa de repouso, Marta era aquela que nunca perdia uma oficina. Ela não falava muito, mas seus olhos sorriam para mim sempre que eu entrava, e toda vez que sentava a seu lado, ela passava a mão em minhas costas numa espécie de carícia.

Antes de sair de casa lancei um último olhar enviesado na direção do quarto de Adam, talvez a porta se abrisse. Tentei expulsar da lembrança a expressão em seus olhos quando voltamos à noite da casa da família Hart. Quando entrei no saguão da casa de repouso, descobri que todos os moradores já sabiam o que havia acontecido na véspera naquelas redondezas. Tinha saído nos noticiários. "É uma tristeza quando isso acontece com um menino", disse Armando, placidamente. "Com velhos, como nós, o.k., tudo bem, mas crianças não têm de ir embora dessa maneira."

"E pensar que faz tão pouco tempo que aquela jovem foi morta na sinagoga", disse Neila, atrás do carrinho da limpeza. Marta passou a mão por seus cabelos brancos, deslizou os dedos em minhas costas e perguntou baixinho como eu estava me sentindo. Seus dedos me fizeram lembrar os de minha avó. "Acho que estou bem", eu disse. Ela tornou a passar a mão em minhas costas com um tapinha delicado e perguntou se o garoto que tinha morrido na véspera, numa festa, era branco ou *colored* ou latino.

"*Negro*",* disse Armando categoricamente, "eu vi a foto dele no noticiário, ele era *negro*." Olhei de soslaio para Neila, para ver se tinha ficado ofendida. Ela estava recolhendo no carrinho utensílios vazios e disse com um sorriso conciliador ao porto-riquenho com o andador: "Cuidado, Armando, se você disser *negro* na rua muita gente vai se zangar com você".

Dwayne riu alto. Ele era o mais velho dos moradores, mas as marcas do tempo tinham sido absorvidas em sua pele negra, de modo que parecia ser o mais jovem entre eles. "Realmente é uma sorte que seja proibido dizer isso, porque desde que não se fala mais *negro*, tudo mudou, não é, Neila? Desde que não chamam mais seus filhos de *negros*, você não tem medo de que algum policial branco meta uma bala neles em pleno dia!" Dwayne riu novamente. Ele gostava de rir. Quando ria, exibia seus belos dentes, brancos, motivo de inveja de todos os moradores da casa de repouso. Seu filho os tinha comprado para ele antes de embarcar num avião e mudar para Maryland.

Neila olhou para mim. Nós duas rimos. Armando, Dwayne, Chan e Marta estavam empacados juntos nesse prédio antigo em Daly City, pobres demais para poderem escolher para si uma casa de repouso mais sofisticada. A velhice os unia. Era por isso, parecia-me, que não se ofendiam uns com os outros. O verdadeiro inimigo era a morte, ou, talvez, exatamente a juventude. Seus filhos se achavam melhores do que eles, apesar de na verdade não o serem.

"Diga, Lila", Dwayne virou-se para mim, "Lucia falou que o garoto que morreu era colega de seu filho. Mas como é que um menino negro chegou a uma escola em Palo Alto?"

"Ele é de East Palo Alto", eu disse, embaraçada. "Lá não existe uma escola de ensino médio, então eles os distribuem

* Em inglês, o termo "*negro*" é atualmente considerado ofensivo pela comunidade afro-americana. [N. E.]

em nossas escolas." Como ele ficou calado, acrescentei: "É bom também que nossos filhos conheçam crianças de bairros menos favorecidos". "Querida, tomara que alguma casa de repouso em sua região receba os *velhinhos* de bairros menos favorecidos", disse Dwayne, entre risos dos moradores. "As fraldas lá com certeza são de seda."

"Vamos", eu disse, sorrindo a contragosto, "vamos começar a oficina." Marta continuou sentada no saguão, olhar perdido no espaço, até que Dwayne lhe estendeu a mão, num gesto que hoje em dia os homens não fazem mais. Em poucos minutos, todos tinham entrado. Quando preparei o encontro semanal, tinha programado exibir o filme *Vidas amargas*. Tencionava falar sobre o drama como sendo uma metamorfose da história de Caim e Abel e do primeiro assassinato, como um evento cuja origem era a ofensa, não a maldade. Mas agora me assaltavam as cenas da véspera, o rosto sorridente de Dwayne se alternava com o do garoto morto estendido no chão daquela sala. O homem à minha frente tinha comemorado, não fazia muito tempo, seu nonagésimo aniversário. Jamal Jones só tinha dezesseis anos. Encurtei a introdução e comecei a projetar logo o filme. Saí da sala três minutos depois do início.

Quando entrei no escritório de Lucia, ela compreendeu de imediato. "Vá para casa", disse suavemente. Levantou-se e me acompanhou pelo corredor, a mão em meu ombro. "O que você queria me dizer sobre Marta?", perguntei. "Isso pode esperar." "Lucia, do que se trata?"

Ela se deteve junto à porta de meu escritório, olhou por cima do ombro para se certificar de que estávamos sós e disse: "Vou encaminhar Marta para uma avaliação funcional. Os membros da equipe têm notado sinais de perda cognitiva".

Tentei protestar. Marta tinha faces muito lisas que coravam toda vez que ela falava, como se o simples fato de alguém notar sua presença fosse o testemunho de algum mal que ela tinha cometido. Eu podia imaginar como aquela consulta com o médico a humilharia. A simplicidade cruel inerente a uma série de perguntas — *Que dia é hoje? Você consegue tocar o nariz com o dedo? Como se chama este lugar?* — destinadas a estabelecer se ela poderia ou não ficar. Lucia balançou a cabeça negativamente. "Não temos recursos humanos suficientes para termos certeza de que uma idosa com demência não vá acabar vagueando pela autoestrada, você sabe disso." Moradores nos quais se diagnosticou perda cognitiva tinham uma festa de despedida antes de serem transferidos para outra instituição. As festas mais terríveis eram aquelas nas quais os homenageados sorriam, pois aí você sabia que eles nem compreendiam que estavam sendo expulsos. Marta, porém, não era assim. Ela plantava sementes de flores em vasos. Ela passava a mão em minhas costas toda vez que nos encontrávamos. Ela não ia querer ir embora.

"É apenas uma avaliação funcional", disse Lucia. "Ela com certeza poderá se sair bem."

"Eu irei com ela à consulta."

Lucia olhou para mim, divergindo. "Não tenho certeza de que seja uma boa ideia, Lila. Temos de pensar em como isso vai ser recebido pelos outros moradores para que não se comece a ter ciúmes aqui." "A família dela mora longe", insisti, "não tem quem fique com ela na consulta." "Deixe-me pensar sobre isso", balbuciou Lucia e se despediu de mim. Eu já estava na América tempo suficiente para saber que aquilo me fora negado.

Peguei a pasta no escritório e tranquei a porta com a placa onde se lia "Lilach Shuster — Coordenadora de cultura". Se meu orientador no doutorado visse isso, ele com certeza perguntaria se foi para fazer esse trabalho brilhante que eu tinha ido para a América. Na primeira vez que propuseram a Michael uma realocação, eu me opus. Não me convinha abandonar tudo e ir embora, principalmente após ter ouvido histórias horrorosas sobre mulheres que apodrecem no Vale do Silício depois de trocarem sua mesa de trabalho por uma mesa na cozinha. Essas mulheres desistiram de si mesmas, eu disse a Michael, e eu não quero ser uma delas.

Quando me encaminhava para a saída, vi Marta na extremidade do corredor. Tinha saído no meio do filme. Ela avançava com seu andador, em pequenos movimentos. Seu roupão entreabriu-se um pouco, revelando a pele enrugada de suas coxas. Eu a observava enquanto ela olhava para os lados. Ocorreu-me a ideia preocupante de que talvez ela não soubesse onde estava. Quando me viu, seus olhos se iluminaram.

"Aí está você, Lila, eu vi você sair e quis verificar que estava bem."

13.

Quando cheguei em casa, Adam ainda estava dormindo. Não o acordei. A professora de biologia enviou uma mensagem avisando quando seria o enterro e o endereço do cemitério, e acrescentou uma foto não muito boa de Jamal, de alguns anos atrás. Tomei o café que Michael me serviu e fiquei olhando para a foto até que os ganidos de Kelev ficaram explícitos demais e eu o levei para dar uma volta.

Ele corria rápido, mesmo mancando. Quando Adam o achou, ainda em Portland, o veterinário disse que, nas condições em que estava, talvez fosse melhor colocá-lo para dormir para sempre, mas Adam insistiu, e hoje ele é tão rápido quanto os outros cães do bairro. Mesmo assim é estranho andar com ele na rua. Não é o tipo de cão que as crianças querem acariciar. Isso por causa das cicatrizes: uma na largura do focinho, outra debaixo da orelha, e outra, especialmente feia, nas costas, onde os rapazes o tinham queimado. A carne ali é rosa arroxeada, sem pelo. Tenho um pouco de nojo de tocar nesse ponto, mas Adam o acaricia ali o tempo todo. A cicatriz dele não é feia, ele me disse uma vez, feio é quem lhe fez isso.

Um dia, faz cinco anos, meu menino voltou para casa surrado e machucado. Eu me assustei tanto que só após um momento percebi que ele segurava nos braços algo ainda mais surrado e machucado do que ele. Um pequeno filhote de cão, todo trêmulo. Adam tinha ouvido os gemidos vindos do bosque, quando voltava da escola de bicicleta. Ele viu como o maltratavam e sabia que, se não interviesse, eles matariam o cão. "E você não pensou que eles poderiam matar você também?" "Mãe, não exagere." Seu tom lacônico, a indiferença em relação a suas feridas, a dedicação com que cuidava de um filhote que o veterinário duvidara no início que pudesse sobreviver nos convenceram. Pagamos por todos os tratamentos. Implantamos uma prótese de platina no lugar do osso da coxa traseira, que tinha sido esmigalhado. Quando o filhote despertou após a cirurgia, Adam o acariciou com movimentos pequenos, cautelosos. Perguntei como gostaria de chamá-lo. "Kelev." "Só isso? Simplesmente Kelev?" Ele deu um sorriso raro nele, travesso: "Por que não? Do mesmo jeito que 'Adam' significa 'pessoa' em hebraico. É você que sempre diz que o fato de alguém ter nascido gente não faz com que *seja* gente".

Eram muito chegados um ao outro, Kelev e Adam. Iam juntos a toda parte. Um dia, antes de Adam ter seu próprio computador, eu vi aberto no meu um artigo sobre o prolongamento da expectativa de vida de cães. Ele não parava de se ocupar com isso. Perguntou a Michael quantos anos vive um cão. Tentou regatear. Disse que com certeza eram dados antigos, que atualmente, com toda a certeza, eram mais. Eu gostava de vê-los juntos. A feiura de Kelev me fazia lembrar o tempo todo como era bonito o que Adam tinha feito.

Quando voltei para casa do passeio com Kelev, Adam ainda não tinha se levantado. "Precisamos acordá-lo", eu disse a Michael, "para ele ter tempo de se preparar para o enterro." Subi e bati delicadamente à sua porta. Demorou até ele abrir, e quando finalmente a abriu, ficou claro que não tinha dormido um minuto sequer. Seu rosto estava muito pálido, os olhos vermelhos e vestia as mesmas roupas que tinha vestido ontem para ir à festa.

"Eu não quero ir."

Eu quase disse que tampouco queria ir, que desde aquela manhã eu tinha esperado que minha febre subisse, que a garganta começasse a doer, que alguma coisa me dispensasse do dever de olhar novamente para o rosto da sra. Jones. Em vez disso, falei: "Adam, é importante irmos, em respeito à família dele". Eu tinha lido que aquilo era vital para dar início ao processo de luto. Assim estava escrito no primeiro artigo que apareceu quando digitei "Como lidar com a morte de um colega de turma num meio de jovens". Talvez a dra. Angela Harris tenha pagado ao Google para que seu artigo fosse o primeiro a aparecer. Li também os quatro artigos seguintes, até as três da manhã, como um aluno que estivesse atrasado no estudo da matéria que cairia na prova no dia seguinte. Quando meu menino acordasse, eu já teria a resposta. Quando abrisse os olhos para este mundo no qual um colega de escola pode desabar de repente e morrer no meio de uma festa, eu já estaria lá com maneiras de lidar com isso comprovadas em pesquisas.

"Eu não quero ir."

A sobrancelha esquerda dele tremia um pouco, uma espécie de tique que lhe aparecia às vezes, quando estava perturbado. Eu lhe disse que a decisão era dele, que eu e Michael iríamos de qualquer maneira. Ele podia tomar seu café e decidir se ia ou não se juntar a nós. Desci. Pus o cereal de milho na mesa. Esperei.

14.

Uma hora depois estacionamos, Michael, Adam e eu, no estacionamento repleto do cemitério Albert Creek. A maior parte da escola de Adam já estava lá. Quando saí do carro, fiquei surpresa ao ver uma viatura da polícia numa ponta do estacionamento. Adam, ainda no carro, olhou para a viatura e não se apressou em sair. "Venha", eu disse, "já vai começar."

Os rapazes que tinham ido ao cemitério estavam aglomerados debaixo de um enorme plátano, próximo o bastante e afastado o bastante da cova aberta. Falavam baixinho. De vez em quando lançavam um olhar ao público que se formara em torno do caixão. Mas nenhum deles se aproximou, como se o ato de estar perto da sepultura aberta fosse limitado apenas aos adultos, por força de alguma lei federal oculta. O olhar de Adam dirigiu-se à árvore. "Junte-se a seus amigos", disse-lhe Michael, "nós estaremos aqui."

Cumprimentei com um aceno algumas mães americanas que eu conhecia. Alguém disse que aquilo era uma coisa terrível. Outra perguntou baixinho se já se sabia exatamente o que havia acontecido. "Com certeza foi parada cardíaca. Na escola de ensino médio de minha prima, em Miami, teve um caso exatamente igual." A mãe de Ashley falou com uma segurança absoluta. Sempre falava com segurança absoluta, quer você lhe perguntasse sobre um molho para uma massa, a data da prova de matemática ou a causa da morte na festa.

Shir Cohen caminhava na grama a passos largos. Ela acenou para mim e continuou em direção a Gali e Hila. Gali era uma médica num pós-doutorado em Stanford. Hila era professora de direito. Shir tinha uma pequena start-up. De algum modo, os filhos das três estudavam matemática juntos, e graças a isso podia-se fingir que era a turma dos filhos que nos separava, e não o leve desdém exalado de mulheres que tinham um trabalho de verdade em relação a mulheres como eu.

Eu me virei e saí dali. Procurei Adam debaixo do plátano. Levou um instante até vislumbrá-lo. Seus olhos ainda estavam cravados no chão. Diferentemente dos outros, ele sequer olhava para a sepultura. Talvez tivesse sido um erro trazê-lo aqui. Talvez a dra. Angela Harris estivesse enganada, e não havia razão alguma para levar um menino de dezesseis anos para ver como se sepulta outro menino de dezesseis anos. Quis ir até ele, propor que fôssemos para casa. Tinha sido uma má ideia, não éramos obrigados a ficar. Já começava a ir em direção à árvore quando de repente eu o vi, em seu casaco acolchoado aberto por cima da camisa preta.

"O que ele está fazendo aqui?"

Michael olhou para mim interrogativamente e então também viu Uri, no outro lado da cova aberta, esperando...

"Talvez tenha vindo para dar apoio a seus pupilos."

Havia mais dois garotos da mesma faixa etária de Adam que participavam do curso de Uri, Boaz Grinbaum e Iochai Kerin. Os dois estudavam computação no colégio e não tinham nenhuma aula em comum com Adam, o tipo de coisa que Michael não sabia e que eu sempre sabia. Einat, a mãe de Boaz, era voluntária no Centro Comunitário Judaico e no início tentou me levar para acender velas na festa de Chanuká* e plantar árvores no parque em Tu Bishvat,** até desistir de mim e tentar com Moran, mãe de Iochai, que também era voluntária no Centro Comunitário e aceitou de bom grado. Eu as vi não muito longe de mim, próximas uma da outra. Os braços de Einat Grinbaum estavam cruzados no peito. E em seu pescoço

* Festa judaica que comemora a vitória dos macabeus sobre o invasor helênico e na qual acende-se uma vela por dia, cumulativamente, durante oito dias seguidos. ** Segundo o calendário judaico, festa das árvores, na qual plantam-se mudas de árvores.

havia uma delicada corrente de ouro com um pequeno pingente em forma de estrela de davi. Mas se era por isso que Uri estava aqui, para ficar ao lado de seus pupilos quando eles enterravam um amigo pela primeira vez na vida, por que então não ia até eles, nem olhava para eles? Por que olhava para nós desse jeito? Porque Uri, e isso até Michael começara a perceber, olhava para nós. Não para Iochai nem para Boaz, nem mesmo para Adam. Olhava para nós.

Entre o lugar em que ele estava e o lugar em que nós estávamos juntaram-se muitas pessoas vestidas de preto. O público se movimentava como uma gigantesca tarântula, com seus muitos braços. Parte olhava à sua volta, outros para o telefone, alguns cochichavam. Esses pequenos movimentos, cabeças se erguendo, baixando e se virando, faziam com que nós e Uri ficássemos alternadamente visíveis e invisíveis uns para os outros. E, ainda, não havia margem para erro. Mais do que isso, parecia que Uri não tentava esconder o fato de que olhava para nós. Sua presença ali, o modo como passeava o olhar em nossos rostos, tudo isso parecia estar chegando a um limite.

A cerimônia começou e congelou a distância que havia entre nós e Uri. Perto da sepultura estavam reunidos a sra. Jones, vestida de preto, parecendo menor do que era, e, junto dela, dois rapazes que a sustentavam, um de cada lado. No peito da sra. Jones havia um grande crucifixo dourado, e nas costas da blusa preta do maior dos rapazes estava escrito "Nação do Islã", em inglês e em árabe.

"Isso vem do pai", sussurrou Einat Grinbaum, que agora estava ao meu lado, apontando com um movimento de cabeça para o rapaz com a blusa. "Ele se converteu ao islamismo depois que se casaram." Quis perguntar a ela como é que sabia essas coisas, como é que as pessoas sempre acabam sabendo essas coisas quando acontece uma tragédia, mas a diretora da escola começou a falar. Seu discurso foi bem escrito, mas sua voz não tremeu uma vez sequer, e estava claro que ela não conhecera o garoto muito bem. "Seu sorriso, Jamal, iluminava os corredores. Você foi um raio de luz para seus amigos. Eu lhe prometo, Jamal, eles sempre o terão em seus corações."

Um dos irmãos de Jamal começou a chorar. O outro irmão, o menor, olhou surpreso para ele. Era grande o bastante para estar no enterro, mas não para compreender que não veria mais o irmão vivo. Olhava confuso para o caixão, como se esperasse que Jamal o abrisse e saísse dele, declarando que a brincadeira de esconde-esconde havia terminado.

A diretora continuou a falar sobre as tragédias que nos tinham assolado, uma depois da outra. Parei de prestar atenção. Olhei para a mãe de Jamal. Seus olhos estavam totalmente opacos, como os de uma boneca num museu de cera, mas nas mãos da sra. Jones havia vivacidade, um alvoroço estranho: seus dedos movimentavam-se de cima para baixo, como se estivesse tocando piano. Olhei para eles, hipnotizada. De cima para baixo, com delicadeza mas também com segurança, quase dava para ouvir a música. No mesmo instante, virei-me para trás, porque ouvira um forte soluço. Era Josh Hart, o único dos rapazes que não estava junto ao plátano, e sim com seus pais, o sr. e a sra. Hart, que tinham sido chamados com urgência de suas férias de fim de semana. Alguém morreu, ele deve ter dito, alguém morreu em nossa sala de estar. O tom da pele de Josh estava esverdeado. Talvez devido ao choque, ou à quantidade de álcool que tinha ingerido na véspera, antes de tudo acontecer. O sr. e a sra. Hart estavam pálidos. Ele era chefe de um laboratório no Google. Tinha a testa larga e o rosto bondoso, que agora demonstrava muito sofrimento. Ela olhava o tempo todo para os lados, com uma expressão de quem pedia desculpas, como se quisesse dizer *mas não é nossa culpa, ele simplesmente morreu em nossa casa*. E entre eles estava Josh, testa larga como a do pai, olhos azuis como os da mãe, essa família costumava se fotografar abraçada em lugares de veraneio, pensei, e não sobre um retângulo aberto na terra no cemitério Albert Creek.

Josh fungou novamente. Sua mãe abriu a bolsa e lhe deu um lenço de papel. Preciso ficar junto de Adam, decidi, assim como ela está ao lado do filho. Com passos tranquilos afastei-me dali, em direção ao plátano. Quantos rapazes e moças, mas onde estava meu filho? Aí estão Ashley, Boaz, Iochai, o menino que ontem vi vomitando. As garotas que estavam no gramado dos Hart usando minissaia, agora vestiam jeans justos, o rímel novamente borrado no rosto. Alguns rapazes mais altos do que eu se agrupavam num banco. Tentei olhar por cima de seus ombros para ver se meu filho estava escondido atrás deles. Ele não estava lá, nem em nenhum outro lugar perto da árvore. Olhei para o canto onde antes tinha visto Uri, esperando, é claro, ver Adam a seu lado. Mas Uri estava sozinho, separado do público.

Deixei o grupo de jovens e afastei-me da sepultura aberta. Percorri os caminhos estreitos do cemitério. À medida que me afastava do enterro, ficava mais forte o canto dos pássaros e o rumor nas copas das árvores, e não fossem as lápides brancas, eu poderia pensar que estava passeando numa reserva natural ou num parque. Do outro lado do caminho surgiu um homem com uma jaqueta cinza. A passagem era estreita demais para nós dois, e ele se afastou para o lado para me deixar passar. Quando fez isso, vi o distintivo de policial no bolso da jaqueta. Por um momento cogitei perguntar-lhe o que a polícia estava fazendo ali, mas apesar de ele ter registrado minha presença com um breve movimento de cabeça, seus olhos estavam fixados mais além de mim. Continuei caminhando.

Quando me virei para trás, o homem da jaqueta cinza tinha desaparecido. À minha volta havia ciprestes altos, alguns carvalhos, uma mureta baixa de pedras. E lá, junto à mureta, eu os vi. No primeiro momento pensei que era mais um dos rapazes, de pé próximo a Adam. Cabelo curto, as pernas bem abertas. Mas, um instante depois, percebi como eram magras aquelas pernas dentro do jeans justo. Os ombros muito finos. A figura virou o rosto, e de novo não havia dúvida — por trás de uma franja cortada com desleixo revelava-se um rosto de garota, com expressão enérgica. Lábios bem desenhados. Um queixo pequeno e atrevido. Olhos enormes.

Involuntariamente, dei um passo para trás. Não queria profanar aquele momento, cuja natureza eu ainda não discernia, mas me parecia muito particular, quase secreta. Nunca tinha visto Adam na companhia de uma garota, e sua linguagem corporal me dizia que ele também não estava acostumado com essa situação. Fui embora dali, silenciosamente. Minha cabeça trabalhava rápido: ela não tinha estado na festa, isso estava claro. Eu me lembraria desse rosto. Talvez fosse de outra turma, ou de outra escola. Pensamentos de mãe são como mãos indiscretas apalpando um saco fechado para adivinhar o que há dentro dele. Laranjas? Maçãs? Granadas de mão?

E apesar de uma parte de mim ter se revoltado — isso que ele está fazendo não é digno, sair assim do enterro de um colega de turma para ficar cochichando com uma garota bonita —, outra parte, não é agradável reconhecer isso, ficou contente. Pois, apesar de Michael e eu tentarmos não fazer disso um problema, mesmo assim nos preocupávamos um pouco, e até nos perguntávamos se o que segurava Adam era apenas timidez. E ali estava ele, com uma garota, e isso não era digno, mas muito compreensível; afinal, rapazes não vão parar de se comportar como tal só porque outro rapaz está sendo enterrado. Com esse pensamento, afastei-me em silêncio em direção ao grande gramado, e certamente teria voltado para o lado de Michael se não tivesse sido detida por um ruído abafado.

Virei-me de novo para a mureta. Adam e a garota agora discutiam, a voz abafada, aos sussurros. Eu estava longe demais para captar as palavras, mas era impossível se enganar quanto à linguagem corporal, à entonação das palavras que chegavam a mim através das folhagens. Adam e a garota estavam brigando. Ela tinha as mãos na cintura, as pernas afastadas numa postura segura, desafiadora. E ele, braços cruzados, punhos cerrados enfiados nas axilas, mandíbula contraída. Nesse momento, ele me lembrou muito Michael, pois era exatamente assim que ele ficava em nossas brigas. Todos aqueles anos Adam nos vira brigar, e agora ele também brigava com a mesma postura, balançando a cabeça num claro desacordo enquanto a garota falava com ele. Fragmentos de palavras daquela conversa tempestuosa entre Adam e a garota de cabelos curtos chegavam até mim. A voz fina da garota se elevando numa pergunta. A voz de Adam numa curta resposta.

E então, sem aviso prévio — o som alto da mão dela quando, com toda a força, esbofeteou seu rosto.

15.

Não perguntei a Adam sobre a garota. Também não perguntei sobre a presença de Uri no cemitério. Na manhã seguinte, contei a Michael sobre a bofetada, ele franziu o cenho, perguntou duas vezes "você tem certeza?" e ficou ponderando por um longo momento. Finalmente disse: "Talvez ele tenha feito alguma piada de mau gosto, dessas que os garotos contam para enfrentar uma situação, e ela tenha achado que não era nem um pouco engraçada". E, após um instante, acrescentou: "Seja como for, isso é entre ele e ela, melhor ele não saber que você estava lá e os viu".

"Certo", eu disse, "mas você tinha de ver como ela olhou para ele."

"Como?"

"Como se tivesse medo dele." Ele olhou para mim confuso. "Mas você disse que foi ela quem bateu nele, não?" "Mesmo assim, ela olhou para ele desse jeito." Ele esfregou a barba rala das manhãs com uma expressão de dúvida. "Lilach, você mesma disse que estava longe demais para ouvir o que eles estavam dizendo, como pode ter tanta certeza?"

"Estou lhe dizendo, Michael, essa garota estava com medo de nosso filho."

Adam ainda estava dormindo. Michael e eu tomamos café no quintal. Tínhamos acabado de falar com Assi e com os pais de Michael, que ligavam todo sábado após o jantar em família no kibutz, que coincidia com nosso café da manhã por causa do fuso horário. Eles perguntaram *E então, como vão vocês*, e nós dissemos *Tudo bem*, e Michael contou resumidamente que um menino da turma de Adam tinha morrido quinta-feira no meio de uma festa.

"Mais uma criança morreu aí? O que há com vocês na América?" O rosto de Assi não aparecia na tela, mas sua voz ressoou no quintal. "*Oi va voi*", disse Ada, "israelense?" "Não, não era israelense", respondi.

"Como se chamava?"

"Jamal."

"Jamal? Que tipo de nome é esse?" Responda você, sinalizei a Michael, é a sua família. "É um nome muçulmano, mãe." "Tem árabes na escola dele?" "Árabes não, mãe. Negros americanos que se converteram ao islamismo." "Negros muçulmanos?"

Michael ficou calado. Tive a impressão de que ele não estava acreditando nas perguntas sonsas dela. Ele sabia que ela estava provocando, como uma bulímica enfiando um dedo na garganta para vomitar. A mãe dele enfiava um dedo no politicamente correto até os sucos gástricos subirem.

"É por causa das drogas", interveio Moshe. "Lá na América isso é uma praga nacional. Eu vi na televisão." "Aqui disseram que foi parada cardíaca", eu informei, sem mencionar que minha fonte fora a sra. Fuks, mãe de Ashley e professora diplomada de ioga.

Moshe balançou a cabeça negando. "Que história é essa de parada cardíaca num garoto de dezesseis anos. Só podem ser drogas. Coitado." Depois Ada perguntou se Adam estava bem, e respondi que sim, que ele e o menino morto não eram bons amigos ou algo assim, e Ada disse "é muito triste", e levantou-se para ir buscar uma sobremesa. Ouvi Assi perguntar "tem sabor chocolate?", e Ada gritar para Moshe que não tocasse no bolo, ele sabia que não era bom para sua saúde. Michael ainda perguntou ao pai quando ele pretendia marcar o cateterismo. Moshe disse: "Quando você vier, conversamos". E quando Michael insistiu, Moshe falou: "Está bem, *bye*, querido", e desligou. (Às vezes eu ficava matutando se essas conversas, que supostamente deviam nos aproximar, não faziam exatamente o contrário. Para nós, era dia; para eles, noite, nós tomando o café da manhã em Palo Alto, e lá no kibutz o cigarro de Assi brilhava no escuro da varanda como um vaga-lume.)

Servi mais café para nós. Novamente éramos só eu, ele e o jardim, mas o ar estava espesso e compacto com os sons da conversa interrompida; por um instante eu realmente pude sentir o cheiro da quiche de azeitonas de Ada. Os sons deles estavam lá — o tilintar dos cálices de vinho na refeição do sábado, a limonada que Moshe espremia e à qual acrescentava hortelã que colhia lá fora, as brigas sobre política, o farfalhar das páginas de jornal no qual Ada lia sobre os fatos da semana, "*que tenha também conteúdo, não apenas comida!*" — e todos ficavam ouvindo, mas ninguém realmente prestava atenção. De repente, tudo ficou muito apertado, abarrotado, em torno da mesinha em nosso pequeno jardim, e talvez para amainar a impressão que ficara de nossa conversa com Israel, contei a Michael o que tinha visto na véspera, no enterro.

Pensei que ele ia se surpreender muito mais com a garota e com a bofetada. Esperava que se juntasse a mim para que tentássemos compreender o que tinha acontecido lá, perto da mureta do cemitério, mas Michael, a partir do momento em que decidira — "É briga de crianças" —, não estava interessado em mais ponderações. Encerrou o assunto. Como no apartamento que dividimos uma vez, em Tel Aviv, eu abria a janela a fim de olhar para fora, e Michael estendia a mão e fechava. Ele passou toda a sua vida numa temperatura de ar-condicionado, exatamente vinte e quatro graus. Se lá fora havia *hamsins*,* ou tempestades, ele só sabia deles vagamente.

16.

Onde você serviu no Exército? De que parte do país você é?

Isso acontece em todo encontro que temos com israelenses aqui, já faz quase vinte anos. Em algum momento, entre a cerveja no início e o café no fim, diante de pratos cheios de salada como entrada, ou de farelos de três bolos caseiros, essa pergunta sempre ocorre. Michael era campeão na arte de contorná-la. Ele fazia isso tão bem que as pessoas à sua frente não percebiam que ele as estava contornando. Eu, ao contrário, respondia direta e simplesmente, talvez por minhas respostas serem diretas e simples. Cresci em Haifa, estudei exatas. Servi no kibutz Sde Boker, ensinando soldados no Tsrif Ben-Gurion.** Eu usava a farda justa e minha pele era bronzeada do sol. Eu tinha um sutiã vermelho cuja alça às vezes deixava aparecer para enlouquecer os soldados da minha classe. E tinha uma palestra fixa sobre Ben-Gurion que eu dava para

* *Hamsin* é um vento seco e quente vindo do deserto. ** Casa de madeira na qual David Ben-Gurion (primeiro primeiro-ministro de Israel) e sua mulher Pola moraram no kibutz Sde Boker, transformada numa espécie de museu.

grupos de soldados sentados no chão, seus olhos na altura de minhas coxas, olhando com tocante fervor para minha bunda, que discerniam através das dobras da farda cáqui. Quando a palestra terminava, os comandantes conduziam os soldados de volta aos ônibus com latidos de cão pastor, eu ouvia o ronco dos motores se afastando e me alegrava com o silêncio que então reinava, descia até Bik'at Zin, o vale de Zin, para o leito seco do rio. Quase sempre passeava lá sozinha, mas uma vez encontrei na extremidade da ravina um geólogo da Universidade Ben-Gurion que viera admirar o deserto. "É um corte geológico raro", ele me disse, e apontou para uma rocha em que eu tinha feito xixi dois dias antes. "Tudo está registrado aqui, nas camadas da rocha, do mar de Tétis até hoje, pode-se identificar quando exatamente aconteceu cada coisa."

Ele era fofo, o geólogo da Ben-Gurion. Semanas depois disso, eu ainda descia até a ravina na esperança de vê-lo e talvez deitar com ele lá na areia. Gostei de ele ser capaz de identificar exatamente quando tinha acontecido cada coisa, pois eu nunca consegui. E quando conheci Michael, eu me divertia com a ideia de levá-lo à universidade e apresentá-lo àquele geólogo e a seus amigos no departamento e dizer — o.k., resolvam isso para mim —, o que antecedeu o quê. O que causou o quê.

O próprio Michael não sabia. Até nos conhecermos ele nunca considerou abrir o arquivo de sua adoção. "O que vou ganhar com isso?", ele respondeu quando lhe perguntei a respeito, no meio de um passeio no deserto de Parã. E então apontou para o leito de um rio diante de nós e disse: "Nós não precisamos levantar toda pedra deste uádi". Eu sabia que, quando ele chegou ao kibutz, com três anos de idade, foi aceito no modelo de tutela. Após meio ano, Ada e Moshe apresentaram um pedido oficial de adoção. "Como era doce", Ada derreteu-se para mim já em minha primeira visita a Gadot. "Um menino sagaz, sensato." E contou que já tinham recebido a tutela de várias crianças nos anos que antecederam a chegada de Michael, e os limites do coração sempre foram muito claros, mas Michael ultrapassara todos eles. Sem fazer força chegou-lhes ao fundo da alma, e depois de alguns meses já lhes era claro que ele ficaria com eles para sempre. E a ouvi naquela primeira visita e pensei que ali não havia uma história, e sim duas. Uma que eles contam e da qual falam, a lenda da família Shuster, e outra história, escrita em tinta invisível, sobre um garoto que sabe muito bem, com o instinto das crianças e dos cães abandonados, o que tem de fazer, e assim, sagaz e sensato, e nunca atrevido ou raivoso, ele abre seu caminho até eles.

Talvez ali tenha começado tudo. E talvez tenha sido sempre assim, não sei, mas sem dúvida Ada e Moshe nunca se arrependeram de sua decisão. Michael foi uma das crianças mais benquistas no kibutz. Quando Assi nasceu, um ano depois disso, ele o protegeu como um anjo. Pois em toda comunidade pequena há crianças que são motivo de preocupação e há crianças que são motivo de orgulho, e Michael pertencia ao segundo tipo. Quando estávamos prestes a nos casar, eu lhe perguntei sobre o arquivo de adoção. Logo vamos querer ter filhos. Isso é importante para os exames genéticos. Uma semana depois, ele me ligou no trabalho, no meio do dia. "Ela é da Líbia. Ele, da Romênia." À noite, contou-me mais. Falava como se estivesse lendo de um jornal que achou no trem, só dando uma olhada antes de deixá-lo no braço do assento. "Ela era faxineira. Tinha dezesseis anos quando aconteceu." Sobre ele, não disse quase nada. Não é preciso levantar toda pedra do uádi.

A mim pareceu que ele apagara algo em sua curiosidade a respeito dele mesmo. Talvez tenha sido a primeira coisa que fez na vida. Para todo o resto, até que tinha uma imensa curiosidade, contagiosa, o que fez dele, desde criança, o aluno perfeito. E como gostava de notas, Michael. Como gostava de receber de volta uma prova e constatar junto a seu nome a comprovação quantitativa de que estava tudo certo. Mas ele nunca se gabava, e por isso gostavam dele. E quando empacava às vezes em trigonometria, no ensino médio, ou em cálculo, na universidade, ele não ficava agitado, ou com raiva, ou confuso. E com certeza não desistia. Simplesmente recomeçava. Do início. E mais, e mais e mais uma vez. Até acertar.

Eu o amava muito, mas às vezes queria segurar seu rosto em minhas duas mãos e dizer-lhe que não era obrigado a ser sempre tão sensato e ponderado. E às vezes, bem baixinho, eu desejava, por nós dois, que uma vez ele fracassasse. Pois, de outro modo, como iria descobrir que, mesmo então, eu ficaria com ele?

Michael gostava de escrever programas de computador. Acho que, mais do que tudo, gostava de prever todos os procedimentos possíveis. Quando lhe ocorria uma ideia, ligava o computador e digitava furiosamente, esquecendo-se de si mesmo. Eu me lembro: café da manhã. Adam no cadeirão. Michael está sentado à mesa, cercado de pedaços de banana e maçã comidos pela metade, digitando em concentração total. (Anos depois, se fosse possível mostrar aos investigadores e guardas, quando lhe perguntarem "Como é que você não percebeu?" e lhe jogarem na cara que ele fora parte daquilo, como Michael era naquele momento, eles talvez compreendessem.) E uma outra vez, depois de pôr Adam na cama, eu entrei silenciosamente no escritório dele, despi o vestido e a calcinha, me aproximei de sua cadeira, meu quadril perto da sua nuca, e esperei um bom tempo até ele finalmente perceber minha presença nua atrás dele, desviar a cabeça da tela e tocar em mim.

Havia outras pessoas que mergulhavam assim no trabalho. Israelenses que tinham jurado ganhar seu primeiro milhão até os trinta e cinco anos de idade. Mas no caso de Michael, não tinha a ver com dinheiro. Ele gostava da elegância fulgurante de um bom algoritmo. O dinheiro só veio depois. Mas, no momento em que chegou, foi difícil ignorá-lo. Quando Michael era um menino, ele estava atrás de boas notas, que todos os professores do kibutz declarassem que a decisão de Moshe e Ada Shuster tinha sido acertada. Quando acabou a universidade, acabaram-se as notas, acabaram as provas claras e quantitativas de seu valor. E então veio o dinheiro do Vale do Silício e novamente era possível aferir, a cada momento, o quanto ele valia.

E também agora Michael não se gabava. Nunca falava sobre dinheiro. Nunca arregaçava a manga para mostrar, como que por acaso, um relógio de sessenta mil shekels. Todo mês preenchia um cheque, punha num envelope e enviava para Ada e Moshe, junto com novas fotos de Adam. Mesmo quando todos começaram a enviar fotos por e-mail, e depois pelo WhatsApp, ele ainda tratava de pôr algumas fotos num envelope junto com um cheque. Depois da primeira promoção, pediu minha licença para enviar todo mês mais um envelope. Nesses ele não punha fotos de Adam, apenas um cheque. E sua caligrafia conhecida, reta, ficava um pouco inclinada quando escrevia o seu nome no papel. Tentei imaginá-la abrindo a carta, espantada com a quantia. Sempre a imaginei uma mulher idosa, mas na verdade ela só era dezesseis anos mais velha que Michael.

17.

Naquele sábado Adam quase não saiu do quarto. Não o pressionei. Eu lhe dei espaço, como se diz aqui. No domingo, supus que ele dormiria novamente até meio-dia, mas às nove da manhã ele já saíra do quarto, banho tomado, e avisou que ia para o curso. Quando voltou, já passava de meio-dia. Eu tinha acabado de fritar uns schnitzels. Ele os devorou ali de pé, junto ao mármore da bancada, direto da bandeja coberta com papel absorvente. “Por que você não pega um prato e senta?”, eu disse.

“De pé é mais gostoso”, ele respondeu, em inglês.

Perguntei se pretendia comer a sobremesa de pé também, e ele sorriu, e finalmente sentou-se à mesa.

“O que tem de sobremesa?”

“Creme de mascarpone.”

Até dois anos atrás ainda preparávamos esses pratos juntos. Era um hobby que compartilhávamos desde que ele completou sete anos, quando Michael e eu começamos a assistir com ele a versão israelense do MasterChef, para manter o hebraico vivo. Após cada capítulo ele pedia que preparássemos os pratos que tinha visto no programa. Às sextas-feiras, imprimíamos o cardápio do jantar — eu esperava que, com isso, ele aprimorasse sua escrita em hebraico —, e Michael fingia que era um cliente em nosso restaurante. Muito tempo depois de Adam e eu pararmos de imprimir cardápios, ainda cozinhávamos juntos. Com o correr dos anos, a frequência diminuiu. Uma vez por semana, uma vez em duas semanas, uma vez por mês. Continuei a lhe mostrar fotos de pratos, tentei seduzi-lo com brinquedos de cozinha sofisticados. O último foi um abridor de castanhas, mas Adam tinha perdido o interesse. Ainda assim, quando lhe disse qual sobremesa tinha feito, vi o brilho de aprovação em seus olhos.

“Fez as lições de casa para amanhã?” Era a última coisa que eu estava interessada em saber, mas parecia que eu não sabia perguntar outra coisa.

“Não nos passaram, desta vez.”

“Mas a srta. Grey sempre passa, não?”

“Não tivemos aula com ela, por causa de Jamal.”

Era a primeira vez, desde o enterro, que ele mencionava seu nome. Aproveitei correndo a oportunidade.

“Você o conhecia bem?”

Deu de ombros. Ao cabo de um instante, largou a colher e dirigiu-se à escada.

"E o mascarpone?"

"Não estou com fome."

"Vocês eram amigos, Adam?"

Seu corpo imobilizou-se no terceiro degrau. Por um instante pareceu-me que suas costas tremiam. "Não", disse ele. "Não mesmo."

Na manhã seguinte eu o levei de carro para a escola. Ele tinha demorado no banheiro, e eu começava a perder a paciência, mas, quando enfim saiu, vi os cortes do barbeador em seu pescoço e imediatamente fiquei comovida. Havia garotos da idade dele que deixavam a barba crescer, cujos pelos corporais estavam em certa harmonia com seu rosto e modos. Mas ele ainda não sabia como agir dentro daquele novo corpo, com os pelos pretos que irrompiam dos poros da pele, ainda poucos e, talvez exatamente por isso, tão perturbadores. "Venha", eu disse suavemente, "estamos atrasados." Durante a viagem ouvimos Kendrick Lamar. Quando chegamos ao sinal de trânsito logo antes da escola, olhei para seu rosto. "Você tem um pouco de sangue aqui, no pescoço."

Entramos no estacionamento três minutos antes de as aulas começarem. "Se você correr, ainda chegará a tempo." Ele abriu a porta, pronto para partir (eu gostava muito de vê-lo correr, seus membros, que no caminhar pareciam um pouco desengonçados, de repente se moviam em total sincronia). Mas em vez de se levantar e começar a correr, ficou de repente imóvel em seu assento.

O rosto do policial era comum, sem nada que o caracterizasse, quase como se alguém tivesse apagado dele tudo que o pudesse fazer se destacar. Não consegui resolver se era o mesmo homem que cruzara comigo no cemitério, três dias antes. O cabelo da policial estava preso numa trança apertada e fina, que balançava toda vez que ela movia a cabeça. Estavam recostados na viatura e olhavam para os alunos que iam entrando no pátio da escola. Não pareciam estar tensos, e isso era bom, pois os longos anos na América tinham me ensinado a temer, antes de tudo, um tiroteio na escola. De vez em quando um rapaz qualquer entrava com uma arma automática numa sala de aula qualquer e dizimava professores e alunos. Havia treinamentos para situações como essa, assim como em Israel se treina o que fazer sob um ataque de mísseis.

Inclinei-me para a frente, sobre o volante, para ver se havia alguma aglomeração no pátio. Tudo parecia normal. "Acho que vi esse policial no enterro de Jamal", eu disse. Adam não respondeu. Quando me virei para ele, fiquei surpresa ao ver como estava pálido.

"Mãe", ele me disse, sem olhar para mim, "não estou me sentindo bem."

Sua sobrancelha estava tremendo novamente. Como na manhã do enterro.

"Está sentindo alguma dor?", perguntei.

"De barriga. Acho melhor voltar com você agora para casa."

Concordei de imediato. Ele realmente não parecia estar bem. Engatei a ré e saí do estacionamento. O policial nos acompanhou com o olhar quando nos afastávamos.

À tarde, a mãe de Ashley ligou para perguntar se eu tinha ficado sabendo. Sua voz soava excitada ao telefone. "A causa da morte não foi parada cardíaca, foram drogas!" "Como é que eles sabem?" "Fizeram autópsia. Em geral fazem isso quando alguém tão jovem morre de repente." Ela ficou calada por um instante, talvez esperando que eu dissesse alguma coisa. Eu disse "Uau", e isso a animou a continuar. "A polícia foi hoje à escola e interrogou todos que estiveram na festa. Eles sentaram com Josh Hart e repassaram todos os nomes que foram convidados. A srta. Grey me disse que eles com certeza vão se encontrar com todo esse grupo ao longo da semana."

Todo o grupo menos Adam, que nos dias seguintes ficou em casa, com diarreia e muito pálido. Ficou doente até o fim da semana, e no domingo saiu de repente do quarto e avisou que estava indo para o curso. "Mas você ainda não ficou bom", eu lhe disse. "Estou me sentindo melhor." Eu estava pronta para brigar com ele, frases como "precisa deixar que o corpo se recupere" estavam na ponta da língua, mas Michael sussurrou: "Faz uma semana que ele está enfurnado em casa, melhor que saia um pouco". E disse para Adam: "Só não se maltrate demais. Venha, vou levar você".

Naquela mesma noite, Uri ligou para Michael. Eu estava a seu lado quando o telefone tocou. Estávamos na sala, esperando que os créditos de encerramento de um episódio dessem lugar aos créditos de abertura de outro. Quando seu telefone tocou, Michael olhou para a tela, viu um número que não conhecia e franziu a testa. Ninguém do trabalho ousaria ligar para ele num domingo, em Israel ainda era muito cedo para chamarem, e eu era a encarregada das poucas relações que tínhamos.

Por um instante, Michael deixou o telefone vibrar entre nós no sofá, como um ratinho preto e assustado, depois pegou o aparelho e atendeu. Suas sobrancelhas se ergueram um pouco quando constatou quem era. Mas o hebraico caloroso em sua boca nada deixou transparecer.

"Uri? Como vai?" (o tom de voz afetuoso de Michael, tão querido pelos que trabalham com ele, faz você sentir que ele está totalmente dedicado a você). "Sim, claro que você pode vir. Pode me dizer do que se trata?" A resposta no outro lado da linha soou abafada. Michael ergueu-se do sofá, o telefone na mão, e foi continuar a conversa na cozinha.

Fui atrás dele. Fiquei olhando para ele enquanto movia os ímãs pregados na geladeira de um lugar para outro, o que ele sempre fazia quando estava preocupado. "*Sababa*, compreendo, então amanhã às nove. Até lá." Terminada a conversa, continuou ali de pé diante da geladeira, olhando espantado para a porta, como se tivesse esquecido por que motivo tinha ido até lá, que comida fora buscar.

"O que ele queria?", perguntei.

"Falar. Combinamos amanhã às nove da manhã." Olhei para ele, surpresa. Michael não costumava chegar atrasado ao escritório, muito menos numa segunda-feira, quando começava a semana de trabalho. Toda manhã saía de casa às oito em ponto, houvesse o que houvesse. Nesse aspecto era mais americano do que um americano, para que seus subordinados não pensassem que tinham aberto aqui algum spa mediterrâneo. Certa vez, quando eu ainda ficava uma fera porque só eu levava Adam para a escola, ele tentou me explicar: "É como ensinam na base de treinamento 1, só se pode exigir de um pelotão na medida em que se exige de seu oficial. Se eu começar a vacilar e a atrasar, todos os meus subordinados vão começar a vacilar e a atrasar".

"Por que você não disse para Uri vir esta noite, ou amanhã à noite?", perguntei. Michael continuou de pé junto à geladeira, movendo os ímãs, arrumando-os segundo alguma lógica interior que só ele conhecia. "Porque ele propôs que fosse de manhã." "Bem, mas para ele dá no mesmo. Einat Grinbaum me disse que a firma em que ele trabalhava faliu. Ele está sem trabalho no momento, vai saber se tem alguma obrigação fora esse curso."

Michael levantou um ímã em forma de estrela e pôs ao lado de um ímã sorridente de nós três. "Ele virá amanhã de manhã, Lilo", e, após um instante, acrescentou: "Acho que ele prefere vir quando Adam não estiver aqui".

18.

No meio da noite, minha mãe ligou. Eu me assustei com o toque do telefone, que interrompeu meu sonho antes que terminasse.

"Eu tenho de saber pela Ada que alguém da turma de meu neto morreu por causa de drogas?"

"Mãe, você nos acordou."

"Desculpe. Pensei que vocês ainda estavam vendo televisão." E continuou num atropelo de perguntas, quem e quando e por que, e como é que não, e já que estamos falando, quando é que iremos fazer uma visita. Ao encerrar a conversa, ela me disse que desse um grande beijo em Adam e também um abraço, e um instante depois, quando pensei que tinha desligado, acrescentou — e um abraço em você e em Michael.

Há dezessete anos, quando a informei de que estávamos fazendo uma realocação, minha mãe recusou-se a acreditar que era apenas uma questão de carreira. Perguntou se era por causa de Michael. "Michael?", perguntei. "Por que Michael?" Pensei que ia mencionar Ofri, mas ela não falou uma palavra sobre o que havia acontecido. Em vez disso, baixou o olhar — movimento que quase nunca fazia, minha mãe olhava sempre nos olhos — e disse que achava que talvez o serviço militar de Michael tinha lhe causado uma espécie... de reviravolta? Minha mãe tampouco costumava terminar uma frase com um ponto de interrogação, todo um batalhão de pontos de exclamação a seguia em todos os debates que conduzia no escritório e em todas as conversas que tinha em casa, e essas duas coisas, o olhar baixo e o ponto de interrogação no fim da sentença, me deixaram claro até que ponto a notícia de nossa mudança a tinha abalado.

"Ele não precisa de gente", disse-me minha mãe naquela conversa, antes de nossa mudança, "*ele* vai ficar bem. Mas você, Lili, você gosta de gente à sua volta. Como vai se arranjar com todos os americanos?" "Americanos são gente", eu lhe disse. "Verdade, mas gente de outro tipo." "Você está exagerando", eu lhe disse, "e além disso, eu tenho Michael." "Então, Michael vai ter um trabalho sério e você vai ter Michael?" "Sim, ele vai trabalhar com alta tecnologia e eu vou trabalhar em amá-lo."

Ela suspirou. Disse que trabalhar em amar um homem é um trabalho exigente, desgastante e insatisfatório. E trabalhar em amar um filho é um trabalho perigoso. "Claro que você precisa amá-los, mas que não seja esse o seu trabalho. Pois então seu coração torna-se um refém nas mãos de outra pessoa, minha querida, e isso é uma prisão."

No dia do voo, minha mãe não foi se despedir de nós no aeroporto, ela tinha uma reunião no trabalho. E talvez, só pensei nisso depois, talvez quisesse acreditar que era por causa de Michael, para não ter de pensar que era por minha causa, que fui eu quem resolveu pôr um oceano entre mim e ela. "Você me demitiu", ela me disse depois que Adam nasceu, "você simplesmente me demitiu do trabalho de ser avó." E eu lhe disse que não era verdade, que se tinha havido demissões, não foram contra ela, que simplesmente, do mesmo modo que se fecha uma empresa quando ela não se paga, viajamos, deixando para trás portas fechadas, e avôs e avós desempregados e desamparados.

"Só não me diga depois que lá é mais seguro para educar filhos", suspirou minha mãe ao telefone um instante antes de desligar, "esses casos com drogas não acontecem em Israel." Não esperou por resposta. Essa discussão já fora resolvida fazia muito tempo. Depois de Ofri, achei que estava vendo as coisas do modo mais claro possível; temos a oportunidade de salvar a tempo nosso filho da loucura israelense, cujo ápice é todo mundo estar certo de que é mentalmente são.

19.

Uri se atrasou. Michael olhou para o relógio pelo menos cinco vezes. Eu me perguntei se era porque estava querendo se encontrar logo com Uri ou porque detestava chegar atrasado ao escritório. Em meu trabalho era diferente, Lucia sempre reclamava com um sorriso que eu investia demais neles, muito além das horas pelas quais me pagavam. E ninguém na casa de repouso sequer ergueu uma sobrancelha quando liguei avisando que só chegaria à tarde.

Às nove e dez finalmente ouviu-se uma batida à porta. Uri não usou a campainha, como todos faziam, e bateu com os dedos na porta de casa, uma batida que dava logo para perceber que era exclusiva dele. Michael apressou-se em abrir. Quando os vi lá, um diante do outro no umbral da porta, fiquei novamente impressionada com a semelhança entre eles. Os dois altos, de ombros largos. Mas Michael vestia um paletó leve e elegante, do tipo que se usa aqui para ir trabalhar, e Uri vestia um jeans surrado e uma camisa de lã.

"Café?", perguntei. Preparei um café para nós três e um prato de biscoitos de tahine. Uri e Michael me esperavam na sala. Ouvi-os conversarem sobre o curso, o que tinham feito na véspera, o que farão na semana que vem. Eu sabia que Michael estava esperando que eu chegasse de uma vez para podermos começar, e terminar, e ele poder ir para o trabalho. Quando finalmente cheguei, ele nem sequer esperou que eu me sentasse antes de dizer: "Então, o que houve com Adam?".

Uri olhava alternadamente para mim e para Michael. Inclinou-se para pegar o café, na xícara minúscula que comprei em minha visita anterior a Chinatown, e que quase desaparecia em sua mão enorme. "A verdade é que ontem fiquei um pouco preocupado com ele." Falou lentamente, pesando cada palavra. "Quando terminamos a atividade, ele me pareceu... estranho."

"Ele esteve doente durante a semana", disse Michael. "Talvez esteja reagindo mal a tudo o que aconteceu, primeiro o atentado na sinagoga e agora um garoto de sua escola morrendo diante de seus olhos."

Uri devolveu a xícara à mesa com cuidado. A delicadeza com que a depositou na bandeja só ressaltou ainda mais a facilidade com que ele poderia, se quisesse, despedaçá-la entre os dedos. "O que vocês sabem sobre o relacionamento entre Adam e Jamal?"

A pergunta me surpreendeu. Seus olhos verdes percorreram meu rosto, à espera de uma resposta que eu não tinha. "Eles estudavam biologia juntos", eu disse, hesitante. "Não me parece que tenham sido amigos de verdade, pois nunca tinha ouvido o nome dele antes."

"Eu até que ouvi o nome dele", Uri inspirou e exalou num pequeno suspiro. "Adam não lhes contou que era vítima de bullying na escola?" O ponto de interrogação no fim da frase piscou por um instante e logo se apagou, pois nós três sabíamos que a resposta era não. Ele não tinha contado.

"Tem um grupo de rapazes lá que o molestam. Ele não falava muito sobre isso, mas, pelo que entendi, Jamal era quem mais se destacava entre eles."

"O que quer dizer com molestavam?", perguntei, e minha voz tremeu um pouco. "A que exatamente você está se referindo?"

Ele demorou um pouco antes de me responder. Quando respondeu, fez isso com o mesmo cuidado com que havia segurado a xícara. "Empurrões. Chutes. Talvez mais do que isso, não sei exatamente." Segurei meu ventre como se eu mesma tivesse recebido um chute. Uri continuou a falar, mas agora dirigindo-se a Michael: "Acho que o que mais doeu nele foi a parte verbal, que acontecia online. Jamal inventava canções no *chat* da turma. Ele o humilhava".

Michael estava calado. Após um instante, ele perguntou se Uri sabia há quanto tempo isso estava acontecendo. Uri não soube dizer. Seus dedos brincavam com a xícara vazia. Talvez eu devesse lhe oferecer mais café, pensei. Mas não consegui pronunciar uma só palavra. A língua estava imóvel em minha boca, pesada e insensível. Esse garoto, cujo retrato eu tinha visto no jornal, esse garoto de expressão bondosa e olhos vivazes, esse garoto molestava meu filho. Todo dia eu vou buscar meu filho Adam na escola, ele abre a porta do carro e entra com o rosto inexpressivo, responde "tudo bem" à pergunta "como é que foi seu dia?", e nós dois deixamos que David Bowie fale por nós. E esse tempo todo estavam magoando meu filho e eu não sabia. O andar encurvado, a introversão, todas as coisas nas quais eu via um vago testemunho da adolescência eram, na verdade, sinais de algo muito mais sombrio.

Uri inclinou-se para a frente e pegou um biscoito. Mas não o mordeu, só ficou segurando, e disse: "Três semanas atrás, fiz um exercício preparatório com eles para o treinamento avançado em krav maga. Pedi a cada um deles que imaginasse a pessoa que mais queria vencer, alguém que quisesse matar. Isso os ajuda a se concentrar, a focar". Michael assentiu, ele conhecia esses exercícios do serviço militar. Eu fiquei calada. "A maioria imaginou Hitler. Metade dos rapazes disse depois que pensou em Paul Reed." Uri recostou-se, o biscoito ainda em sua mão. "Uma semana depois, tive conversas pessoais com eles. Perguntei a Adam em quem ele tinha pensado na hora do treinamento de krav maga. Quem ele gostaria de matar. Ele me contou o que Jamal fazia com ele na escola."

Senti uma comichão horrível na perna, no lugar em que os espinhos da roseira da família Hart tinham penetrado o tecido de minhas calças, deixando arranhões que já tinham secado e cicatrizado. "Fiquei indeciso se devia lhes contar ou não", disse Uri, "não queria trair a confiança de Adam. Alguns dias depois, aconteceu a festa." Em seguida, ele acrescentou: "Acho que ele está se sentindo culpado. Ele quis tantas vezes que Jamal morresse, e de repente isso realmente acontece. É uma coisa que pode abalar um garoto".

Michael assentiu. "No kibutz havia um chefe de setor agrícola que sempre gritava comigo. Eu passava horas pensando em como ia devolver isso a ele. Quando minha mãe me contou um dia que ele tinha morrido de infarto, tive certeza de que a polícia logo viria me prender, como se eu tivesse feito isso a ele."

"Exatamente." Uri virou-se para mim, os olhos brilhando, como se a anuência de Michael tivesse despertado algo nele. "Por isso pensei que valia a pena conversarmos." Acrescentou que seria bom ficar de olho em Adam nos próximos dias, para ver se estava processando bem o que tinha acontecido. E, em geral, talvez valesse a pena ficarmos os três um pouco mais ligados, com um dedo no pulso. "Sim, com certeza", disse Michael, e olhou para mim. Eu disse: "Sim, claro", e olhei para Uri. Ele estava comendo o biscoito de tahine, que até então tivera na mão, e falou: "Uau, é ótimo".

Em poucos minutos eles não estavam mais lá. Michael beijou-me no rosto, um débil beijo de despedida, beijo de homem que está indo para o escritório, e Uri apertou minha mão com um aperto forte, encorajador. Já iam fechar a porta quando perguntei de repente: "Uri, isso é tudo, certo?". Não sei por que perguntei isso, mas sabia que precisava, como antes, quando a perna começou a comichar e eu soube que se não coçasse imediatamente ia ficar louca. Agora também, assustei-me de repente com o tempo em que ia ficar sozinha em casa com meus pensamentos, e Uri, talvez percebendo meu pânico, disse "sim" na sua voz tranquilizadora, no tom do flautista de Hamelin, a quem você não quer e não pode se opor.

Só depois que foram embora, horas depois que se foram, a impressão que sua voz me causara evanesceu e fortaleceu-se a outra impressão — uma janela iluminada numa casa escura, que alguém tentava cobrir com a cortina. O vestíbulo iluminado da família Hart e a mão ursina fechando a porta.

20.

Quando Adam era um bebê, nós nos curvávamos sobre seu berço e tentávamos decidir com quem ele se parecia. Os olhos tinham a cor dos meus, mas o formato oval era de Michael. O mesmo acontecia com os cabelos — o preto profundo dos de Michael, os grandes cachos dos meus. Assim íamos contando cada órgão, medindo e classificando — queixo (Michael), lábios (eu), e assim por diante. Dedos, ombros, orelhas. Quando cresceu um pouco, passamos dos órgãos do corpo para os órgãos da alma, perguntávamos com qual de nós o menino se parecia, a quem pertencia. Talvez Michael temesse que, assim como um colesterol alto é hereditário, eu transmitiria a Adam também o campo de concentração de meu avô, o gene no qual está escrito "como ovelhas ao matadouro".

E quando tinha quatro anos, Adam começou a voltar do jardim de infância para casa com sinais de mordidas na mão. De longe eu poderia pensar que estava esfolada, mas de perto não tinha como se enganar — dentes de leite de outro menino se cravavam na carne dele e deixavam pequenos sulcos rosados. Falamos com a encarregada do jardim, e ela garantiu que eles levavam aquilo muito a sério. É uma idade difícil, ela disse, as crianças são muito sensíveis, mas como ainda não têm palavras para expressar tudo o que sentem, elas mordem e batem, e é claro que nós reagimos com rigor e lhes ensinamos que esse não é o caminho. Nós ouvimos, agradecemos o seu tempo, e assim que a porta do jardim se fechou, Michael disse a Adam em hebraico: "Você tem de aprender a revidar".

Depois nós brigamos muito. Não na frente de Adam, naquela idade ainda cuidávamos de não brigar na frente dele. Mas ele sentiu a tensão entre nós a caminho de casa, tentou nos fazer rir cantando canções infantis, e nós tentamos conter no coldre a hostilidade entre nós, e sabíamos que ela estava nos espiando. À noite, nós a sacamos e começamos a atirar. "Você quer um menino valentão, do qual ninguém vai querer se aproximar?", eu disse. "Quer um garoto que o jardim inteiro vai hostilizar?", ele falou. Dissemos muitas coisas um ao outro naquela noite, até a briga terminar como terminavam todas as nossas brigas: eu comecei a chorar, Michael se assustou e se apressou em me consolar. Depois, quando deslizou para fora de mim, pingando em minha coxa, disse baixinho: "Eu simplesmente não consigo vê-lo desse jeito, coberto com as marcas dos dentes de outras crianças". "Você preferia vê-lo morder?" Ele virou a cabeça para mim, surpreso. "Sem dúvida alguma. Não me diga que você prefere vê-lo ser uma vítima." "Você me pergunta o que é preferível, um garoto que bate nos outros ou um garoto em quem os outros batem. Mas talvez essas não sejam as duas únicas possibilidades."

Michael aprumou-se na cama. Seu corpo nu brilhava na luz azul que entrava pela janela. Ele era muito bonito. "Lilo, essas são exatamente as duas possibilidades — tem aquele que faz aos outros e tem aquele que os outros fazem a ele. As crianças identificam isso num segundo, e a verdade é que os adultos também, eles simplesmente não falam sobre isso." E depois de nos banharmos e nos deitarmos na cama, ele me abraçou e disse baixinho: "Não estou disposto a criar uma vítima. Um valentão não é grande coisa, mas um valentão dá para educar. Vítima é para a vida toda".

E assim, com um atraso de quatro anos, Michael recebeu a confirmação daquela preocupação que o acompanhara desde que Adam nasceu. Foi isso que o fez ficar com raiva quando conversou com a professora do jardim. Era isso que ele se recusava a aceitar. Ele, Michael Shuster, da Sayeret Matkal, a unidade de elite do Exército, não ia criar uma vítima. A professora não tinha entendido isso. Ela se chamava Cynthia Wang. Mas eu entendi, e por isso, no dia seguinte, inscrevi Adam em outro jardim de infância. E esperei que com isso o assunto estivesse encerrado.

Só que no que concernia a Michael, estava apenas começando. Ele matriculou Adam no curso de judô para crianças pequenas. Comprou-lhe um quimono branco e tentou entusiasmá-lo. Adam foi uma vez e não quis continuar. Michael saía mais cedo do escritório para levá-lo e prometia comprar um sorvete depois de cada aula. Mas a aversão de Adam ao curso só se aprofundou. Ele ficava de lado quando as outras crianças estavam sobre o tatame. Após mais duas aulas, o próprio professor disse que talvez fosse melhor esperar um ou dois anos. Michael não desistiu. Assistiu a alguns vídeos de orientação educacional no YouTube, e na manhã de um domingo propôs a Adam que brincassem juntos no quintal dos fundos. Não mencionou a palavra "judô". Queria apenas treiná-lo num "jogo físico", como ele o chamou. Adam, porém, apesar de sempre esperar que Michael voltasse do trabalho e lesse uma história para ele, ou brincasse de construir coisas com cubos, não quis ir. Quanto mais Michael insistia, mais Adam se entrincheirava no sofá da sala e se recusava a sair. Talvez tivesse identificado que por trás da proposta entusiástica de seu pai havia uma profunda vontade de modificá-lo. Michael transformou isso numa questão de princípio. Ele, que sempre deixara que Adam decidisse como queria brincar, agora lhe ordenava numa voz tranquila que saísse para o quintal imediatamente. Em algum momento o menino irrompeu num choro histérico e se recusou a se acalmar. Naquele dia, as fronteiras foram redesenhadas. Os dois trataram de honrá-las.

21.

Na noite que se seguiu à conversa com Uri, fomos cuidadosos no trato com Adam. Não pedimos que tirasse a mesa. Não o lembramos de sair com Kelev. Não perguntamos quando ia finalmente arrumar seu quarto. Quando terminamos de comer, Michael disse: "Tenho uma coisa para você". E pôs uma pequena caixa embrulhada sobre a mesa. Adam olhou para ela espantado e lhe estendeu uma mão hesitante. Era um relógio, desses que se veem em anúncios de revistas — homens de fibra escalam montanhas, ou mergulham nas profundezas, ou saltam de paraquedas sempre usando um relógio. Eu tinha certeza de que essa coisa tinha custado uma fortuna, e me pareceu que isso também era claro para Adam, e talvez por isso ele não se apressou em colocar o relógio no pulso, só ficou olhando para ele, como se olha para um animal magnífico e perigoso. "Ali em cima tem uma bússola", disse Michael, e passou gentilmente a mão pelo círculo prateado, "isso vai ajudar você nos exercícios de orientação que Uri está preparando para vocês."

"Uri?", os olhos de Adam brilharam de repente, e só então percebi como seu olhar tinha sido sombrio até aquele momento. "Como é que você sabe o que Uri está planejando?" Michael estendeu o relógio para Adam, sorrindo. "Conversamos um pouco hoje. A verdade é que combinamos tomar uma cerveja esta noite." Fiquei surpresa. Michael não era desses que estão sempre prontos para tomar uma cerveja. Assim como sabia tratar com pessoas durante o dia, preferia quase sempre passar as noites em casa, só nós dois. Ia sem muita vontade aos encontros que eu marcava com os poucos casais com os quais tínhamos feito amizade. Claro que, ao longo da noite, ele era encantador — atencioso, interessado, divertido. Mas quando entrávamos no carro, ele pegava minha mão, a beijava entre os dedos e dizia: "Diga a verdade, não seria muito melhor se tivéssemos ficados juntos na cama?".

Adam pôs o relógio no pulso e saiu com Kelev. Michael balbuciou alguma coisa sobre um e-mail que tinha de enviar e subiu para o escritório. Olhei para Adam pela janela, descendo a rua, os fones enfiados nas orelhas. Magro, baixo, pareceu-me um pouco mais encurvado do que o normal. Tirei a mesa e comecei a lavar os pratos quando um sopro de ar frio entrou pela janela. Está gelado lá fora, disse comigo mesma, como é que você o deixou sair assim. Liguei para ele, mas não respondeu. Peguei um casaco e fui atrás dele.

A Ashbury Lane estava especialmente escura. Dois postes de luz estavam com defeito, e eu só podia contar com a luz mortiça das televisões dentro das casas. Na extremidade da rua, vi Adam caminhando com ar de cansaço, sem sinal de Kelev. Mais uma vez ele saiu sem a guia, se Kelev correr para o meio da rua, ou começar a brigar com outro cão, Adam vai tratar de ajudá-lo e se ferir. Nessas horas ele sempre se esquece de si mesmo, esquece que tem um corpo. Eu o segui apressada quando entrou numa rua lateral. Ele com certeza vai se espantar por eu ter corrido assim atrás dele. Por que veio até aqui, vai perguntar. Não queria que você se resfriasse. Não queria que ficasse triste. Eles realmente o molestaram, Adam? Desde esta manhã isso não sai da minha cabeça. A ideia de que eles magoavam você. Quando criança, você corria para me mostrar cada ferida, pedia um beijo em cada arranhãozinho. Tínhamos Band-Aids com carinhas sorridentes, eu colocava em você num grande ritual e acrescentava "um beijo e já vai passar", o sussurro secreto de todas as mães, onde quer que estejam. E agora não consigo me lembrar quando foi que parou de vir me mostrar suas feridas.

A ruazinha ia dar na Sycamore Avenue, e Adam prosseguiu, assim como eu, que estava segurando o casaco dele à minha frente. Apressei o passo, estendi a mão para aquelas costas conhecidas, amadas.

O rapaz que se virou olhou para mim surpreso.

"Sim?"

"Perdão, pensei que você..." Não cheguei a dizer "pensei que fosse meu filho", contive-me a tempo. O rapaz devolveu o fone ao ouvido e se afastou. Continuei parada ali de pé, olhando para ele.

Durante todo o caminho de volta pela Ashbury Lane fiquei pensando como ia contar aquilo para Adam e Michael no momento em que chegasse em casa. Talvez Adam risse de mim, *Mãe, você é totalmente pirada*. Quando cheguei em nossa rua, ele veio a meu encontro com Kelev preso na guia.

"Mãe?" "Você esqueceu o casaco, não quis que se resfriasse." Ele pegou o casaco, mas não o vestiu. Não valia a pena, estávamos na entrada de nossa casa.

À mesa da cozinha, tomamos o chá, que enquanto isso tinha esfriado, e Adam esfregou o ventre de Kelev e acariciou a cicatriz em suas costas. Ele era a única pessoa a quem Kelev permitia que o tocasse daquela maneira. "Como você está se sentindo?", ousei. "Bem." "Falaram sobre Jamal na escola?" "Sim, na aula de sociologia. Escrevemos uma carta para a mãe dele."

Lembrei-me do rosto da mulher grande na sala da família Hart quando compreendeu quem estava estirado junto ao sofá. "O que você escreveu?"

"Não escrevi. Disse que estava com dor de cabeça e pedi para sair."

Todas as perguntas possíveis, e delas escolher apenas uma e esperar que seja a correta.

"Por que você disse isso?"

Ele parou de acariciar Kelev. Por um instante seu rosto se ergueu do tapete e logo voltou a baixar. "Porque minha cabeça doía e ainda está doendo. Vou subir para o quarto."

E se levantou. E saiu. Kelev seguiu atrás dele na escada. Eu poderia subir com ele até seu quarto, fazer mais perguntas sobre Jamal, dar-lhe uma oportunidade de me contar o que havia acontecido na escola. Mas imaginei sua expressão quando entrasse, tive medo de que ele compreendesse que Uri havia nos contado e temi que ficasse zangado.

Continuei sentada junto à mesa da cozinha. Ouvi Michael se movimentando lá em cima e descendo em seus passos leves. "Onde você esteve antes?"

"Fui levar o casaco para Adam." E após um momento: "Confundi ele com outro menino que estava andando na rua".

Ele sorriu, me beijou na cabeça. "Não me espere."

Esperei por ele. Fiquei assistindo à TV na sala. Depois subi para dizer a Adam que já era tarde. Estava diante do computador. As persianas estavam fechadas. O cheiro de esperma que vinha do papel higiênico na cesta de lixo me deixou tonta de tão forte que era, mas eu já estava treinada, nós dois sabíamos fingir que eu não o estava sentindo.

"Vá dormir, Adam. Amanhã tem escola."

Quando Michael enfim chegou, já passava de meia-noite. Entrou no quarto envolto num cheiro de cigarros e cerveja.

"Como foi?"

"Finalmente uma pessoa com quem é possível conversar." Ergui-me um pouco na cama. Perguntei como tinha nascido aquele encontro. Michael descalçou os sapatos e respondeu que ele e Uri tinham conversado um pouco naquela manhã, quando estavam saindo. Houve uma boa química, e combinaram aquela cerveja à noite. Imaginei que não tinha sido o único motivo, que Michael estava precisando conversar mais com esse homem, saber dele o que estava acontecendo com Adam. "E como foi?", tornei a perguntar.

Ele disse que foi legal, só um pouco constrangedor no fim. "Por que constrangedor?" "Ele é engenheiro de computação", respondeu Michael, tirando a blusa, "um dos que criaram a Orion. Uma empresa que faliu não faz muito tempo." "E ele pediu que lhe arranjasse trabalho?" "Ele não disse isso dessa maneira, mas acho que esperava que eu lhe pedisse seu currículo." Michael apertou o botão, e as persianas elétricas começaram a baixar. Perguntei se ele pretendia recomendar Uri a Berman. Michael balançou a cabeça negativamente. "Não posso recomendar alguém com quem nunca trabalhei na vida. Não é profissional."

Ele escovou os dentes em movimentos rápidos e deitou a meu lado na cama. Sua mão enorme pousou em meu ombro. Aquilo que tentamos evitar o dia inteiro agora estava sobre o colchão, entre nós.

"Você está percebendo que molestaram Adam na escola e ele não nos contou?", eu disse.

Michael suspirou no escuro. "Isso está me deixando louco. Em todo o meu caminho para o trabalho fiquei pensando nisso, tive vontade de eu mesmo arrebentar de pancada aquelas crianças. Depois li sobre violência em escolas, parece que é algo que acontece muito."

Eu conseguia imaginá-lo coletando dados, procurando estatísticas nas quais pudesse se basear. "Que tipo de pais somos nós", sussurrei, não sei se para ele ou para mim mesma, deixando o choro que estava preso em minha garganta desde aquela manhã finalmente sair. "Como é que eu não vi nada?"

Ele segurou minha mão. "Você não pode ver aquilo que ele escolhe não lhe mostrar. Ele não queria que soubéssemos. Isso o envergonhava." "Mas por que se envergonhar por falar comigo?" "Pelo mesmo motivo que tem vergonha de tomar banho na sua frente, ou ficar perto de você no banheiro, porque não é mais um menino."

Eu me soergui no colchão. "Temos de encontrar um caminho para falar com ele sobre isso." "No início também pensava assim", disse Michael, "mas cheguei à conclusão que é melhor esperar. Seja como for, a situação mudou. O garoto que liderava os abusos morreu."

"Mas você não acha que ele tem de processar tudo que aconteceu?"

"Talvez ele não queira processar o que aconteceu", disse Michael, "talvez ele simplesmente queira esquecer."

Michael ajeitou o cobertor sobre seu corpo. A casa respirava em silêncio. "Na minha opinião, você deve recomendar Uri a Berman", eu disse após um instante. "A preocupação dele com Adam, o modo como fez o esforço de vir falar conosco esta manhã — isso diz algo quanto a seu caráter." Michael ficou calado. Eu não sabia se tinha adormecido. Mesmo assim acrescentei: "Pense nisso assim: engenheiros de computação existem aos montes. Mas pessoas de bem são coisa rara".

22.

Minha mãe ligou no meio do noticiário. Isso me surpreendeu. Em Israel eram nove e meia da manhã, e eu sabia que àquela hora ela geralmente estava atendendo clientes. "Diga-me, Adam está bem?"

"Acho que sim", eu disse. "Por quê?"

"Ele me ligou ontem. Ele nunca me liga."

"O que ele queria?"

"Falar sobre Paul Reed. Perguntou como se atribui insanidade temporária num caso de assassinato. Parece que o atentado na sinagoga ainda o está perturbando." A possibilidade de Paul Reed não ser levado a julgamento devido a sua condição mental estava realmente agitando a mídia aqui, mas nem por um minuto imaginei que Adam se interessasse tanto por isso. "Tivemos uma conversa sobre isso", disse minha mãe, "como nos bons tempos da 'juíza Ruti'."

"Juíza Ruti" era uma brincadeira que minha mãe tinha inventado quando Adam era menino, para fazê-lo falar com ela pelo telefone. Quando ele era ainda menor, ela lia histórias em hebraico, escolhia na biblioteca em Haifa os títulos mais procurados, que talvez conseguissem atrair a atenção do neto na América. Sua voz preenchia nossa sala, irradiando um entusiasmo forçado. Quando ele cresceu um pouco, ela pediu que lhe contássemos o que ele estava lendo, para que pudesse comprar um exemplar para ela. Foi assim que percorreram três volumes de *Harry Potter*, lidos em voz alta em inglês. Parece-me que isso era cansativo para ela também. Eu tinha de prometer guloseimas a ele para que concordasse em ir para o computador. Então ela inventou a "juíza Ruti": toda semana Adam levaria um caso jurídico a ser analisado, e ela daria o veredicto. Eu estava certa de que isso não ia funcionar. O primeiro caso era se um garoto teria o direito de criar uma cobra em casa mesmo que seus pais se opusessem a isso. A juíza Ruti decidiu que sim. Também decidiu positivamente quanto a um aumento na mesada. Pensei que ia surtar, mas Michael até que se divertiu. "Enfim ela encontrou um jeito de participar da vida dele", ele disse, "uma cobra não venenosa e um aumento de dois dólares parece-me um preço justo."

Depois disso, passaram a itens mais teóricos. Uma noite conversaram por mais de meia hora sobre o julgamento de Salomão. "Você tem um filho brilhante", ela me disse naquela noite. "Você também era assim na idade dele." Não sei se aquilo foi um elogio.

Um dia Adam anunciou que já tinha enjoado de brincar de juíza Ruti. Minha mãe disse que estava tudo bem, ela estava um pouco sobrecarregada no escritório e aquelas conversas estavam meio emperradas. Mas após algumas semanas ela ligou e perguntou se não queríamos mandar Adam para ela no Natal. Na verdade, já tinha comprado a passagem. "Não fique nervosa, Lili, ainda posso cancelar e receber todo o dinheiro de volta, simplesmente estava a um preço que seria uma pena perder."

Adam não quis viajar. Ela pediu que tentássemos convencê-lo. Eu disse que preferia não pressionar. Duas semanas seria muito tempo. "Que história é essa, como se seu pai e eu não viajássemos por duas semanas quando você tinha a idade dele." Eles viajavam, muito antes disso. Um ano depois de Nitsan nascer, quando eu tinha três anos, uma viagem de casal pela Europa durante três semanas, cujas fotos até hoje enfeitam as paredes da casa, em Haifa. "Os tempos são outros, mãe. Hoje em dia um menino não se separa dos pais por tanto tempo." Ela trocou a passagem que tinha comprado para Adam por outra, para vir nos visitar. Fui buscá-la no aeroporto. Ela saiu do avião agitada: o presente que tinha comprado para Adam era tão grande que não deixaram que o embarcasse no avião. Propus que fôssemos à tarde ao shopping, mas ela insistiu para irmos de imediato. Acho que ficou com medo de se encontrar com Adam de mãos vazias. Ele a tinha visto pela última vez um ano antes, e crianças não abraçam estranhos.

Ao entardecer, minha mãe se fechava no quarto e falava por telefone com o escritório. Ao meio-dia, ela me incentivava a ir cuidar de minhas coisas, ela ficaria com Adam. Eu não tinha coisas para cuidar, mas não quis lhe dizer isso. Depois de duas semanas, nós a levamos ao aeroporto. Adam abraçou-a com força, talvez fosse a totalização de todos os abraços que se recusara a lhe dar nos primeiros dias de sua estada. Minha mãe o abraçou de volta, mas olhando para mim. Talvez quisesse verificar que eu compreendia o que tinha tirado dela.

A conversa com minha irmã aconteceu vinte e seis horas depois que nos despedimos no aeroporto. "Mamãe caiu", ela disse. "Ela chegou do aeroporto e tropeçou entrando no chuveiro."

Nitsan contou que ela tinha fraturado o fêmur e que ia precisar de muita ajuda nas semanas seguintes. Voei para lá. Voltei a dormir no quarto que tinha sido meu. Deixava a porta aberta para poder ouvi-la caso quisesse ir ao banheiro no meio da noite. Mas ela insistia em ir sozinha. Brigávamos por causa disso quase todo dia. Brigávamos por outros motivos também.

Há pessoas que sabem ficar doentes. Afundam-se na doença como se fosse uma cama confortável e deixam que se tome conta delas. Meu pai era assim. Em seus últimos dias ficou deitado na cama como um bebê grande e sereno. Mas minha mãe não sabia ficar doente. Envergonhava-se de eu precisar ajudá-la no banho, e por mais que eu dissesse o contrário, eu me envergonhava também. A pele rósea, transparente, me atordoava. A carne estava demasiadamente presente. Quando eu era criança, nos banhávamos juntas, sua nudez e a minha eram então compreensíveis por si mesmas. Mas agora nossos corpos estavam muitos anos distantes um do outro, e o renovado encontro intimidava a nós duas. Uma semana depois, ela disse que era melhor eu voltar para Adam.

"Você mesma disse, um menino dessa idade não deve ficar longe de sua mãe por tanto tempo."

"E quanto a você?", perguntei.

"Nitsan virá toda noite, e combinei com a faxineira que ela viesse toda manhã, para cozinhar e arrumar a casa."

Só discuti um pouco. Na véspera do voo, despedimo-nos com abraços.

"Obrigado por ter vindo", ela disse. "Não é uma coisa corriqueira." E mais uma vez eu não soube se aquilo tinha sido um elogio.

23.

A primeira pichação apareceu no dia seguinte, na entrada da escola. Um dia antes, a aula de reforço de matemática tinha terminado às sete da noite, e o zelador fechou o portão da escola após os últimos alunos irem embora. Às seis da manhã as palavras já estavam pintadas na parede que dava para o estacionamento. Era impossível não as ver: O JUDEU MATOU ELE.

O guarda da escola, que chegara antes de todos, comunicou o fato à diretoria, eles alertaram um funcionário e esperaram que conseguisse cobrir o spray com tinta antes de os primeiros alunos aparecerem. Mas logo verificou-se que havia mais de uma inscrição. As palavras foram pichadas repetidas vezes na parede interna da escola. Num canto do ginásio esportivo fora desenhada uma estrela de davi pingando sangue junto ao nome de Jamal. A cafeteria também fora vandalizada. A diretora decidiu suspender as aulas. Mas quando a notícia chegou, já era tarde demais. A maioria dos pais e alunos estava a caminho da escola, ou já tinha chegado. Ficamos diante da inscrição, pichada num vermelho brilhante. Não sabíamos o que deveríamos fazer agora. Os funcionários da manutenção da escola passavam por nós correndo de um lugar para outro com baldes de tinta e escadas, e provavelmente iam começar a pintar as paredes, se não se ouvisse de repente um aviso para que todos evacuassem o pátio.

A voz metálica que irrompeu dos alto-falantes era incisiva, e nos afastamos de lá a passos largos, quase correndo. Guardas com cães passaram por nós e entraram na escola, fazendo uma varredura. Um dos pais a meu lado, um americano de ombros largos, perguntou desde quando uma pichação era um evento tão sério, e Shir Cohen respondeu com expressão preocupada: “Depois de Paul Reed não dá para se arriscar. Vai saber se quem fez isso também não pôs uma bomba no pátio". Meu coração batia em ritmo acelerado. Olhei para os lados. Cruzamos o estacionamento rapidamente, atravessamos a rua e ficamos no gramado, no outro lado. Em todos os rostos havia a mesma expressão, algo entre um sorriso constrangido e pânico. Pois a qualquer momento poderiam anunciar que nada tinha acontecido, era só uma pichação horrorosa, e a qualquer momento poderia acontecer algo terrível, uma explosão que destruísse o lugar, e os dois cenários pareciam exagerados e possíveis na mesma medida.

Do lugar em que eu estava, ao lado de Stacey Hart e Einat Grinbaum, dava para ver as palavras escritas com spray diante do estacionamento. A mãe de Ashley as fotografou com seu telefone. "E pensar que alguém é capaz de associar a tragédia de Jamal Jones com acusações antissemitas." Algumas mães americanas vieram dizer para mim e Einat que aquilo era uma coisa hedionda. "Nosso coração está com vocês", elas disseram, e queriam dizer: "Nosso coração está com os judeus".

Fiquei com ânsia de vômito. Queria ir para casa. Procurei Adam com o olhar. Ele e Boaz tinham se juntado a alguns rapazes do grupo de jovens que também frequentavam o curso de Uri. Estavam sentados num banco não muito longe de nós e conversavam em voz baixa. Adam estava ao lado deles, a mão esquerda segurando o antebraço direito num aperto que me pareceu forte demais, quase um espasmo.

Enquanto isso, tinham chegado muitos pais, e se aglomeravam no gramado, chocados e reclamando, que coisas assim realmente acontecem na América, mas não nesta América. Além das reclamações, ouviam-se também suposições: talvez não seja ação de uma só pessoa, mas de um grupo de marginais, como aquele ao qual Paul Reed pertencia; talvez seja só uma provocação de alguns rapazes da escola que não entenderam de todo o significado do que estavam escrevendo.

A varredura dos policiais durou quase uma hora. O sol surgiu de entre as nuvens e aqueceu o público que se juntara diante da escola. Aos poucos o medo foi se esvaindo. Enfim os policiais saíram e disseram que já era possível entrar. O lugar estava limpo. Os pais começaram a acompanhar os filhos até a escola. Einat e eu trocamos olhares hesitantes. "Não sei se devemos deixá-los hoje na escola", eu disse. Esperava que ela me tranquilizasse, que dissesse que eu estava exagerando, porém Einat estava ainda mais estressada do que eu.

"Depois do que aconteceu na sinagoga, não podemos nos permitir ser complacentes."

Liguei mais uma vez para Michael. Perguntei qual era sua opinião. "Claro que Adam deve ficar na escola", ele disse. "Se os policiais dizem que o lugar está limpo, não há motivo para entrar em pânico." Eu ainda não tinha certeza, porém, para minha surpresa, foi Adam quem decidiu. Seu rosto estava cinzento e pálido, mas ele insistiu em entrar com seus amigos. Eu o deixei lá e fui para casa, o coração palpitando.

24.

Ao entardecer, liguei para a vice-diretora. Pedi que considerassem aumentar a segurança. Eu sabia de mais alguns pais israelenses que tinham feito o mesmo pedido à diretoria e imaginava que os americanos judeus fariam a mesma coisa. Afinal, havia vinte alunos judeus numa escola com quatrocentos alunos.

No dia seguinte, quando levei Adam, fiquei contente em ver uma viatura da polícia na entrada da escola. Mas quando entrei com o carro no estacionamento, a policial de trança veio até nós, como se estivesse nos esperando. "*Hi*", ela disse, "você é Adam Shuster, certo?" Adam respondeu que sim. Desliguei o motor e também saí do carro. "*Hi*, eu sou Lilach, mãe de Adam."

Ela apertou minha mão. Seu aperto era forte e transmitia confiança, desses que as pessoas sonham em ter, mas ou você nasce com ele, ou não. "Sou a tenente Natasha Peterson", ela disse, e dirigiu-se novamente a Adam. "Estive com seus colegas de biologia na semana passada, mas de algum modo acabamos não nos encontrando." "Ele estava doente", eu disse, "diarreia e dores de barriga, pelo visto algum vírus." "Ótimo ver que você ficou bom", ela lhe disse, virou-se para mim e acrescentou: "Não vou detê-la, sra. Shuster, com certeza está com pressa de ir para o trabalho", e antes que eu pudesse dizer que não estava com pressa de chegar a lugar algum, voltou a se dirigir a Adam. "Estou contente de podermos conversar hoje, se, por você, tudo bem. Esta manhã vou me encontrar com quem não esteve comigo na semana passada." "Dá para não ser na hora da aula de matemática?", perguntou Adam. "Temos prova na semana que vem." Ela sorriu, tinha um sorriso largo, no qual não acreditei muito. "Se meus filhos levassem os estudos a sério como você… Vamos nos encontrar às doze horas na sala da orientadora."

Ficou tudo combinado. A detetive Natasha Peterson despediu-se de nós e foi em direção a outro carro que acabara de entrar no estacionamento. Adam encaminhou-se para a porta de entrada e desapareceu no fundo do pátio. No momento em que eu já ia entrar no carro, a mãe de Ashley veio até mim ansiosa por saber como o menino tinha reagido a toda aquela história da pichação. Quando parou de se mostrar chocada com o antissemitismo, passou a falar sobre a pobre sra. Jones. Seus olhos despertaram subitamente, uma tragédia agia sobre ela como a cafeína age sobre outras pessoas. "Eles são de East Palo Alto, você sabe." As palavras *É tão triste, terrível* saíram de sua boca de modo solene — ela as depositou no gramado como se fossem navios enviados para conquistar ouvintes em outros continentes. "Eles mudaram para cá vindo de Chicago depois de um divórcio difícil", acrescentou. "Ela trabalha no Intercontinental em Nob Hill." A mãe de Ashley suspirou de novo e repetiu a palavra "terrível". E dessa vez o suspiro conseguiu conquistar mais uma ouvinte, que chegou, parou ali, fez perguntas, suspirou e depois passou a falar da inscrição para o acampamento de verão.

Shir Cohen não estava muito longe de nós e me lançou um olhar. Fui até ela. Ela acenou com a cabeça na direção da mãe de Ashley e disse em hebraico: "Essa mulher espalha boatos no mesmo ritmo com que a Nike fabrica tênis".

Soltei uma gargalhada. Foi um erro. A mãe de Ashley virou-se para trás e viu Shir. "*Mazel tov!*", ela gritou. "Martin me contou, você deve estar muito contente." Um leve rubor passou pelas faces de Shir. Parecia estar constrangida. Por um instante pensei que talvez estivesse grávida. "Saiba que a emissão das ações é a etapa mais assustadora. Eu me lembro de como foi com Martin, toda aquela tensão." Shir respondeu com um educado aceno de cabeça e me sussurrou em hebraico: "Vem, vamos dar o fora daqui".

"Então vocês entraram na Bolsa ontem", perguntei enquanto a acompanhava até o carro. "Sim", disse ela, "minha sensação é a de não ter dormido durante um ano inteiro." Ela tinha olheiras escuras, mas os olhos em si estavam brilhantes e cheios de vida. "E agora você tem de ir para o escritório ou vai poder colocar o sono em dia?"

"A verdade é que o que eu mais quero fazer é me sentar num café. Não lembro qual foi a última vez em que me sentei num café no meio da manhã. Você está ocupada agora?"

Fomos à cidade e ficamos num lugar agradável em frente ao mar. Ela era inteligente e divertida, e talvez um pouco solitária. Seu marido, Jack, era um judeu americano. Tinham se conhecido em Berkeley. Ela me contou que nos últimos anos cada um deles tinha trabalhado no seu próprio projeto, mas agora a situação na start-up de Jack não estava muito boa, e apesar de ele insistir que isso não mudava nada entre eles, parecia que sim.

Circulamos pelas lojas na Union Square. Shir queria comprar presentes para as crianças. “Indenização por eu não estar tanto em casa.” E eu decidi comprar alguma coisa para Adam. Ela me contou que sua filha pequena ficou um pouco temerosa desde o atentado, tivera todo tipo de pesadelos, que só haviam passado recentemente, e agora, com a pichação, Shir estava com medo de que isso voltasse. Ela se calou, e como eu não rompi o silêncio por iniciativa própria, ela perguntou: “E como estão as coisas com vocês?”.

Eu disse que Adam não ficara temeroso depois do atentado, mas que estava centrado em Paul Reed. Por um instante tive vontade de contar mais, mas Adam tinha guardado para si mesmo o bullying de Jamal Jones, não quis falar sobre isso nem mesmo conosco, e senti que contar para Shir seria trair sua confiança — confiança que ele não tivera em mim. Contei um pouco sobre o curso de Uri. Ela tinha ouvido falar, tinha até tentado inscrever Daniel, seu filho mais velho. “Mas ele prefere se exercitar no saxofone. É a única coisa que ele faz no momento.”

Quando terminamos de comprar presentes para os filhos, Shir declarou que era permitido procurarmos alguma coisa para nós mesmas. Fomos experimentar roupas na loja da Uniqlo, em cabines contíguas. Quando ela saiu, fechei o zíper para ela, admirada com a pele bronzeada e flexível de suas costas. Ela era uma cabeça mais alta que eu, e mais cheia de corpo, e me pareceu que estava me examinando com o mesmo interesse. Eu já fui uma mulher muito bonita, não como minha mãe, que durante minha infância fazia cabeças se virarem para vê-la passar, com seus olhos enormes e maçãs do rosto majestosas, mas com certeza eu era atraente. Fiquei pensando como eu parecia agora aos olhos de Shir.

Saímos de Huntington Park pelo lado da California Street. Propus entrarmos em algum lugar para uma taça de vinho em comemoração à oferta pública da Bolsa, e quando Shir hesitou eu disse: "Por que não, você conquistou isso". Ela sorriu e disse "*Ial'la*", e acrescentou, em voz tranquila, que ontem, depois do lançamento, estava certa de que Jack ia recebê-la com vinho, mas quando voltou para casa ele já estava dormindo. Propus irmos ao Mark Hopkins. "No Intercontinental?", ela perguntou, surpresa. "É lugar para turistas." "Estou com vontade de me sentir uma turista."

Realmente era um lugar para turistas. Você sente isso no momento em que entra. Não apenas devido aos preços exagerados e aos cardápios inflados, mas também pela maneira com que as pessoas fotografavam seu martíni, em vez de bebê-lo. Perto de nós, uma família conversava em hebraico. Shir sussurrou: "Esses israelenses estão em toda parte", e tratou de pedir logo uma mimosa a um preço exorbitante. "Então, por que aqui? Eles lhe pagam comissão?"

Eu ri. Nas luxuosas poltronas de couro do Mark Hopkins, com uma mimosa nas mãos, não consegui esclarecer completamente para mim mesma por que logo aqui. Mesmo assim, quando pensei na rota que eu havia escolhido para nós duas naquela manhã, um conjunto de direcionamentos casuais, dei-me conta de que eles se juntavam num propósito.

Meia hora depois, Shir disse que tinha de ir embora, ainda precisava estar no escritório naquele dia. Eu me despedi com um abraço. Pedi mais uma mimosa, que tomei até o fim. Paguei a conta, voltei com passos firmes, com a energia de dois drinques, ao saguão do Intercontinental. Fui direto para os elevadores que levavam aos apartamentos dos hóspedes. Estava certa de que alguém ia me perguntar alguma coisa e eu ia gaguejar, mas ninguém perguntou. Eu era uma mulher branca vestindo roupas caras, e era lógico eu me dirigir ao elevador e entrar nele e subir ao último andar.

Desci andar por andar. Em cada um eu dava uma espiada no corredor, e ela não estava lá, e eu dizia comigo mesma, Lilach, isso é ridículo, é uma loucura. Entre no elevador e dê o fora daqui. E toda vez que entrava no elevador, em vez de apertar "Saguão", eu apertava o botão do andar logo abaixo. No quarto andar, a porta se abriu e eu a vi. A mãe de Jamal estava empurrando um carrinho com roupa de cama pelo corredor. Estava de costas para mim, parou, enfiou o cartão na porta de um quarto e abriu. Quando entrou, olhei o perfil de seu rosto, para constatar aquilo de que já tinha certeza. Um rosto maquiado, bonito e embotado. Ela entrou no quarto, eu permaneci no corredor.

A porta do quarto à minha frente se abriu e saiu uma camareira magrinha, que deixou a porta aberta e foi até o carrinho de limpeza junto ao elevador. Eu mergulhei no telefone, e ela tornou a entrar no quarto levando nas mãos frascos de xampu e deixando a porta escancarada. Eu sabia que mais adiante no corredor, em outro quarto, outra mulher estava fazendo as mesmas coisas, toalhas sendo trocadas, travesseiros sendo afofados, lixeiras sendo esvaziadas. Houve um forte ruído que logo parou. Levou um instante para eu compreender — a camareira magrinha tinha ligado a televisão. *Baby, dance comigo*, eu a ouvi cantar em espanhol junto com a cantora na tela.

Fui silenciosamente até o quarto no qual a mãe de Jamal desaparecera. Fiquei junto à porta. Algo em mim esperava ouvir música aqui também. Mas o silêncio era total, tão denso que por um momento pensei que talvez ela tivesse saído do quarto sem que eu percebesse. Pela porta entreaberta divisei a bagunça que os hóspedes tinham deixado naquele quarto. Toalhas jogadas no chão, papéis de guloseimas do minibar espalhados na enorme cama desarrumada, em que ela estava sentada.

A mãe de Jamal, em seu uniforme de camareira, não estava afofando travesseiros, nem trocando lençóis, nem aspirando poeira. Ela simplesmente estava sentada na cama desfeita e olhava para a frente, para a parede diante dela. Calada, pesada como a cômoda de mogno junto à janela. Seus dedos eram a única coisa que se movia no quarto. Pousados em suas coxas, eu os via se moverem como que por si mesmos, leves e delicados.

E de repente me assustei — com o silêncio do quarto, com a canção sendo dedilhada em seus joelhos, comigo mesma. Virei-me e fui depressa para o elevador sem olhar para trás uma só vez. Pois a mulher de Lot, quando olhou para trás, transformou-se numa estátua de sal. E eu não tenho tempo para me transformar em sal, tenho de preparar o jantar e um menino, um menino vivo, para ir buscar na escola.

Voltando da escola para casa perguntei a Adam como fora seu encontro com a detetive Peterson. "Foi uma conversa curta", ele disse, sem olhar para mim, a mão esquerda segurando o antebraço direito. A policial perguntou se ele vira Jamal tomando alguma coisa na festa de Josh e se ele sabia de alunos da escola que vendiam drogas. "E ela quis saber se eu mesmo sou usuário de drogas." Eu me surpreendi com essa última pergunta. O meu menino gracioso estava muito longe da imagem de um rapaz problemático e drogado, e eu tinha certeza de que a detetive Peterson tivera a mesma impressão.

"Você viu alguma vez alguém com drogas na escola?", perguntei.

"Não creio que alguém fosse idiota a ponto de levar drogas para dentro da escola", disse Adam.

"E depois da escola, nas festas?"

Ele olhou pela janela. "Em geral não sou convidado para festas."

25.

Fui à casa dela. Na rua havia um cheiro de borracha queimada, e da ruela ao lado ouviu-se a sirene dos bombeiros. Olhei em volta. O céu estava limpo de fumaça, era só o cheiro, opressivo. Cheguei ao endereço que havia recebido na escola. O papel em minha mão estava úmido do contato com meus dedos, mas, apesar de saber o endereço de cor, não o joguei fora. Os dedos amarrotavam repetidas vezes o pedaço de papel. Eu me detive em frente ao número 124. A porta era muito branca. Esperei minha mão se estabilizar para que eu pudesse bater à porta.

A mãe de Jamal a abriu. Vestia um roupão enorme, azul-escuro, quase preto.

"Olá, sra. Jones, sou Lilach Shuster, falamos ao telefone."

Ela ficou parada diante de mim, examinando-me, de sua alta estatura, franzindo o cenho como se tentasse se lembrar de algo. Você já me viu uma vez, eu quis lhe dizer, no quintal da sra. Hart, quando a levaram até o carro da polícia e Adam e eu passamos bem a seu lado. E talvez ainda antes, na sala, quando a levaram para identificá-lo. Dizem que há pessoas para quem, em momentos assim, tudo fica embaçado, mas há também aquelas que, muito diferentemente, se lembram de cada detalhe, talvez você também se lembre não só do rosto dele torturado sobre o tapete, mas também de meu rosto olhando pela janela.

A sra. Jones recuou um pouco e abriu a porta. "Olá, Lila, venha, entre. Por favor, me chame de Anabella."

A sala era pequena e muito limpa. Ela se sentou numa poltrona de palha trançada que rangia um pouco a cada movimento seu. Fez com que eu me sentasse numa poltrona idêntica, reforçada com uma almofada. Em cima da mesa havia um grande retrato de Jamal numa moldura dourada, e a seu lado dois copos, uma garrafa de coca-cola e um pacote aberto de Oreo.

"Você é a primeira, entre os pais, que veio esta semana", ela disse. "Os amigos dele vêm quase todo dia. Eu deixo os biscoitos e a coca-cola para eles, mas os pais estão ocupados com seus trabalhos."

Os amigos dele, pensei, são com certeza os rapazes que molestavam Adam. Desde a visita de Uri, eu pensava muito neles. Enquanto Adam continuava em seu silêncio, eu viajava em cogitações. Eu os imaginava barulhentos e violentos. Um cruzamento de todos os filmes sobre escolas americanas a que eu havia assistido. Era difícil associar a imagem dos valentões em minha cabeça com a dos rapazes que vinham diariamente consolar Anabella, beber coca-cola e comer biscoitos. Mais difícil ainda foi associá-la ao rosto aberto, iluminado, do rapaz na moldura dourada.

"Você é a mãe de...?"

Anabella olhava para mim, aguardando. Apressei-me a dizer: "De Adam, desculpe, eu devia ter dito antes".

"Adam?", ela franziu a testa. "Não creio que ele tenha estado aqui." E logo acrescentou: "Mas Jamal tinha muitos amigos, talvez eu tenha esquecido. Quando acabamos de nos mudar de Chicago, tive medo de que ele não se ajeitaria na escola, você sabe, a maioria dos alunos é... de outro meio, mas ele se adaptou muito bem. Só agora compreendo como foi bom para ele estar aqui, os garotos não param de vir".

Um pensamento pequeno, perturbador, zumbia em minha cabeça. Se Adam morresse, quantos colegas dele iriam nos visitar.

"Quer ver o quarto dele?"

"Sim, quero."

Mas quando me levantei da poltrona senti minhas pernas tremerem. Lancei um olhar ao retrato. O garoto na moldura olhava pela janela aberta para a rua de onde vinha o cheiro de borracha queimada.

A mãe de Jamal desapareceu no corredor estreito e escuro, e eu segui atrás dela. Das paredes emanava um cheiro de mofo, que um spray de limão tentara afastar em vão. Passamos por duas portas fechadas (portas de crianças vivas, que ficariam com raiva de você se as abrisse sem permissão). Chegamos a um quarto cuja porta estava escancarada.

Fiquei surpresa com a bagunça. A confusão que havia no quarto estava em contraste absoluto com a ordem que reinava no resto da casa.

"Foi assim que ele o deixou", ela disse, um leve tom de desculpa em sua voz, o tom de uma camareira que se desleixou em sua tarefa. "Foi assim que ele deixou, e agora eu não consigo me obrigar a limpar." E sem qualquer aviso prévio irrompeu a chorar. Não as lágrimas nobres, contidas, que derramara no enterro, mas um choro convulsivo, irrefreado, que despertou minha compaixão e me assustou na mesma medida. Eu a abracei, tentando abarcar com meus braços seu corpo grande, trêmulo. No início foi um abraço contido, americano, que se transformou num abraço forte e dedicado, que me surpreendeu e pareceu acalmá-la. Não sei por quanto tempo ficamos assim, nesse abraço. Mas por fim os soluços amainaram e começaram as desculpas: "Perdão, não sei o que houve comigo, sinto muito".

Pensei que ia nos tirar do quarto e nos levar para a sala. Eu queria voltar para a poltrona de palha e os copos de coca-cola, até mesmo para Jamal, olhando pela janela. Mas Anabella se curvou e sentou-se na cama, no centro do quarto, tentando recobrar o fôlego, olhando em volta como se estivesse ali pela primeira vez. Hesitei, mas, quando me acenou com a mão, sentei-me a seu lado. O colchão cedeu um pouco sob o peso de nossos corpos. Aqui ele dormia.

"Eu preciso juntar as coisas dele", ela disse. "Doá-las para a caridade. A polícia me deu as roupas que ele estava usando na festa, mas eu não tinha ideia do que fazer com elas. Eu simplesmente as pus ali em cima da cadeira."

Fiquei calada. Ela sorriu para si mesma. "Ele se vestia como um pavão, o Jamal. Eu lhe dizia para não desperdiçar dinheiro nessas marcas e essas porcarias todas. Mas ele nunca me ouvia."

Passei os olhos por todo o quarto. Tão diferente do quarto de Adam e ao mesmo tempo tão parecido. Um suéter de malha da Puma jogado na cadeira, igual ao que eu tinha posto para lavar naquela manhã. Calças jeans enroladas e amontoadas num canto. E aqui também, como no quarto de Adam, um computador diante da janela.

"Era um menino muito bom. Sabe que ele teimava em ir ao supermercado no meu lugar, para eu não precisar carregar nada, porque ele sabia que minhas pernas doem quando volto do trabalho e é difícil para mim ficar em pé? Já viu um menino tão bom?"

"Não", eu lhe disse, e estava sendo sincera. Adam nunca se ofereceu para ir ao supermercado por mim.

"E agora a polícia está dizendo que ele usava drogas. Você acha lógico que um garoto que se preocupa tanto com sua mãe use drogas?" Seus olhos eram duas poças negras, movediças, de desespero. "Talvez ele só quisesse experimentar", falei com delicadeza, "dizem que todos os jovens dessa idade experimentam alguma coisa em algum momento." Ela sacudiu a cabeça energicamente. "Não o meu garoto. Eu disse aos policiais, Jamal sabe o que essa bosta faz no seu corpo. Ele viu muito disso quanto estávamos em Chicago. Ele não tocaria nesse lixo. Eu perguntei aos amigos dele. Eles juraram que ele não tinha tomado nada na noite da festa. E eu disse isso à polícia."

"E o que os policiais disseram?"

Anabella sorriu amargamente. "Perdoe-me por eu dizer isso, Lila, mas, quando um menino negro de East Palo Alto morre de overdose, ninguém ergue demais as sobrancelhas. A polícia está investigando só porque querem saber se tem mais crianças na escola que são usuárias. Mas eu lhe digo, meu menino não tocaria em drogas por vontade própria. Alguém misturou alguma coisa na bebida dele."

"Por que alguém faria uma coisa dessas?", perguntei. "Talvez pensassem que seria engraçado", disse Anabella. "Talvez quisessem armar para ele. Vai saber que motivos podem ter crianças nessa idade maluca." Ela procurou meus olhos e eu me esquivei de seu olhar. "A polícia não acredita em mim", disse ela baixinho, "e nem você. Mas eu lhe digo, se eles não investigarem isso, vou contratar um detetive particular para que ele descubra o que aconteceu. Tenho dinheiro! Tenho economias!"

Fiquei surpresa com a rapidez com que sua fala tranquila se transformou num grito. Pareceu-me que ela também se surpreendeu. Anabella inclinou-se para a frente, o rosto entre as mãos. Depois de um momento de hesitação, pus a mão em seu ombro. Ela respirou fundo. Ao longe ouviu-se o som de uma sirene.

Ficamos assim por longo tempo, uma ao lado da outra na cama de Jamal. Anabella continuou sentada com o rosto nas mãos, e eu fiquei com a mão em seu ombro, deixando meus olhos percorrerem as paredes. Da parede mais distante gritavam para mim, de repente, palavras em árabe. Inclinei-me para verificar se estava enxergando direito.

O árabe que aprendi no ginásio, há muito tempo eu pensava que tinha esquecido, mas aqui, na penumbra do quarto, as palavras voltaram e piscavam para mim do pôster na parede. Não há outro Deus além de Alá; Maomé é seu profeta. E ao lado, em preto e branco, um grande retrato de Louis Farrakhan.

Agora ela percebeu meu olhar. Seu rosto ficou quase da cor do açafrão. "O pai dele e o irmão mais velho, em Chicago, o meteram nessas bobagens de Nação do Islã. Você não tem ideia de quantas vezes brigamos por esse motivo — Farrakhan! Logo ele, de todas as pessoas! —, mas ele se orgulhava disso. Sabe como são as crianças. Ele era o representante da Nação do Islã nas escolas de ensino médio da região da baía. Falava nisso o tempo todo. Como um pavão. Você entende?"

Sim, eu entendo.

Uma coisa é ser filho de uma camareira do Intercontinental que mora em East Palo Alto, outra é ser o representante da Nação do Islã nas escolas de ensino médio na região da baía. E esse título, representante, nós duas rimos um pouco dele, sem palavras. Riso de mães que sabem o quanto seus filhos gostam de definições e tarefas como essas — representante do comitê vegano, chefe do conselho dos alunos, presidente da filial do movimento dos escoteiros.

Olhei para o pôster de Farrakhan. Fiquei pensando se alguém tinha contado a Anabella sobre as pichações na escola. Talvez lhe tivessem enviado a foto da estrela de davi sangrando, junto ao nome de Jamal. Perguntei a mim mesma sobre os amigos de Jamal, sobre seus irmãos, talvez quem fez aquela pichação também tenha sentado neste quarto, na cama do garoto morto.

Anabella passou a mão direita pelos lençóis, alisando-os. A mão esquerda pousada no colo. Olhei para ela, para os dedos compridos se movimentando naquele ritmo já conhecido, hipnotizante. O que está tocando, eu queria lhe perguntar, e talvez perguntasse se não os tivesse vislumbrado lá, ao lado da cadeira, num canto do quarto.

Não eram só idênticos aos de Adam, como tinha pensado na festa. Eram os tênis dele. Ele sempre perdia coisas. Saía com uma pasta nova e a esquecia no pátio da escola. Tirava os sapatos na piscina e voltava descalço para casa. Até eu começar a escrever seu nome em todas as coisas, como faziam com as roupas no kibutz de Michael, na lavanderia coletiva. Eu escrevia *Adam* em tinta nanquim vermelha indelével nas solas dos sapatos, na etiqueta do casaco, na parte interna da pasta. Depois disso ele passou a perder suas coisas um pouco menos. Mas, fazia um mês, ele perdera de novo, na piscina, os tênis de Kanye West, os mais caros.

E aqui estavam eles, aqueles tênis. A palavra *Adam* brilhava em vermelho nas solas brancas. E de repente compreendi o que deveria ter compreendido muito antes. Que ele não tinha perdido nada, não tinha esquecido nada. Que tinham tirado dele. A cada momento mais coisas no quarto de Jamal me pareciam ser conhecidas. O jeans com a listra amarela, que Adam disse ter rasgado, estava no encosto da cadeira, meio revirado, como se tivesse sido despido às pressas, e identifiquei minha caligrafia no bolso interno. Um chapéu original de Indiana Jones que tínhamos comprado em nossa visita à Disneylândia, pendurado num gancho acima da cama. Minha cabeça latejava. Meus olhos corriam como ratos por todo o quarto: um moletom da Nike. Uma jaqueta da GAP. Um casaco de couro da Banana Republic com a letra A escrita na etiqueta interna.

Quis correr para o armário de Jamal e vasculhar as jaquetas, blusas, calças, o que você confiscou do meu garoto, o que roubou dele. Uma humilhação causticante, de enlouquecer, me apertava a garganta. Saí do quarto tremendo, recusando todos os oferecimentos de Anabella. (Coca-cola? Talvez um café? Não, obrigada, estou com pressa.) Passei pela sala como um furacão (biscoitos Oreo, Jamal sorrindo na moldura dourada), saí para a rua, deixando para trás as paredes mofadas com cheiro de limão, o quarto de Jamal todo cheio de coisas de Adam. Fugi de lá como se foge de uma casa assolada por demônios, direto para a rua, onde ainda havia um leve cheiro de borracha queimada.

26.

Não queria ir para casa, tinha medo do momento em que teria de ficar diante da lavadora de roupas, que eu tinha usado naquela manhã, e tirar as blusas de Adam, imaginando quantas roupas do meu menino estariam agora na lavadora da sra. Jones. Ainda no carro liguei para Michael e lhe perguntei se poderia sair do escritório para se encontrar comigo. Era meio-dia, e eu sabia que ele sairia para o almoço cercado de engenheiros de computação de todos os tipos e cores, comeria comida orgânica e tomaria um shake de frutas, como fazia todos os dias desde que a companhia decretara uma revolução alimentar no refeitório dos diretores. "Só por uma hora", eu disse. Pareceu-me ouvir ao fundo a voz de barítono de Berman e o riso em cascata de Jane. Imaginei-o apertando o telefone contra a orelha, para que minha voz assustada ficasse só entre nós.

Fomos a um pequeno restaurante mexicano não muito longe de seu escritório. Michael olhou para mim preocupado e perguntou se estava tudo bem. "Fui visitar a mãe de Jamal", prossegui, "uma visita de condolências." "Foi bonito de sua parte", ele disse, um pouco surpreso. "Muito bonito de sua parte." E antes que ele me dissesse novamente que fora bonito de minha parte, eu lhe contei o que tinha visto no quarto de Jamal.

A garçonete chegou com os cardápios e recuou quando viu o rosto de Michael. "Não fique com raiva de mim", ele disse, quando ela se afastou, "mas estou quase contente por esse garoto ter morrido. Sei que é uma coisa terrível de se dizer e sei que não estou contente de verdade, mas pensar nele fazendo essas coisas a Adam me deixa furioso."

"Não compreendo como é que ele não nos contou nada", minha voz falhou. As lágrimas começaram a rolar. "Você acha mesmo que ele ficou com vergonha de nos contar? Sou a mãe dele, por que ficaria envergonhado comigo?" Michael levantou-se e foi até o balcão. Voltou com guardanapos de papel e os passou para mim. "Não me surpreende que não tenha nos contado. Ele não queria que víssemos como estava sendo humilhado." Enxuguei as lágrimas no guardanapo. Michael sentou-se a meu lado. "E ainda não tenho certeza de que devamos falar com ele sobre isso. Esse abuso já ficou para trás. Ele não quis dividir isso conosco e acho que devíamos respeitar."

Sua voz era comedida e tranquila, e algo nessa tranquilidade me irritou. "Como é que posso continuar normalmente quando sei que ele é capaz de sofrer assim sem nos dizer uma só palavra? Você pode mandá-lo para a escola amanhã quando sabe que eles batem nele e roubam dele sem que ele diga nada?"

"É terrível", Michael concordou comigo, "mas não estou certo de que tenhamos outra alternativa."

Ele esperou que eu me acalmasse e fez um sinal à garçonete. Pedimos algo para beber. Não toquei em minha água mineral. Olhei para ele enquanto tomava seu suco. Contei-lhe do pôster da Nação do Islã pendurado no quarto. Disse que talvez o assédio de Jamal tivesse ligação com o fato de Adam ser judeu. Michael balançou a cabeça negando, num movimento enérgico.

"Crianças batem em crianças o tempo todo. Não quer dizer que seja um pogrom."

"Você acha que ele bateria da mesma maneira num menino negro?"

Michael refletiu um pouco. "Se não molestarem você por ser judeu, vão molestar porque usa óculos. Ou por ser gordo. Ou porque seu pai tem uma aparência estranha." Eu esperava que dissesse isso. Quando decidimos ficar nos Estados Unidos, eu disse à minha mãe que queria criar Adam num lugar onde não houvesse guerras. Agora estava com medo de ter me enganado. Talvez tivéssemos pensado que estávamos protegendo Adam da loucura israelense, e na verdade o tínhamos exposto a outra loucura.

Michael terminou de beber o suco e olhou para o telefone, que vibrava. O nome de Jane piscava na tela. Com certeza estavam querendo saber no escritório onde ele tinha se metido. Ele virou o aparelho na mesa e pôs sua mão sobre a minha. "Olha, Lilo, o que aconteceu com Adam é terrível, mas vai passar. A maioria das crianças, em algum momento, apanha na escola." Ele disse a maioria das crianças, não todas as crianças. E os dois sabíamos que isso era porque ele, Michael, o menino forte do kibutz, nunca apanhara de ninguém. "E digo mais uma coisa — estou bem convencido de que hoje isso não aconteceria. Agora que ele está no curso de Uri, isso lhe dá confiança para se livrar desses bostas." Ele pediu a conta à garçonete e disse baixinho: "Não faz diferença se você mora em Kiriat Ono ou na Califórnia, em toda escola de ensino médio no mundo tem esse garoto que bate e que usa drogas".

"Anabella Jones está convencida de que Jamal não se drogava", eu disse. Michael ergueu uma sobrancelha. "Escreveram nos jornais que ele se envenenou por engano com uma droga caseira." Contei-lhe que a mãe de Jamal pretendia procurar a polícia ou um detetive particular. "Está convencida de que alguém, na festa, misturou alguma coisa na bebida dele, de brincadeira ou para machucá-lo."

Havia algo mais. Algo que não consegui dizer. Uma ideia vaga, informe. Uma frase que ainda não tem palavras, só espaços brancos e um ponto de interrogação no fim. Pagamos a conta. Quando nos levantamos para sair, disse que acompanharia Michael ao escritório. Caminhei a seu lado. E só então, quando seu rosto não estava diante do meu, quando seus olhos seguiam os carros que passavam, eu disse: "Esse garoto molestou Adam de tal maneira que nosso filho quis que ele morresse. E agora a mãe dele diz que alguém pôs alguma coisa em sua bebida".

Michael se deteve. Ele não é alguém que eleve a voz. Claro que não na rua. Mesmo agora ele não elevou a voz, mas senti que nunca estivera tão perto disso quanto naquele momento. "Não acredito que você seja capaz de admitir essa possibilidade. Ouça, esse Jamal não foi uma vítima, ele atormentava nosso filho, ele produzia drogas — e no fim ele se ferrou com uma overdose. A mãe dele tem de assumir a responsabilidade pelo modo como educou seu filho, em vez de culpar o mundo inteiro e o céu também."

27.

Acompanhei Michael até a entrada do escritório. Ele se despediu de mim com um beijo contido. Voltei para o carro lentamente. Ainda não queria voltar para a casa vazia. Decidi ir até a casa de repouso, mesmo não sendo o meu dia de estar lá. Quando entrei no saguão, meus olhos procuraram por Marta. A maioria dos residentes estava na sala de lazer, assistindo às transmissões esportivas. Quando perguntei a Armando sobre Marta, ele estava tão concentrado nos movimentos dos jogadores de futebol americano que não respondeu a princípio. "Eles estão no jardim", disse enfim com impaciência. Embora ele fosse mais de quarenta anos mais velho que eu, por um momento senti-me como uma mãe que está atrapalhando seu filho enquanto ele assiste à TV.

"O jardim" não era mais do que uma área abandonada, um pedaço de terra nua, cercado de edificações. No inverno, a chuva estendia uma caridosa cobertura verde naquela terra, mas no verão a grama virava um mato amarelo, que o zelador se apressava em erradicar. Divisei Marta sentada numa cadeira no canto mais afastado do jardim. Quando abri a porta de vidro, ouvi a voz de um homem, e só então percebi que outra pessoa estava sentada numa cadeira diante de Marta, de costas para mim. "Segunda-feira, hoje é segunda-feira." Era quinta-feira, mas Dwayne tornou a dizer: "Quando o médico perguntar 'Que dia é hoje?', diga a ele 'Segunda-feira', está bem, doçura? Repita comigo, 'segunda'".

Fiquei surpresa. Lucia não tinha me dito que a avaliação funcional fora marcada para a semana que vem. "Agora", disse

Dwayne, "quando o médico perguntar sobre o banho, o que você vai lhe dizer?" Marta ficou olhando para o espaço. A relva fina se agitava ao vento. "Benzinho, o que você vai dizer sobre o banho?" Dwayne virou-se para trás e me viu. "Marta, benzinho, qual é a resposta sobre o banho?"

"Que não tenho problema em tomar banho sozinha", disse Marta, depois de um tempo que pareceu uma eternidade, e acrescentou: "Olá, Lila, que bom ver você. Hoje é segunda-feira".

Seu cabelo branco estava ajeitado numa trança enrolada atrás da cabeça. Sobre os joelhos de Dwayne havia duas folhas impressas, a lista das perguntas rotineiras na avaliação cognitiva. Lucia ficaria uma fera se visse isso. Dwayne dobrou as folhas e as pôs no bolso do casaco. Uma nova lufada de vento fez o mato estremecer, assim como os ombros finos de Marta. "Talvez seja melhor entrarmos", eu disse. Da sala de lazer ouviram-se gritos de incentivo. "Acho que vou assistir ao jogo", disse Marta, que já estava no saguão, e propôs que também fôssemos. Recusei educadamente. Sabia que, quando estivesse diante da tela da televisão, as imagens do quarto de Jamal voltariam a me perseguir. No tempo que decorrera desde que deixei a casa dele, as afirmações de Anabella tinham perdido a força e agora me pareciam exageradas e estranhas, mas a humilhação de ver as coisas roubadas de Adam só aumentava.

Dwayne ajudou Marta a entrar na sala de lazer, então virou-se para mim e disse, no amplo sorriso que seu filho lhe comprara antes de viajar para Maryland: "Lila, benzinho, não se ofenda por eu lhe dizer isso, mas sua aparência está horrível".

Não me ofendi. Eu realmente estava com uma aparência horrível. "Quer tomar um chá?", perguntou Dwayne. "Minha menina me envia todo tipo de chás fortificantes desde que se casou com seu xamã biruta."

A filha de Dwayne era uma mulher linda, de mais de sessenta anos. Vinha vê-lo a cada seis meses, gritava com a equipe médica para que não fosse desleixada com o pai dela e desaparecia. Eu não queria um chá, mas tampouco queria ofendê-lo. Dwayne não era desses residentes que vivem convidando você para ir a seu quarto. Apesar do largo sorriso e da cordialidade, sempre mantinha uma distância segura da equipe. Eu sabia que estivera na prisão quando jovem, depois fora inocentado e recebera uma pequena quantia como indenização. Eu supunha que aquela experiência o deixara profundamente desconfiado com as autoridades. Agradeci-lhe pela oferta e o segui. O quarto era simples e pequeno, como todos os outros. Seus netos me sorriam em suas molduras prateadas, penduradas nas paredes: meninas graciosas com rabos de cavalo e garotas mais velhas com cabelo arrumado em muitas pequenas tranças, e um rapaz tão parecido com Dwayne que fiquei perplexa por um instante.

"Então, o que aconteceu?", ele perguntou enquanto enchia de água a chaleira. Seus movimentos eram ágeis e flexíveis. Como se alguém tivesse esquecido de dizer a esse corpo que seu dono tinha completado noventa anos. Contei-lhe das coisas de Adam que eu tinha descoberto no quarto de Jamal. Quando enumerei toda a lista de coisas desaparecidas que eu tinha identificado no quarto, seus grandes dedos buscaram o jarro de vidro com as ervas de chá e se imobilizaram por um instante antes de abri-lo.

Quando terminei, ele disse numa voz séria e cautelosa: "Não é o tipo de coisa que uma mãe quer saber". Os copos que ele tirou do armário tilintaram em suas mãos. Mas eu o conhecia bem o bastante para não lhe propor ajuda. "Bullying sempre cheira mal", disse ele. "Pena que seu filho teve de passar por isso."

"E o que mais me deixa louca é que ele não me disse nada. Nem uma palavra sobre o que estava acontecendo com ele."

"Não me espanta", disse Dwayne, "minha mulher sempre dizia que ser mãe, ou pai, é estar em tensão permanente. Sabe, uma vez pensei que o maior mistério em nossa vida são nossos pais. Hoje penso que talvez o maior mistério na vida das pessoas sejam seus filhos."

Ele me passou o chá, que estava excepcionalmente amargo, pegou uma tangerina e a descascou num movimento esperto.

"Acho que talvez o tenham molestado por ele ser judeu", eu disse. "Meu marido não concorda comigo."

"Sabe o que Chan me disse uma vez, quando lhe perguntei sobre a China? Ele disse que não existe nenhum racismo na China. Porque lá não existem negros." Dwayne caiu na gargalhada e me passou metade da tangerina. "Eu cresci em Oakland", disse, "eu e meus amigos batíamos principalmente no mexicano que morava no outro quarteirão e às vezes batíamos uns nos outros. Em meu bairro não havia judeus quando eu era criança, mas se houvesse tenho certeza de que eu bateria neles."

"Eu pensava que bullying era uma coisa que cheirava mal."

"Cagar também, benzinho", ele disse, "e ainda assim todos fazem isso."

A tangerina em minha mão molhou a ponta de meus dedos com uma sujeira amarela. Não consegui comê-la e não sabia onde colocá-la.

"Me desculpe", ele disse de repente. "Peço desculpas se a ofendi. Mas é assim que somos, Lila. Todos nós."

Eu lhe agradeci pelo chá. Só consegui ficar lá por mais um minuto. Precisava ver meu filho com urgência. Não ao anoitecer, quando voltasse do curso de Uri. Agora.

28.

Durante todo o percurso até lá, não hesitei uma vez sequer. Mas quando finalmente estacionei na entrada do salão, não me apressei a sair. A construção era grande e maltratada, e na entrada havia algumas bicicletas. Identifiquei a de Adam. Pelo menos Jamal não havia tomado a bicicleta dele. Senti uma pontada de dor quando me lembrei do skate que tínhamos comprado para Adam no início do ano e que desaparecera pouco tempo depois. Quebrou, ele nos disse, bateu em uma grade e quebrou. E eu ainda sugeri que contatássemos o fabricante e reclamássemos. Com certeza iam nos ressarcir. Quão boboca uma mãe é capaz de ser.

Eles não estavam lá. A porta estava aberta, mas o lugar estava vazio. Olhei em volta. Assustei-me quando vi duas ratazanas correrem pelo salão escuro e desaparecerem atrás de um grande painel. Quando meus olhos se acostumaram com a escuridão, consegui ler as palavras escritas à mão no painel: "Se alguém vier matá-lo, mate-o primeiro". Não muito longe dali, pendurado na parede, havia um grande retrato numa moldura com vidro: os alunos do curso numa foto coletiva, suados ao término de um exercício, testa e faces pintadas com cores de camuflagem. Como eram jovens seus rostos. Como era artificial o olhar endurecido que tentavam atribuir a si mesmos. Olhei para a foto: um rapaz gorducho e baixo, ao lado de um rapaz magro, espichado, o rosto coberto de espinhas, e depois, continuando, um garoto robusto, cacheado, de ombros largos e olhos cheios de segurança. E mais além, um rapaz sardento, um solidéu pequeno na cabeça, e ao lado dele um garoto bonito, olhos enormes, lábios desenhados num meio sorriso. Fiquei olhando para ele, tentando lembrar de onde o conhecia. Adam estava a seu lado, e parecia que a energia que se irradiava daquele garoto também o iluminava um pouco, pois eu nunca tinha visto meu filho tão ereto quanto naquela foto, junto àquele garoto.

Mas onde estavam agora? O salão vazio começou a me deixar inquieta, como se eu tivesse invadido alguma área militar de acesso proibido. Olhei para fora. Se deixaram o lugar aberto é porque devem estar por perto. A luz no estacionamento estava diminuindo. As luzes da rua ainda não estavam acesas.

O céu se enchera de nuvens roxas, prenhes. De Uri e dos garotos, nem sinal. Saí e contornei o prédio.

No primeiro momento não percebi que os estava vendo. Eram manchas escuras e imóveis, afundadas no mato. Uma das manchas começou a se movimentar, tão lentamente que no início eu não estava certa de que de fato se movia, e só após mais um instante notei que outras manchas, que até então eu tinha pensado que eram pedras, também se moviam em direção a um grande bosque de carvalhos. Inclinei-me para a frente, forçando a vista. Na luz do crepúsculo consegui, com dificuldade, vislumbrar seus rostos. Os rapazes se arrastavam com determinação pelo aclive pedregoso, em absoluto silêncio. Olhei em volta, para o solo cheio de pedras pequenas e pontiagudas, urtigas e espinheiros. Quando voltarem para casa, seus braços estarão cobertos de cortes, equimoses e arranhões sanguinolentos. Seus pais vão ficar doidos com isso. (Os pais deles não sabiam, compreendi de repente, e pensei na estranha obstinação de Adam nas últimas semanas de vestir camiseta de mangas compridas mesmo em casa, ele que sempre circulava de cueca e nada mais.)

Tentei discernir meu filho entre os garotos que rastejavam, quando de repente parei, imóvel — dois rapazes que eu não tinha percebido antes começaram a rastejar de onde estavam, junto a um arbusto alto, arrastando alguma coisa atrás deles. Um grande saco, ou talvez uma maca, algo pesado. Um terceiro rapaz foi na direção dele — era Adam, compreendi um momento depois —, tinha na mão um canivete que brilhava na derradeira luz do crepúsculo. Num só ímpeto, ele fez um corte no saco. Eu contive um grito.

Havia alguém lá. Uma pessoa. Estava estirado de costas, os membros largados, e eles o ergueram em silêncio e o carregaram. É um exercício, eu disse comigo mesma, apenas um exercício. Um aluno do curso se faz de ferido, ou finge que é um terrorista que o comando capturou em território inimigo.

Mas o homem estendido no bosque não estava fingindo — estava definitivamente sem forças. Eles o arrastaram pelo chão. Estremeci ao ouvir o baque seco do corpo se chocando com as pedras. Nenhum aluno do curso seria capaz de fingir tão bem.

Os rapazes continuaram a arrastar o corpo desfalecido. Estava descalço, percebi de súbito, e olhei estarrecida para os pés percorrendo o solo enquanto eles o seguravam pelos braços, esforçando-se por arrastá-lo. Quis gritar, mas minha garganta estava seca demais, e a boca paralisada, como num sonho ruim. Os rapazes se juntaram na extremidade do bosque, calados e encurvados. Uma última luz arroxeou e enegreceu e por fim desapareceu. E exatamente então, à luz de uma chama vermelha, súbita, vi Uri.

Ele estava junto a um monte de gravetos que acabara de acender. Seu belo rosto bem cinzelado brilhava à luz da fogueira. Os garotos reuniram-se diante dele, aguardando tensos que ele falasse. Bastou um pequeno aceno de cabeça para que entendessem, e se apressaram a abrir caminho para os três rapazes, que se aproximaram dele arrastando com dificuldade o corpo inconsciente e o depositaram a sua frente. À luz da fogueira pude ver o corpo ali estendido: rosto inexpressivo. Olhos fechados. Desprovido de cílios. Sem sobrancelhas. E mais uma vez senti o coração voltar ao ritmo normal, o sangue tornar a circular nas veias. Tudo bem, sua histérica. Afinal, é só um curso de jovens que se levam um pouco a sério demais. Mas ainda não saí do montinho de terra que dava para o bosque. Não me apresentei a eles — *Shalom, sou Lilach, mãe de Adam, vim ver o curso de vocês.* Pois apesar de o boneco para exercícios não parecer ameaçador, só grotesco, eu ainda sentia que algo dentro de mim continuava a tremer. No bosque, Uri falou. E apesar de eu não ouvir suas palavras, era impossível não perceber sua influência — os rapazes o fitavam com olhos entusiasmados. Aqui e ali eu via um movimento enérgico de concordância, um punho erguido. Levou um momento até eu tornar a identificar Adam entre eles — o olhar fixo em Uri, olhos ardendo no mesmo fogo que se ateara nos olhos dos outros.

Aproximei-me em silêncio. Eu tinha de ouvir. O vento mudou de direção e a voz de Uri chegava a mim sobrepondo-se aos estalos da fogueira. "O aluno que se destacou na semana foi Adam Shuster. Eu sempre digo a vocês que um combatente tem de saber derrotar seus demônios. Adam fez isso. Ele lutou com seu demônio e o venceu." Assentimentos silenciosos da parte dos rapazes. Punhos sendo erguidos em sinal de aprovação. "Entreguei a Adam meu Leatherman no início do exercício e ele ficará com ele até o próximo encontro." O rosto de meu menino tingiu-se da cor alaranjada do fogo. Os olhos brilharam. O canivete de Uri estava em sua mão, e eu soube que, naquele momento, era para ele a coisa mais importante do mundo.

"Exercício de conclusão", disse Uri, e antes que eu entendesse o que estava acontecendo, os rapazes se dispuseram em círculo. O primeiro rapaz, alto e de cabelo cacheado, virou-se para o rapaz baixinho e lhe deu um soco na barriga, com toda a força. O rapaz baixo não soltou um pio, absorveu o soco em silêncio. Inspirou profundamente, virou-se para o rapaz no outro lado — e o socou na barriga, com toda a força da dor que pelo visto lhe causara o primeiro. Senti-me sufocar. O rapaz dobrou-se todo com a intensidade da dor, mas não disse palavra. Após um instante se aprumou, virou-se para o rapaz a seu lado — era Adam, percebi — e o socou com toda a força. Não consegui olhar. Corri de lá.

29.

Voltei para o carro. Uma batida no vidro da janela me fez dar um salto. Virei a cabeça esperando ver Adam. Mas do outro lado do vidro estava Einat Grinbaum.

"Eu sempre chego mais cedo por engano e fico esperando aqui", ela disse, e acendeu um cigarro. Eu não fumava desde que dei baixa no Exército, mas assim mesmo aceitei quando ela me ofereceu um. A fumaça que sopramos pairou por um momento no ar gelado antes de se desmanchar. Senti como ela nos ligava, fios de fumaça nos unindo numa fraternidade de mães.

"Preciso lhe contar uma coisa", eu disse. E descrevi para ela o que tinha visto no bosque, lançando olhares ao salão enquanto falava. Einat Grinbaum assentiu. "Boaz me contou, ele faz agora umas cem abdominais por dia para conseguir absorver esses socos em silêncio."

"Mas por que exatamente ele tem de levar socos em silêncio?"

Ela deu uma tragada no cigarro, relaxadamente. "É como perguntar por que homens precisam de motocicleta. Para provar a si mesmos que são homens." Einat enviesou o olhar para a porta do salão. "Olhe", ela disse em tom conciliador, "claro que é preciso saber pôr um limite nisso — quando Boaz quis tatuar esse lema que Uri lhes ensinou, eu logo disse que nem pensar."

"Que lema?", perguntei. "Se alguém vier matá-lo, mate-o primeiro. Você acredita nisso?"

Ela sorriu, mas não devolvi o sorriso. "E se algum garoto levar esse lema a um lugar errado?", perguntei. Einat fez um gesto de desprezo. "Ora, não vamos exagerar", disse. "Esses garotos não vão criar um movimento secreto de *price tag*."* Fiquei calada. Ela pôs a mão em meu ombro. "Lilach, você tem que reconhecer que, diante de tudo o que está acontecendo agora, este curso permite que você, como mãe, durma melhor. Há uma espécie de guerra lá fora."

* Em hebraico, "*tag mechir*" refere-se a atos violentos praticados por extremistas nacionalistas israelenses dos assentamentos na Cisjordânia contra palestinos, israelenses de esquerda e pacifistas, árabes israelenses, soldados israelenses e quem mais se oponha à política dos assentamentos.

“Não estou certa de que haja uma guerra lá fora”, eu disse. “Acho que todos ficamos um pouco paranoicos.” Einat olhou para mim espantada. “Depois de Paul Reed e daquela pichação horrível, você ainda duvida de que estejam mesmo nos perseguindo?” “Ora, vamos pôr as coisas nas devidas proporções. Reed agiu sozinho. A pichação na escola pode ter sido obra de crianças superexcitadas.”

“Veja, Lilach”, disse Einat num tom peremptório, “você e Michael não participam da comunidade, então talvez você não esteja compreendendo a extensão daquilo que estamos enfrentando.” Sua pele branca e bonita adquirira um leve matiz róseo, nesse rubor que as mulheres têm quando ficam com raiva e quando fazem amor. “Ainda antes de Paul Reed, o número de incidentes antissemitas nas escolas da Califórnia dobrou desde a última operação em Gaza. Na minha opinião, é ótimo que as crianças aprendam a reagir lutando.”

Quis discutir com ela, e ao mesmo tempo algo me dizia que talvez tivesse razão. Talvez Uri estivesse dando a Adam exatamente aquilo que lhe faltava, o que desde o início teria impedido que Jamal o molestasse.

Naquela noite Adam estava meio distante, e eu grudei nele como cola. Nunca fui atrás de garotos. Uma mescla de orgulho e timidez, acho. Mas atrás de meu filho eu ia, e como. Desenvolvi os mesmos interesses que ele. Assumi os seus hobbies. Quando se interessou por dinossauros, aprendi a declamar nomes em latim. Os dinossauros cederam lugar aos super-heróis. Os super-heróis, aos aeromodelos. E eu atrás, aluna diligente, sempre identificando um minuto tarde demais a perda de interesse. Eu encomendo o último modelo de avião de armar e ele me comunica que aquele já era. À medida que as crianças crescem, disse-me Noga uma vez ao telefone, você começa a preferir atividades em que não é preciso falar: ir ao cinema, um passeio de bicicleta, algo que camufle o fato de que já não sabemos muito bem como falar um com o outro. Inscrevemo-nos num curso de mergulho. Fomos acampar em Yosemite. Fazíamos coisas. Nos fotografávamos fazendo coisas. Se me perguntarem "onde você estava?", eu tenho um álibi.

Quantas perguntas eu lhe fiz naquela noite depois da visita a Anabella Jones. O que queria comer, se tinha lições de casa para fazer, para onde gostaria de ir nas férias, mas em nenhum momento consegui formular a pergunta número um: por que não me contou que o estavam machucando.

Depois do jantar, liguei para Einat. Se estivéssemos morando em Israel, provavelmente não me daria esse trabalho, mas aqui, numa realocação, você tem o cuidado de não brigar com ninguém. Essa foi a primeira lei que aprendi assim que chegamos aqui. Foi Iael Golan quem me apresentou a ela, quando me explicou que havia amizades de prisão e amizades de natureza.

"Amizades de natureza é o que você tem em Israel — você conhece uma menina no ensino médio, ou no Exército, ou na universidade, vocês se apaixonam, uma dessas paixões de garotas, total e sem sexo, e tudo é ótimo. E existem amizades de prisão. Pense", ela disse, "que você foi parar com as mulheres daqui na prisão egípcia. Como aqueles pilotos que estiveram juntos na prisão. Tenho certeza de que esses pilotos, mesmo que antes disso não se suportassem, uniram-se para sobreviver. Exatamente como nós, as mulheres da realocação, em nossa prisão americana."

Eu soube de imediato que Iael Golan ia ser uma amiga de natureza. O que não sabia é que, meio ano depois, Iael Golan ia se mudar para a Costa Leste. Aprendi a sondar, em cada encontro com pessoas novas — por quanto tempo vocês vieram? São temporários ou permanentes?

Einat Grinbaum era permanente. Quando Adam e Boaz começaram no ensino médio, registramos uma a outra como contato em situações de emergência. E mesmo ela tendo me irritado no estacionamento, eu sabia que uma amizade de prisão não se desfaz tão rápido assim. "Que bom que você ligou", disse ela, o que soou como um alívio sincero. "Eu estava exatamente a ponto de ligar. Quero convidar você para a nossa força-tarefa."

"Força-tarefa?"

"Na luta contra o antissemitismo", disse Einat. "Estou coordenando o registro de atitudes negativas em relação a judeus."

A maioria das mulheres aqui coordena alguma coisa. Eu era coordenadora de cultura na casa de repouso. Em meu bairro havia a coordenadora dos jardins de infância judaicos em San Mateo, e a coordenadora operacional do Centro Comunitário Judaico, e mulheres que o destino não brindou com alguma coordenação — afinal, há um limite para coordenadoras — e tiveram de passar para uma categoria inferior — consultora. Havia consultoras de sono, de amamentação e de como não usar fraldas. E havia também terapeutas de casal e arteterapeutas. Mas as pessoas que prestavam cuidados reais eram as latinas, que vinham todos os dias de transporte público. Elas cuidavam dos filhos das arteterapeutas, enquanto elas tomavam conta dos filhos das terapeutas de casal.

Além das coordenadoras, consultoras e cuidadoras, havia as artistas. Uma garagem em cada duas era convertida em estúdio. Cerâmica. Reparo de mobiliário. *Vintage*. Impressão em seda. Como adultos que deixam a filha curtir uma festa imaginária, incentivando-a a agir como se as bonecas de plástico fossem convidadas de verdade, assim os maridos nos deixavam pensar, as mulheres no Vale do Silício, que tínhamos um trabalho de verdade. Ficávamos em casa, mas sem sermos donas de casa. Inventamos outras palavras que nos ocultassem de nós mesmas.

"Obrigada pela sugestão", eu disse a Einat, "vou tentar ir à reunião de vocês." Porque, afinal, eu havia aprendido na América duas ou três maneiras de dizer "não" sem ofender.

30.

A avaliação funcional de Marta foi marcada para segunda-feira, às nove da manhã. Lucia desculpou-se, desculpas nas quais não acreditei de todo, por não ter me atualizado quanto à hora. Para chegar a tempo na casa de repouso, fui obrigada a voar até a escola de Adam e de lá para Daly City. Mas quando cheguei à casa depois de correr pelo estacionamento, Lucia me disse com expressão azeda que o médico tinha avisado que só chegaria ao meio-dia.

Retomei o fôlego e entrei no saguão. Ela estava lá, vestindo seu melhor vestido, violeta-claro. Seu cabelo branco estava belamente cacheado, e pareceu-me ver ali o toque de Armando, que era exímio cabeleireiro feminino e que, segundo contava, tinha feito o cabelo de Rita Moreno no set de *Amor, sublime amor*. Marta lá estava sentada, dentro do vestido e do penteado, e parecia tensa. Levara a mão ao colar de pérolas falsas em seu pescoço e mexia nele como para se certificar de que eram redondas e que ainda estavam lá. Quando me sentei a seu lado, largou as pérolas e passou a mão em minhas costas. Após alguns instantes, disse que queria ir para o quarto, descansar. Eu a levei até o elevador e me fechei no escritório. Minha intenção era preparar uma oficina para o encontro da sexta-feira, mas as mãos procuraram o computador.

A Nação do Islã era uma organização afro-americana islâmica religiosa fundada em 1930. Seu atual dirigente era Louis Farrakhan. O verbete na Wikipédia era longo e detalhado. Não pulei nada. Li sobre Abdul Alim Muhammad, que acusou médicos judeus de terem inoculado propositalmente o vírus da aids em negros, e sobre Jeffrey Muhammad, que culpou judeus de derramar o sangue da raça negra. Eu passava de um link a outro como se, se procurasse bastante, fosse acabar chegando à página que mostraria o quarto de Jamal Jones, e ali, na linguagem precisa com a qual as enciclopédias se destacam, encontraria a explicação do que diabos tinha acontecido entre o menino morto, em cujo quarto pendia o retrato de Farrakhan, e o meu filho.

Saí do escritório para lavar o rosto. Fui até a sala de lazer para me acalmar com um chá. Dwayne estava sozinho, sentado numa poltrona rota, e ficou surpreso ao me ver. "Não é o seu dia aqui." "Quis estar presente na avaliação funcional de Marta", eu disse. Seus olhos negros me examinaram. "E talvez eu prefira estar aqui do que sozinha em casa", acrescentei com uma reflexão tardia. Pensei que isso ia deixá-lo contente, mas em seu rosto houve um leve espasmo, quase imperceptível, como se eu tivesse confirmado algum pensamento com o qual ele se debatia. "Você parece preocupada", disse enfim. "Esteve com a mãe do garoto morto de novo?"

"A mãe do garoto não sabe muita coisa", eu disse, e quase sem intenção adotei um leve tom de reclamação. "O filho dela fazia bullying com o meu filho e ela não sabia nada sobre isso." Os olhos de Dwayne ensombreceram. "Talvez vocês tenham de ir para um lugar mais seguro", disse secamente. "Talvez uma escola particular, tenho certeza de que lá nenhum garoto negro vai atazanar o seu filho."

O cinismo dele me surpreendeu. "O que é isso, Dwayne?" Ele se recostou na poltrona. "Não consigo entender do que você está reclamando", eu disse. O velho diante de mim sorriu com todos os seus dentes comprados. "Não, benzinho, não estou reclamando. Nós, os residentes, podemos reclamar com Lucia, porque este é o trabalho dela, ela ganha para isso. Mas você aqui é meio voluntária."

Eu estava perplexa. Ele me respondeu com um olhar firme. "Olha, Lila, um garoto negro talvez bata em seu filho depois das aulas, mas, quando a escola terminar, o seu filho é que vai se comportar como se este país fosse o carro de seus pais. A mãe do garoto que morreu nasceu na América e vai morrer aqui, porém, eu lhe garanto, você pertence a este lugar muito mais do que ela."

Após um momento que pareceu uma eternidade, Lucia abriu a porta da sala de lazer. Dwayne lançou-lhe o sorriso radiante de um homem de noventa anos e saiu de lá. Os olhos dela se detiveram por uma fração de segundo em meu rosto, surpresos com o que nele descobriram, e ela disse num tom pragmático: "O médico está aqui, se você ainda insiste em estar presente no exame...".

O médico era um homem de meia-idade que estava ficando calvo, sapatos surrados e aspecto cansado. Pensei em quantos lares geriátricos ele já tivera de visitar hoje. Lucia apertou sua mão e pediu que informasse os resultados ao escritório. Eu o acompanhei até o saguão. Marta já estava lá, em seu vestido violeta e com o cabelo feito. O dr. Ing perguntou-lhe onde ela queria conversar; ela pensou um pouco e respondeu: "Em meus aposentos, lá vou me sentir mais confortável". Mas, quando chegamos a seus aposentos, Marta não parecia estar se sentindo mais confortável. Quando nos sentamos na pequena sala, ela apressou-se em nos servir água gelada e quase derramou tudo ao pôr a bandeja na mesa. O médico perguntou que dia era hoje, e ela respondeu "segunda-feira". E repetiu mais três vezes, embora ele não tivesse perguntado novamente. Ele perguntou qual era o endereço do lugar em que estávamos. Marta lançou-me um olhar suplicante. O médico disse: "Tudo bem, você tem tempo, pense um pouco". O relógio ornamental na parede marcava os segundos. Olhei para ele com a maior concentração, os pequenos pássaros sobre os ponteiros que se moviam sem parar. Não consegui me obrigar a olhar para o rosto de Marta. Olhava para os ponteiros enquanto ela reagia com silêncio ou com uma resposta parcial às perguntas seguintes: em que mês estávamos. Diga os nomes de seus familiares vivos. Como você se arranja no banho?

"E como você se arranja com suas tarefas diárias?"

"Eu a ajudo." Dwayne saiu do quarto de dormir de Marta. Enrolara-se num roupão de flanela e parecia ser parte natural da paisagem do lugar. "Perdão", disse o médico, examinando o homem à sua frente. "Eu tive a impressão de que a senhora morava sozinha?" O final da frase, ele dirigiu a mim. "Isso muda muito a avaliação que farei quanto à segurança dela aqui, em seus aposentos." "Eu e a senhora dividimos o lar", disse Dwayne antes que eu abrisse a boca. "E o senhor pode ter certeza de que eu sei o nosso endereço aqui e como voltar a pé do supermercado, e que esse benzinho aqui não sai para passear pelas ruas sem mim." O dr. Ing passou os olhos por Marta e Dwayne e se virou para mim. "É verdade que ela tem suporte por parte da equipe?"

O relógio na parede de Marta, num toque abafado, anunciou a hora. Desviei os olhos do pássaro sobre o ponteiro. "Sim", eu disse.

Dez minutos depois, acompanhei o médico ao sair. Quando esperávamos o elevador, ele tirou os óculos e os limpou com a barra da blusa. Por algum motivo, naquele momento pareceu-me estar menos cansado. "Não estou certo quanto àqueles dois", disse. Tive a impressão de que havia censura na voz dele, mas não estava convencida. De trás da porta fechada dos aposentos de Marta, ouviam-se os alegres sons de uma gaita.

31.

O último sinal do dia ecoou no pátio da escola. Jovens saíram correndo. Tentei localizar Adam entre eles. Cabeças douradas passavam por mim, mergulhadas em telefones ou conversando entre si. Procurei pelos cachos escuros, pronta para identificar o ritmo singular de seu caminhar. Imaginei que ainda se passariam longos minutos até ele sair. Quase sempre era assim, demorava. Punha os livros na pasta com a fadiga do fim de um dia de estudo. Eu o esperava sem impaciência, numa expectativa agradável. Gostava de jogar aquele jogo — o pátio cheio de crianças e eu tendo de encontrar ali, o mais rápido possível, meu filho.

Durante a tarde, o estacionamento ficava meio vazio. Na chegada à escola, de manhã, o asfalto estava cheio de carros, pais e mães trazendo os filhos à escola antes de seguir para o trabalho. Mas agora só havia umas poucas mães esperando comigo. Os filhos de mães que trabalhavam voltariam para casa por seus próprios meios. Olhei novamente para o caminho de cascalho que vinha do prédio principal, passando pelo pátio, até o estacionamento, esperando Adam sair.

Quando a vi, estava de costas para mim. Seu cabelo preto estava preso num coque frouxo. Pareceu-me que tinha vindo direto do trabalho no Intercontinental, pois ainda vestia o uniforme de camareira, os pés calçando sapatos baixos. Ali de pé, olhando para o caminho de cascalho, seria possível pensar que era mais uma mãe que viera buscar seu filho na escola. Como se, se esperasse tempo suficiente, Jamal fosse sair do prédio principal e vir pelo caminho cheio de crianças.

Grupos de rapazes e moças saíam do prédio principal e seguiam em direção ao estacionamento. Seus olhos pestanejavam quando tentavam acomodá-los ao sol forte que banhava o pátio. Identifiquei entre eles Josh Hart, a mão displicentemente pousada no ombro de uma garota com um busto grande e um rosto doce. Ela lhe disse algo e ele riu. Jogou a cabeça para trás, os dentes brilhando em sua brancura.

"Me desculpem..."

Anabella Jones tinha atravessado o pátio e se dirigido ao grupo. Eles olharam para ela com o olhar opaco com que os jovens olham para os mais velhos. Mas, num átimo, a expressão de Josh mudou. Ele retirou a mão do ombro da amiga, como se houvesse algo impróprio na permanência de seus dedos tão próximo da pele daquela moça, a poucos centímetros de seus seios, diante da mãe do menino morto. O sorriso apagou-se do seu rosto, substituído por algo parecido com pânico.

"Sou a mãe de Jamal", disse Anabella. Os jovens assentiram. Sabiam quem ela era. O garoto que estava junto a Josh pigarreou e disse em voz baixa a frase que americanos dizem em momentos como aquele: "Sinto muito por sua perda". Mas ainda antes de terminar, Anabella o interrompeu e perguntou: "Vocês sabem quem é usuário de drogas na escola? Quem vende?".

Os jovens olharam para ela espantados. O tom de sua fala era mais direto do que qualquer coisa com que estavam acostumados.

"Os policiais dizem que foi uma experiência de produção própria que se complicou. Mas Jamal nunca tentaria produzir drogas. Vocês sabem quem poderia ter dado a ele? Talvez para misturar na bebida?"

Agora foi a vez de a garota bonita falar. "Sinto muito, sra. Jones, não sabemos de nada."

"Mas como pode ser que nenhum de vocês saiba nada?" Sua voz soou alta e desesperançada. Ela segurou a mão da garota, que se retraiu e recuou um pouco, mas não ousou puxá-la para se libertar. "Meu filho morreu e nenhum de vocês sabe nada!"

Os jovens trocaram olhares angustiados. "Vocês estão mentindo", ela disse. O pátio agora estava em silêncio. Os pais no estacionamento ao final do caminho. Os jovens no gramado. Todos olhavam para a sra. Jones e todos ouviram quando ela disse em voz alta: "Vocês estão mentindo. Todos estão mentindo. Digam-me a verdade, por favor, quem deu cristal para o meu filho?".

O segurança deixou seu posto junto ao portão de entrada e foi até o pátio. "Perdão", ele disse, e sua voz formal, metálica, deixou claro para mim que ele nada sabia quanto às circunstâncias que haviam trazido aquela mulher agitada até aqui, ou talvez até soubesse, e ainda assim estava decidido a restaurar a ordem pública. "Senhora, por favor, saia da área da escola e espere lá fora. Nós não incentivamos a entrada de pais no pátio nessas horas." Este era o procedimento. Todos nós o conhecíamos. O pátio era reservado aos alunos e ao pessoal da escola. Pais esperam pelos filhos no estacionamento ao lado. Mas Anabella não tinha vindo aqui para esperar por seu filho. Anabella não estava interessada nos procedimentos. Ela largou a mão da moça e virou-se para o guarda. "Eles sabem o que aconteceu lá, você não entende? Eles sabem e não estão me contando." Balançava a cabeça de um lado para o outro, as pupilas percorrendo febrilmente o pátio. Agora dirigiu-se aos gritos a duas garotas que desciam a escada: "Hei, vocês, sabem quem estava mexendo com drogas naquela festa? Me digam!".

Elas a olharam confusas. A mãe de uma das garotas, que a esperava junto ao carro no estacionamento, sinalizou para a filha com um gesto enérgico que viesse de imediato. Josh Hart e seus amigos afastaram-se da mulher desvairada pela dor, que continuou junto ao homem da segurança. "Ajude-me", ela disse, "talvez para você eles contem."

"Por favor, acompanhe-me de volta ao estacionamento", disse ele.

Lágrimas começaram a rolar por seu belo e largo rosto.

"Você não está acreditando em mim. Você acha que ele era um desses garotos que se drogam. Eu lhe digo, não é verdade!" Sua voz era agora estridente. Suas mãos amarfanhavam o avental de camareira. O guarda ainda falava com educação, mas o tom era de raiva contida quando tornou a lhe dizer que saísse de lá. "Eu tenho de falar com as crianças", disse ela.

"Não me impeça de falar com as crianças." Temi que ele a retirasse à força. Fui rapidamente até lá e pus a mão no ombro dela. "Anabella."

Ela de pronto me reconheceu. "Lila, graças a Deus você está aqui! Eles querem me tirar daqui, mas eu tenho de falar com as crianças. Você quer dizer a ele que está tudo bem? Ele vai ouvi-la."

Olhei para o guarda. Eu sabia o que o preocupava. Os jovens iam reclamar com os pais que a mulher estranha os tinha perturbado. Os pais iam reclamar com a diretoria. A diretoria viria reclamar com ele. Abri a boca, queria dizer algo sensato e responsável que evitasse que o guarda retirasse Anabella à força do pátio e a poupasse de ser humilhada diante de toda a escola. No mesmo instante, eu o vi surgir atrás deles, saindo sozinho pela porta do prédio principal. Eu o preveni com o olhar para que ficasse onde estava e me aguardasse. Ele entendeu imediatamente e ficou no primeiro degrau da escada. "Anabella", eu disse com suavidade, "não vale a pena discutir com o guarda. Venha, vou chamar um Uber para levá-la em casa."

Ela recusou debilmente. Adam olhou para ela de onde estava, na escada. Ela não percebeu sua presença. Tomei seu braço no meu. Ela não se opôs dessa vez, deixou-me conduzi-la de lá, diante dos olhares de alunos e pais, flácida como uma boneca de pano.

32.

Quando entrei no carro com Adam, nenhum de nós falou. Anabella tinha sido levada de lá alguns minutos antes por um gentil motorista de Uber. Os alunos continuaram em seu caminho. O guarda me agradeceu e me desejou um excelente dia. Todo esse tempo Adam permaneceu no alto da escada, calado como uma das estátuas que os alunos de arte às vezes espalhavam por toda a escola. Por fim juntou-se a mim, desceu a escada com passos ágeis, atravessou o gramado contornando o lugar onde a mãe de Jamal estivera. Fui até o carro. Ele esperou em silêncio enquanto eu vasculhava minha bolsa. Quando finalmente achei as chaves, o carro fez soar o alarme estridente habitual e as portas se abriram. Tudo me pareceu ruidoso demais. O alarme, o barulho das portas se abrindo e depois se fechando, o som dos cintos de segurança se encaixando. Girei o volante e nos tirei de lá.

O sinal de trânsito que sempre estava vermelho, dessa vez estava vermelho também. Não olhei para Adam e ele não olhou para mim. "Pobre mulher", eu disse. Pareceu-me que ele assentiu, mas não tive certeza. "Você acha que pode haver alguma verdade nisso que ela disse, que alguém colocou drogas na bebida de Jamal?" Meus olhos estavam fixos na estrada, e eu não soube se Adam tinha dado de ombros ou se seu silêncio fora a única reação a minha pergunta. Quando olhei para ele, vi que seus olhos estavam fechados com força e os lábios crispados e pálidos. "Adam, o que aconteceu?"

"Estou com dor de cabeça."

Saí para o acostamento e parei o carro. Ele abriu os olhos e olhou para mim com espanto. "É por causa do que houve agora com Anabella?", perguntei.

"Não, já estava doendo de manhã."

Ele estava esperando que eu ligasse o carro e fôssemos para casa. "Você pode falar comigo", eu disse. E diante de seu silêncio acrescentei: "Esse Jamal, ouvi dizer que era um garoto problemático".

Adam tornou a fechar os olhos. "Mãe, minha cabeça está estourando. Não estou a fim de falar sobre Jamal."

"Mas quando quiser, então..."

"Então eu vou te dizer."

Tirei uma garrafa d'água da bolsa e dei a ele. "Tome, talvez você esteja desidratado." Olhei para ele enquanto bebia, em pequenos goles, olhos fechados. "A mãe dele é camareira no Intercontinental", eu lhe disse após um instante, e logo me amaldiçoei por ter dito, pois que diferença fazia onde Anabella trabalhava; por que, de tudo que existe no mundo, tinha que sair exatamente isso agora de minha boca.

Adam continuou sentado a meu lado com os olhos fechados. Dirigi para casa pelo mesmo caminho que percorri duzentas vezes e que hoje parecia ser quatro vezes mais longo. Olhei para ele de esguelha e vi que tinha aberto os olhos. Teimei em ver nisso um sinal. Mesmo que não estivesse a fim de falar sobre Jamal ou sobre a terrível ida de Anabella à escola, talvez quisesse falar sobre alguma coisa — qualquer coisa — e não ficar assim calado.

"Como vai o curso?", perguntei. "Não chame de curso", ele disse, "faz a coisa parecer idiota." "Chamar de quê, então?" "Uri." "Uri?" "Sim, é assim que nós chamamos." "É assim que vocês falam", eu me espantei, "você vai ao Uri hoje?" "Sim, o que tem de tão estranho nisso?", perguntou em inglês. Percebi em seu tom de voz que eu o estava deixando nervoso. Não consegui entender por quê. "Eu não falei que é estranho", eu disse em hebraico. E depois de um momento, hesitante: "Então, como vai o Uri?".

"Legal."

Quando chegamos em casa, Adam subiu e eu fui preparar o almoço, que comi sozinha, pois ele disse que não estava com fome quando bati à sua porta. Duas horas depois, desceu e foi passear com Kelev, embora eu não tivesse pedido, e quando voltou, pegou um copo d'água e voltou para o quarto. Fiquei na sala, tensa a cada ruído, sem saber por que eu estava tão ansiosa, por que acompanhava mentalmente cada movimento dele, gerenciando uma cronologia de portas se abrindo e fechando, acompanhando suas saídas para o corredor, seus passos pela escada.

Fui salva por um telefonema de Lucia. Queria saber eu poderia ir em outros dias na próxima semana; dois membros da equipe estavam doentes, iria ajudar muito. Prolonguei a conversa o máximo que pude e, quando terminou, subi. O banheiro próximo ao quarto de Adam estava cheio de vapor d'água; pelo visto ele tinha tomado banho enquanto eu estava ao telefone. Entrei, saltando sobre o chão molhado e me perguntando o que era preciso fazer para que aprendesse a enxugá-lo depois. Abri a janela, puxei a água com o rodo. Já ia sair quando vi o sangue na borda da banheira.

Não era muito. Não mesmo. Uma única e isolada mancha. Assim mesmo fiquei tensa. Por que haveria sangue na banheira? Mesmo que ainda estivesse se complicando ao se barbear, ele fazia a barba pela manhã, e na pia, e mesmo que tivesse se cortado, o sangramento num corte ao barbear é muito menor, e aqui havia uma mancha, não muito grande, mas assim mesmo uma mancha de sangue, mancha de sangue no banheiro de Adam.

Larguei o rodo e fui até o quarto dele, sem histeria, só para perguntar o que era, então nada havia me preparado para o grito raivoso com que me recebeu. "Mãe, você tem de bater", ele gritou para mim, e mesmo que outras mães recebessem cem gritos como aquele por dia de seus filhos, em nossa casa isso nunca acontecera; Adam não era desses garotos que gritam, assim como Michael não era desses homens que gritam, a raiva neles se acumula em silêncio. Fiquei tão perplexa que no primeiro momento não registrei a humilhação, só o choque. "Mas por que você está gritando comigo?", perguntei. E Adam disse: "Já lhe pedi cem vezes que batesse à porta antes de entrar", e logo acrescentou "desculpe" numa voz zangada, a mão esquerda segurando o antebraço naquele mesmo movimento espasmódico que aprendi a reconhecer, e atrás dele, sobre a mesa, o Leatherman que Uri tinha lhe emprestado, a faca serrilhada.

"Mostre-me sua mão."

Isso o pegou de surpresa. Sua mão crispou-se mais em torno do braço. "O quê? Por quê?"

"Porque eu quero ver sua mão."

"Mãe, o que está acontecendo?"

(Quero ver se você se cortou de propósito. Quero saber se, quando você sente muita dor por dentro, você prefere drená-la para fora em algumas gotas de sangue. Quero saber se isso é hereditário. Eu também tive dezesseis anos, Adam. Mas cresci, a alma cicatrizou, e eu fiz você, e não quero que você machuque a si mesmo, não quero que você erga uma das mãos contra a outra, nenhum Leatherman, nenhuma faca japonesa vai tocar seu braço, você estava inteiro quando saiu de mim, e inteiro vai continuar.)

"Porque tem sangue no banheiro e eu quero ver se você se feriu."

E resolvi comigo mesma que se ele não erguesse imediatamente a mão que segurava o braço, eu iria até ele e olharia à força. (Afinal, apenas dez anos atrás eu ainda tinha no corpo força bastante para vesti-lo, despi-lo, medir sua febre, abra bem a boca, quero ver se tem um buraco no dente, deite e não se mexa, quero ver se está com piolhos.)

Ele tirou a mão do antebraço e arregaçou a manga num movimento cheio de ostentação. Não havia lesão na pele, que estava só um pouco rosada devido ao banho de chuveiro. "Agora, você pode sair, por favor, do meu quarto, ou vou ter de me despir todo para o exame?"

O embaraço me atingiu como um balde de água gelada, mas algo me fez insistir. "Então, de onde veio o sangue?"

"Eu quis esculpir um caroço de abacate e me cortei no polegar." E antes que eu tivesse tempo para perguntar, ele mostrou um caroço de abacate esculpido pela metade que estava ao lado do computador, dois olhos e um nariz se destacando nele, e me apresentou o polegar, com um corte superficial na parte de dentro.

Sentei-me na cama, embora não tivesse me convidado a sentar. Tudo estava distorcido.

"Sinto que esquecemos como falar um com o outro", eu disse. "Estou vendo que você está passando por alguma coisa desde o que aconteceu com Jamal e quero que saiba que pode falar comigo." Gaguejei mais algumas frases como essa, e todas me soaram ocas na mesma medida. Tinha de haver outra maneira de falar, pensei, que seja apenas nossa, como a linguagem particular de balbucios que tínhamos quando ele tinha um ano de idade, uma linguagem imersa em nossa identidade, nossos "eus", naquilo que éramos, não como as palavras que eu dizia agora, que pareciam retiradas da prateleira dos congelados no supermercado, prontas para ser descongeladas no micro-ondas.

"Mãe, sei que não é sua intenção, mas você está me incomodando. Quero ficar sozinho agora, está bem?"

Eu era obrigada a respeitar isso, eu sei. Tinha a obrigação de levantar e sair de seu quarto no mesmo instante. Mas vi seu olho tremer um pouco, um pequeno tique, e pensei que talvez, apesar de sua boca estar me dizendo que saísse, o corpo tentava me dizer outra coisa.

"Você tem certeza de que não quer tentar me dizer o que aconteceu com Jamal?"

Ele mirou a parede, tenho certeza. Seu punho foi lançado de encontro à parede e era para atingir a parede, mas por não ter olhado, ou por ter errado a direção, atingiu com toda a força a janela. O punho abriu um buraco no vidro e saiu do outro lado. Soltei um grito e corri até Adam, que olhava para sua mão surpreso, como se lhe fosse estranha. Muitos estilhaços estavam cravados em seu punho fechado, como se fosse um ouriço de vidro. "Vou chamar uma ambulância", eu disse. "Não precisa de ambulância", gemeu Adam. Ele abriu delicadamente a mão e esticou os dedos para se certificar de que não havia fratura. Sangue começou a sair dos lugares em que os cacos haviam se cravado, mas o sangramento no dorso da mão e nos dedos não era sério. O que me preocupou foi o da articulação do pulso, que se cortara na vidraça quando Adam puxou a mão de volta. Ele gemia de dor. Corri para trazer o kit de primeiros socorros e ataduras do banheiro. Envolvi o pulso numa atadura de pressão, mas o sangramento havia diminuído, e ao cabo de alguns instantes parecia ter cessado.

"Você está bem?", perguntei. Adam assentiu. Olhou para a janela quebrada, perplexo. Nós dois estávamos perplexos. Passei iodo nos arranhões superficiais nos dedos e no dorso da mão. Verifiquei mais uma vez se a atadura no pulso estava apertada o bastante. Quando ouvi a porta da frente se abrir, deixei que Adam descesse ao encontro de Michael e me fechei no banheiro, culpada e assustada.

Ele perdeu o controle, ia dizer a Michael à noite, desde as aulas com Uri ele saiu completamente dos eixos. O garoto não elevava a voz desde os acessos de choro que tinha aos dois anos de idade, e de repente ele grita comigo sem motivo algum, lança os punhos no ar, atinge por engano a janela. E Michael vai dizer que é um período sensível, temos de ser pacientes, e vai sugerir com delicadeza que eu talvez tenha exagerado um pouco com todas as minhas perguntas, o garoto sentiu que estava sob interrogatório e isso não lhe fez bem. "Você tem de afrouxar um pouco, Lilo, para o bem de vocês dois."

33.

Nos dias seguintes descobri que você pode ficar com saudades do menino que está sentado à mesa a seu lado. Ter saudades dele enquanto ele bebe, perto de você, o chocolate que você preparou para ele. Eu o via engolir e tive vontade de ser engolida também, deslizar por sua garganta até a barriga, até a circulação do sangue. O que você tem aí, Adam, debaixo da pele.

Quando eu o levava para a escola toda manhã, olhava bem para ele, procurando sinais residuais. Tentava me lembrar de quando surgira pela primeira vez aquele tique no olho, me perguntava se começara depois da morte de Jamal, ou talvez ainda antes, na época do bullying na escola. E o hábito de roer as unhas, do qual Michael sempre reclamava com ele, e que li na internet que podia ser sinal de se estar sob pressão, e o andar encurvado. "Vai passar", voltava a dizer Michael toda vez que eu tocava no assunto. "Daqui a algum tempo isso vai passar."

"Se ele pelo menos estivesse disposto a dividir conosco o que está acontecendo", eu disse a Michael certa noite, e ele deu de ombros e falou que crianças em geral não dividem com seus pais aquilo por que estão passando.

"Se Ofri estivesse aqui, talvez ele conseguisse falar com ela", eu disse. Michael ficou calado. Ele não gostava de me ouvir falar dela. Por isso raramente a mencionava. Mas continuei a falar com ela. Quando ela estava em minha barriga, eu falava tanto com ela que isso se tornou um hábito, e quando ela saiu, foi difícil parar. Dois meses depois do parto, contei a Noga que eu ainda estava falando com a bebê e perguntei se era normal. Sim, ela disse, era uma maneira de enfrentar a realidade. O irmão dela morrera de câncer dez anos antes. Às vezes ela ia ao cemitério e ficava junto ao túmulo dele, falando. Ofri não tem um túmulo de verdade, eu disse a ela. Era como se, no que concerne ao mundo, ao país, ela não tivesse de fato existido. Só na minha cabeça, na minha barriga.

O parto durou onze horas. Pedi que fosse cesariana, queria terminar com aquilo o mais rápido possível, mas o médico disse que era melhor não, pois isso aumentaria o perigo de complicações em gravidezes futuras. Levou muito tempo para ela sair de minha barriga, e semanas depois de ter saído, eu ainda sangrava a cama que meu útero tinha preparado para ela. Mas de minha cabeça ela não saiu. As canções de ninar que eu ia cantar para ela, as roupas com que ia vesti-la, os brinquedos com que íamos brincar, todas essas coisas estavam em minha cabeça depois do parto, como um quarto totalmente mobiliado, e eu não tinha noção de onde deveria colocá-las.

No início eu ainda falava com Noga sobre ela, mas, quando ela engravidou, não quis assustá-la. Também não falava muito sobre ela com Michael. Não queria deixá-lo preocupado. Nos meses que se seguiram, aprendi a virar a cabeça toda vez que via um bebê. E em toda parte havia bebês.

"Coisas assim acontecem", disse a médica quando fomos a uma consulta. "E nem sempre sabemos por que acontecem. Às vezes as mulheres se culpam de não terem se comportado como seria necessário na gravidez. Mas isso é bobagem. Morte intrauterina pode ocorrer devido a muitas causas, das quais a maioria absoluta não está sob o controle da mãe." Foi gentil da parte dela ter dito isso, e a parte dentro de mim que era capaz de pensar direito realmente acreditou nela. Mas havia mais uma parte — primeva, quase mágica, que ficava pensando se tínhamos feito alguma coisa ruim, e depois que Adam nasceu e os médicos disseram que eu não poderia mais conceber, eu soube lá dentro que era porque antes tinha sido tudo bom demais. Estávamos plenos de nossa felicidade, não sabíamos que isso era uma arrogância pela qual se paga um preço.

34.

A segunda conversa com Uri foi uma semana depois. Adam estava no quarto, Michael e eu, diante da televisão, na letargia de uma noite de domingo. Mais cedo, naquele dia, Adam tinha ido ao curso, e nós comemos *french toast*, lemos parte do jornal e voltamos para a cama. Pouco antes de eu mergulhar na sesta do meio-dia, a cabeça no peito de Michael, pensei que talvez tudo fosse se ajeitar. Talvez aquele músculo que se contraíra dentro de mim desde o encontro com Anabella conseguisse lentamente se distender. Quando acordei, Adam já tinha voltado, estava sentado à mesa, deixando que Kelev comesse de seu prato, apesar de meus protestos. Não tinha trocado a blusa após o exercício, e o cheiro de seu suor enchia o recinto, forte e agressivo. Quando anoiteceu, sentamo-nos diante da televisão, e Michael pôs a mão em minha coxa. E assim estávamos diante da tela, na sala, quando o telefone tocou e Uri perguntou se poderia vir na manhã seguinte para uma breve conversa.

E na manhã seguinte, novamente o café, novamente os biscoitos, novamente seus dedos ignorando a campainha e batendo à porta. "Sei que você está com pressa para ir trabalhar", disse a Michael assim que nos sentamos, "mas não quis esperar e preferi não falar ao telefone."

Michael fez um gesto curto e prático, expressando que as motivações lhe eram claras. O corpo de Uri preenchia a poltrona. Não tinha tirado o casaco, apesar de eu ter lhe sugerido. Ontem, durante o curso, ele tinha ouvido os rapazes falarem sobre Jamal. Foi num intervalo entre exercícios, ele foi buscar água, e, pelo visto, eles não perceberam que ele estava a uma distância em que poderia ouvi-los. Um dos rapazes disse que pelo visto a droga que o matara tinha sido cristal, e Adam comentou como era fácil fazer metanfetamina em casa e prometeu que depois da aula ia mostrar a eles um vídeo que explicava como fazer.

"Vejam, eu posso apostar que não tem ninguém na escola de Adam que não fez uma busca sobre metanfetamina depois daquela festa, para compreender o que tinha acontecido com Jamal", disse Uri. "Mas eu ainda disse a Adam depois do curso que ele tinha de apagar o histórico de sua busca e ser mais cuidadoso no futuro."

Para minha surpresa, Michael assentiu, concordando. "Mas por que ele tem de apagar o histórico de sua busca?", perguntei. "Você mesmo disse que todos os garotos com certeza deram um Google." Meu tom de voz saiu mais agressivo do que eu pretendia. Michael lançou-me um olhar de advertência, o mesmo que lançava a Kelev toda vez que ele começava a rosnar sem motivo. "Lilo, você sabe que não estou preocupado com Adam, mas, para alguém de fora, isso pode parecer algo ruim. Está havendo uma investigação sobre drogas na escola, a qualquer momento a polícia pode confiscar os telefones e computadores dos alunos, o que vão pensar se encontrarem uma busca como essa num aluno que se destaca em química e que estava em guerra com Jamal?"

"Eles verão que a busca foi feita após a morte de Jamal", respondi.

Uri pigarreou e se virou para mim. "Acho que é preciso levar em conta que Adam fez a busca de como se prepara metanfetamina ainda antes da festa." E logo acrescentou que não achava que Adam realmente estivesse tentando produzir drogas, era inteligente demais para fazer uma coisa dessas, mas pesquisar no Google era outra coisa. "Claro que há uma enorme diferença entre ler como se faz e fazer de fato, e se não fosse aquela tragédia na festa, a busca de Adam não ia interessar a ninguém. Mas aconteceu uma tragédia. O menino morreu, e, pelo que dizem, a mãe dele está procurando quem culpar."

Fiquei calada. Lembrei-me da dúvida que me assaltara quando saí da casa de Anabella, tão transtornada que quase não conseguia pensar ou formular um pensamento, e que agora, na perspectiva do tempo, me parecia totalmente exagerada.

"Eu entendo sua preocupação", disse Michael após um momento. "Gostaria de pensar que isso não é necessário, mas você tem razão. Um policial que desse com essa busca poderia pensar que Adam tentou produzir metanfetamina, mesmo que fosse como um desafio, e depois levou para a festa, e eu prefiro que o garoto não precise ir até a delegacia para explicar a eles que estão enganados."

Fez-se silêncio na sala. Fui eu quem enfim o rompeu dizendo: "Se é assim, temos de falar com Adam. Saber se ele deletou a busca". Uri disse que isso, claro, era uma coisa que cabia a mim e a Michael decidir, mas que na opinião dele seria melhor que aquela conversa ficasse entre nós três. Ele mesmo falaria com Adam para se certificar de que a busca não estava mais lá.

"Eu sou a mãe dele. Sou eu quem precisa falar com ele."

Mas Uri insistiu. Disse que, se Adam soubesse que ele viera nos contar, poderia se fechar com todos nós. "Não quero perder a confiança dele, especialmente agora, com tudo isso que ele está atravessando; é importante que haja alguém com quem ele possa falar." Ele tinha razão, é claro, mas o modo como disse isso me perturbou. Esse homem tinha entrado em nossa vida fazia poucos meses, e agora ele sabe mais sobre nosso filho do que nós.

Aparentemente, Uri percebeu minha hostilidade. Seus olhos verdes olharam para mim indecisos. Ele hesitou e por fim disse: "Quando Jamal morreu na noite da festa, fui a primeira pessoa para quem Adam ligou". E ao cabo de um instante acrescentou com delicadeza: "Eu lhe disse que ligasse para vocês".

Uri buscou meus olhos. Para minha surpresa, a expressão em seu rosto era quase a de quem se desculpa. "Vejam", disse enfim, "Adam é um bom garoto. Essa busca maluca no computador, para mim está claro que foi ocasional. Mas com a atmosfera que reina hoje na região da baía, com toda essa tensão comunitária desde Paul Reed... não precisamos agora de uma fábrica de boatos."

Fiquei imóvel. Michael acenou com a cabeça concordando. Ele e Uri trocaram mais algumas frases, algo sobre bobagens de crianças, sobre o mundo cibernético e os problemas que ele suscita. Uri levantou-se e disse: "Não vou atrasá-lo mais". Michael respondeu: "O que é isso, você não está me atrasando", e conversou com ele por longos minutos antes de levá-lo em direção à porta, parar na entrada e dizer: "Obrigado, meu irmão, mesmo". Dentro da matéria fluida, fria, que havia em meu cérebro durante os últimos instantes, ainda percebi aquelas palavras — meu irmão —, palavras que Michael havia anos dificilmente empregava.

Quando Michael acompanhou Uri até a porta, obriguei-me a me levantar e me juntar a eles. Mais um abraço de homens, com batidinhas nas costas, mais demorado que o anterior. E um instante depois, Uri já se inclinava em minha direção, dessa vez não para um aperto de mão, como na visita anterior, mas para um leve abraço, abraço de conhecidos, e um beijo rápido no rosto, e obrigado, Lilach, até a vista, vai ficar tudo bem.

Minhas pernas pesavam como chumbo, desabei na cadeira da cozinha. Após um instante de hesitação, peguei o telefone e escrevi uma mensagem para Lucia, dizendo que infelizmente não poderia ir naquele dia. Eu sabia que ela não gostava de cancelamentos de última hora, mas eu não estava sendo capaz de me levantar da cadeira. Michael, ao contrário, estava superativo e cheio de energia, como se as notícias que me haviam pregado ali tivessem aliviado o peso dele.

"Sorte que ele está aqui", disse enquanto subia correndo pela escada para pegar o laptop, "imagine só como Adam ia poder se complicar com essas bobagens. Hoje em dia a garotada busca coisas insólitas na internet e não entende como isso pode complicar a vida deles." Um momento depois tornou a descer e inclinou-se sobre a sapateira junto à porta.

"Michael?", minha voz tremia um pouco. Ele olhou para mim, surpreso. "Nós precisamos nos preocupar com o que ele contou, sobre o que Adam procurou na internet?"

Michael balançou cabeça negativamente. "Quem é que não sonha com matar o garoto que o está molestando na escola? Lembra como você sonhava acordada que seu orientador no doutorado morresse num acidente?"

"Então por que nós temos medo de que a polícia encontre essa busca?"

"Porque eles não o conhecem. Eu conheço o meu filho."

Sua voz era forte, tão decidida que fiquei por um instante desnorteada, antes de sugerir numa voz hesitante que talvez não conhecêssemos nosso filho por completo. Isso fez com que ele parasse. Sentou-se a meu lado, perguntou a que eu estava me referindo. "Veja", eu disse, "sei de cor o número da carteira de identidade de Adam, sua altura, seu peso, conheço o cacho em sua nuca, sei que prefere pimentões vermelhos a amarelos, que gosta dos pepinos descascados, que gosta de sorvete, mas detesta milk-shake. Sei que ouve Kanye West e Kendrick Lamar, mas também David Bowie e os Beatles, que acha que *O senhor das moscas* é o melhor livro do mundo, pois é o único que ele leu, e que gosta de química, de nós e de Kelev, e que admira Uri e Tamir e Aviv. Mas o fato é que não soubemos nada do que tinha lhe acontecido na escola."

"Eu sabia", disse Michael baixinho. E após um instante acrescentou que, desde que Adam foi para o jardim de infância, ele sabia que havia essa possibilidade, e que eu também, na opinião dele, sentia isso, e que por isso quisemos tanto que Adam fizesse krav maga depois do atentado, não só por causa de Paul Reed, mas por sabermos no nosso coração que Adam era o tipo de garoto com quem as pessoas podem fazer coisas. Ele sempre identificara nele essa vulnerabilidade, disse Michael, com a mesma certeza que tem agora de que Adam não seria capaz de fazer mal a Jamal, ou de pôr uma droga na bebida de alguém, mesmo de brincadeira.

35.

Ao anoitecer, ficamos os dois sentados no cais dos pescadores, não longe da balsa sobre a qual leões-marinhos se esparramavam. Era nosso encontro semanal das terças à noite. Após a conversa com Uri, eu estava certa de que íamos cancelar, não estava com vontade de sair, mas Michael insistiu, talvez sentisse que o fato de cancelarmos iria atribuir um peso grande demais ao que fora dito, e fez mais ainda, reservou para nós um lugar num restaurante especialmente luxuoso. Não havia nada que combinasse menos comigo agora do que ter de me vestir com elegância, mas também não tinha forças para discutir. Tirei do armário o vestido que tinha comprado na Ralph Lauren, depois que vira Jane num modelo parecido, numa festa da empresa. Mas Jane tinha vinte e sete anos, e eu tinha quarenta e quatro, e o vestido sabia disso. Troquei por uma roupa mais conservadora e juntei-me derrotada a Michael, que me esperava lá embaixo.

Fomos para o centro da cidade. O restaurante era bonito e caro, com velas à beira d'água e uma vista para a ilha de Alcatraz. Tomamos vinho branco. Diante de nós havia um prato com uma pilha gigantesca de mexilhões. Michael estava num humor estranho. "Já lhe contei alguma vez sobre Omer Shapiro?", ele perguntou.

Varredura rápida no banco de dados. Em minha cabeça ficava o centro mais abrangente e atualizado de pesquisa de Michael Shuster. Tudo catalogado — lembranças da infância, lembranças adultas, lembranças do Exército. Fiz uma busca rápida de vivências do passado, insights do presente, aspirações do futuro. Não havia nenhum Omer Shapiro ali.

"Do kibutz Mishmar Haiarden. Ele chegou num quadriciclo no primeiro dia do ensino fundamental 2."

Inclinei-me para a frente. Não sabia quem era Omer Shapiro. Por um momento fiquei surpresa de que ainda houvesse dessas coisas — lembranças que Michael ainda não tinha me contado.

"Ele atazanou minha vida, esse Omer Shapiro, desde o primeiro momento em que nos encontramos. Ele não me suportava. Talvez porque estivéssemos os dois na mesma casa do tabuleiro. Eu era o garoto forte no ensino fundamental 1 em Gadot, ele era o garoto forte no ensino fundamental 1 em Mishmar Haiarden, e quando nos encontramos, o fundamental 1 tinha acabado e o fundamental 2 estava começando, e ele queria se certificar de que eu não ia lhe tomar o lugar. Ouviu de alguém que eu era adotado e não largou mais isso. Como é que você é marrom e seus pais brancos, como é que seus olhos são pretos e os deles azuis, e mais coisas desse tipo.

"Nós tínhamos aulas de natação na piscina de treinamento. Naquela manhã estávamos dentro d'água, eu tinha recebido um calção de banho vermelho da rouparia do kibutz, e ele achou isso ainda mais engraçado. Não me lembro exatamente o que ele disse, só que ficou me atazanando o tempo todo, até que em algum momento dei um caldo nele. Nós tínhamos essa brincadeira, dávamos caldo uns nos outros o tempo todo. Mas eu demorei tempo demais, segurei Omer Shapiro debaixo d'água por tempo demais. O cabelo dele se mexia de um lado para o outro no fundo da piscina. Ele tinha cabelos compridos, todos tínhamos cabelos compridos, e quando ficavam molhados pareciam uma cobra-d'água. De repente senti que ele não estava lutando.

"Larguei-o no mesmo instante. Estava terrivelmente assustado. Em volta, estavam todos cada um na sua. Com todo o barulho e a confusão que havia lá, ninguém tinha percebido nada. Comecei a gritar. Eu o puxei para fora da água, para a beira da piscina. Tentei fazer respiração boca a boca, como tinha visto nos filmes. Um momento depois, já o tinham tirado de lá. O salva-vidas e o enfermeiro estavam em cima dele, a professora de esportes me pegou pela mão e me afastou, para que eu não os atrapalhasse. Todas as crianças na piscina estavam histéricas — Omer Shapiro se afogou e Michael Shuster o tirou da água, e toda vez que alguém vinha perguntar o que havia acontecido, elas diziam isso de novo —, Omer Shapiro se afogou e Michael Shuster o tirou da água! Omer Shapiro se afogou e Michael Shuster o tirou da água! Assim, percebi que eles pensavam que eu era algum herói, que graças a mim Omer Shapiro não estava debaixo d'água, e sim na beira da piscina.

"Aqueles segundos na piscina foram os momentos mais assustadores em minha vida. Muito tempo depois de Omer Shapiro já estar tossindo, virado para um lado e vomitando, muito tempo depois de o terem levado de lá, minhas pernas ainda continuavam a tremer.

"Durante toda uma semana não entrei na classe. Tinha medo de que a polícia viesse me prender. Tinha certeza de que ele ia contar. Quando enfim fui à escola, ele olhou para mim no corredor com um olhar estranho. Esperei que me dissesse alguma coisa, mas ele não disse nada. Uma vez eu li que pessoas que perderam os sentidos contavam depois que os minutos que antecederam o desmaio tinham se apagado, uma espécie de golpe na memória recente. E pode ser que ele se lembrasse, sim, e não queria dizer. Seja como for, ele passou a manter distância de mim, e não trocamos uma palavra até o fim do ensino médio."

Michael e eu bebemos do vinho. Um grupo de turistas estava diante das focas, fotografando-as. Michael olhou para o outro lado da baía, para a terra no outro lado. A estrada nº 1 atravessa a ponte aqui. Seguindo por ela direto, o tempo todo, chega-se ao Alasca.

"Durante anos não me lembrei dele, e hoje, depois da conversa com Uri, pensei nele. E pensei também que Adam nunca chegaria a essa situação na vida, de afogar um garoto desse jeito. Nem de brincadeira. Sim, ele sonhou em se vingar dos garotos que o molestavam, e, sim, ele fez tudo quanto é busca no Google sobre envenenamentos e produção de metanfetamina, para se sentir forte e dono do pedaço. Mas ele não tem o instinto assassino. Tenho certeza disso."

Pus a mão em sua coxa. Ele apertou minha mão com a dele. Mas nossos olhares estavam longe. "Você tinha razão no que disse sobre Uri, Lilo, o que ele fez, como se preocupou em deletar essa busca idiota do computador de Adam, ninguém mais faria uma coisa dessas por nós. Vou conversar com Berman, para admiti-lo na empresa."

36.

Berman o admitiu na empresa naquela mesma semana. Isso não me surpreendeu — em todos os anos em que Michael trabalhou lá, ele nunca tinha recomendado ninguém. Aqui e ali, em casos isolados, repassou currículos, mas sempre por e-mail, num distanciamento calculado, para não comprometer, nem mesmo um pouco, o absoluto profissionalismo da empresa. E agora, pela primeira vez, ele mesmo foi à sala de Berman. Disse que se responsabilizava por esse rapaz. E quando alguém como Michael — impressionante, prático, profissional — bate à porta do diretor-geral e diz uma coisa dessas, o resultado só pode ser o esperado.

"Foi bem a tempo", Michael me disse alguns dias depois de Uri começar a trabalhar na empresa em ritmo acelerado. A Orion tinha sido fechada três meses e meio antes, de modo que não se abrira uma lacuna muito grande no currículo de Uri. Quem o olhasse superficialmente veria que ele fora admitido no mesmo ano, sem perceber que passara quase quatro meses desempregado. No competitivo mercado de trabalho do Vale do Silício, um engenheiro de computação que passa um mês sem trabalho fede como um cadáver que apodreceu durante um ano ao sol.

"Por que ele não encontrou trabalho?", perguntei. "Sei que ele se separou da mulher e que ela voltou para Israel pouco depois que a empresa fechou. Talvez ele tenha hesitado entre voltar ou ficar aqui mais um período." "Os filhos dele estão em Israel ou aqui? Como é que se pode viver assim?" "Tem aí alguma questão econômica", disse Michael, "eles compraram uma casa aqui antes da falência da Orion e não estão conseguindo vender. Não estou certo de que ele possa se permitir voltar para Israel tão cedo. Quem é que pode pagar uma hipoteca em dólares ganhando em shekels israelenses..."

E no dia seguinte, sem que eu tivesse tocado no assunto, ele disse: "O que eu acho legal a respeito de Uri é que, em vez de ficar em casa diante do computador, ele criou esse curso. Você tinha razão quando disse que ele realmente é *boa gente*".

Minhas reservas quanto a isso guardei para mim mesma. Eu poderia dizer a Michael que não gostei da expressão no rosto de Uri no bosque, quando disse aos garotos que batessem uns nos outros. Poderia contar de seu canivete, que circulava entre os garotos como se fosse algo sagrado, e era guardado com uma adoração quase religiosa. Poderia alegar que há algo estranho em alguém que decide educar jovens sob o lema "Se alguém vier matá-lo, mate-o primeiro". Mas, bem no fundo, eu sentia que minha hostilidade em relação a Uri provinha de uma causa mais simples: meu filho tinha um novo amor.

Foi o professor de xadrez de Adam no fundamental 2 quem me fez relaxar. Eu o encontrei na fila da farmácia. Jacob perguntou-me se Adam ainda jogava, e respondi que não, que ele estava envolvido num curso de autodefesa que haviam criado aqui. E para minha surpresa ele perguntou se era o curso de Uri Ziv. Ele conhecia Uri bem, pois tinha ensinado xadrez a seu filho no ano anterior e também porque o aconselhara sobre tabuleiros para deficientes visuais. "Mas Uri não é deficiente visual", me espantei. "Ele está jogando com o pai de Lia Weinstein agora", disse Jacob, "e saiba que isso é a única coisa que Peter Weinstein faz nesses dias." Jacob e Matthew eram da sinagoga reformista. Eles estavam lá na noite do atentado. "Nós funcionamos bem durante o dia", disse ele, "mas ainda não conseguimos dormir direito, então tomamos esta merda natural", continuou, acenando com os remédios homeopáticos que o farmacêutico lhe dera. "Não tenho certeza de que isso ajuda, mas pelo menos não vicia como calmantes." Os calmantes eram o grande erro de Susan e Peter Weinstein. Alguém lhes tinha dado uma cartela logo depois do enterro, e Jacob disse que agora eles não conseguiam parar. A mãe de Lia fica sentada no sofá, grogue, e o pai quase não sai de casa. A comunidade já não sabia o que fazer, então veio Uri — a filha dele tinha subido à Torá na sinagoga, ele manteve a ligação — e propôs a Peter Weinstein jogar xadrez com ele. Eles agora jogam todo sábado, no clube. "Então, você entende", disse-me Jacob, "eu respeito muito Uri Ziv. Mesmo que isso signifique que o mundo do xadrez perdeu um jogador para o curso dele."

E Uri era de fato encantador. Ele buscava Michael toda manhã para irem juntos para o trabalho. Conseguiu ingressos para um jogo do Golden State Warriors, para Michael e Adam. Num domingo, Michael foi ao curso com Adam e voltou entusiasmado. "É inacreditável o que está acontecendo lá", disse-me ele à noite. "Não é à toa que eles o admirem assim. Ele presta atenção nesses garotos, presta atenção de verdade — não finge quando eles falam, só esperando que terminem para então dizer o que planejou falar desde o início." E ele exigia deles coisas que ninguém nunca exigira — não só se exercitar sob uma chuva torrencial, mas também parar de implicar um com o outro. Ele os ajudava em matemática, falava com eles sobre os filmes dos quais gostaram. Ele se detinha nas palavras das canções que eles cantavam e tentava entender o que havia nelas que lhes conquistava o coração. E era tão genuíno, tão à vontade consigo mesmo. Como no dia em que me pediu a receita para os biscoitos de tahine, tentou prepará-los sozinho e trouxe uma bandeja com biscoitos meio queimados que nos fez rir. "Desde que Tali e eu nos separamos, aprendi a cozinhar muito bem", ele insistiu. "Mas assar biscoitos, simplesmente não consigo."

Naquela noite, eu a pesquisei no Facebook. Tali Ziv parecia ser tudo aquilo que um homem israelense pode pedir. Alta, esbelta, num suéter disforme que somente uma mulher muito bonita pode usar. No status dela estava escrito "em um relacionamento sério". Fiquei pensando se era porque ela ainda não desistira de seu homem anterior, o que tinha nos visitado naquela noite, ou porque já tinha um homem novo. Rolei a página, procurando mais fotos.

Mas Tali Ziv, pelo visto, não era do tipo que se fotografa. Em vez dela, vi uma garota gorducha e um garotão lindo, de cabelos dourados e olhos brilhantes, plantando bananeira em Frishman Beach — identifiquei o hotel Dan ao fundo —, fantasiado de Batman na festa do Purim. Como esse menino se parece com Uri, pensei, que homem bonito vai ser quando crescer.

Depois daquela noite algo mudou em mim. Não era mais uma afeição educada, mas os primórdios de uma verdadeira afeição por esse homem, cuja mulher e cujos filhos tinham voltado para Israel pouco tempo depois de ele ter perdido o emprego. Quando Michael propôs uma viagem familiar ao lago Tahoe num feriado, fui eu, e não ele, nem Adam, quem disse, vamos convidar Uri, para que não fique sozinho.

Parte II
México

1.

Na manhã da viagem, Adam estava tão excitado que pensei em propor que ele fosse para o lago Tahoe correndo. Ficou tagarelando durante toda a subida, entusiasmado, numa mistura de inglês e hebraico. Perguntou quando enfim íamos nos encontrar com Uri, planejou os percursos em que ia esquiar com ele no dia seguinte. A cabana que alugamos tinha dois andares e três quartos de dormir. Resolvemos que Adam dormiria no andar de cima, com o hip-hop e a televisão, e nós e Uri dormiríamos nos quartos de baixo.

Quando Uri chegou — ele havia trocado o casaco acolchoado por um casaco para neve de boa qualidade —, pensei por um momento que tínhamos cometido um erro. A conversa levou algum tempo para engrenar. Falamos do clima, de equipamento para neve, dos engarrafamentos no caminho. Silêncios. Nos embaraçávamos. Fiquei subitamente tensa ante a possibilidade de que íamos passar os três dias seguintes forçando uma conversa fiada, talvez aquela proximidade fosse demasiada, eu disse comigo mesma, vocês nem são amigos de verdade, vocês nem mesmo o conhecem de verdade.

Mas logo me dei conta de que fora uma preocupação vã. Os percalços do início tinham sido como uma rolha de cortiça numa garrafa de vinho. Nos dias seguintes, cozinhamos, bebemos, falamos sem parar. Uri tinha uma estranha habilidade de extrair de cada um de nós qualidades que em geral não se expressavam e ficavam enterradas em nosso cotidiano. Compreendi isso na primeira noite no Tahoe, quando Uri fez com que Michael cozinhasse. À tarde, quando voltaram depois de esquiar, Uri propôs que fossem ao supermercado fazer compras para preparar uma refeição suntuosa. Imaginei que Michael faria tudo para não entrar na cozinha. Mas, para minha surpresa, ele falou "*Ial'la*, vamos lá", e pegou o telefone para procurar no Google pratos interessantes. Em cinco minutos, já estavam saindo para o supermercado com Adam, e o resto da tarde transcorreu na cozinha no preparo de um *pie* de camarões e queijo azul. "Mas como é possível", eu disse a Michael, "você detesta cozinhar." E logo me arrependi de ter dito aquilo, pois por que deveria assumir a tarefa de guardiã do portal, cuidando que ele não saísse dos muros do Michael conhecido para os de outros Michaels?

Em nossas visitas anteriores a Tahoe, Adam e Michael voltavam exaustos do esqui e íamos todos dormir cedo. Mas dessa vez ficamos acordados até bem tarde da noite. Ríamos muito. Nem sei dizer exatamente do que ríamos. Eu me sentia interessante, nós todos, acho, nos sentíamos interessantes, mais bonitos do que de fato éramos. Começávamos conversas e não sabíamos quando elas iam terminar. Dizíamos coisas diferentes das que em geral dizíamos. Estávamos diferentes, numa idade em que as pessoas já não ficam diferentes. A presença dele nos despertou.

Ele fez com que eu fosse esquiar. Em todos os anos que fomos para lá, esquiei talvez três vezes. Conhecia a técnica, mas a velocidade me assustava, e nas poucas ocasiões em que me juntei a eles em invernos passados, eu passava todo o percurso gritando "cuidado!" e "devagar!". Na segunda manhã, quando terminamos de comer, Uri disse "e então, você vem?", e Adam riu. "Não tem como", meu filho disse. "Minha mãe não esquia."

"Lilach, isso é verdade? Você não esquia?" A decepção em sua voz me agradou, mas não o bastante para eu sair para a neve. "Só em situações de emergência", respondi sorrindo, e comecei a tirar a mesa. "Hoje sua mãe vai esquiar comigo na pista dos iniciantes", Uri disse a Adam em voz alta, para que eu ouvisse, "e logo ela virá conosco para as pistas pretas." Não fui no dia seguinte para as pistas pretas, mas esquiei com Uri durante toda aquela manhã, deslizando, caindo e rolando.

"Não acredito que você me convenceu a vir", eu lhe disse quando chegamos embaixo. Durante o longo percurso nos declives brancos, o lago azul fulgurava e desaparecia de modo intermitente. Uri sorriu. "Você fez Michael cozinhar, Adam praticar esporte e eu voltar a esquiar — você é mesmo bom em fazer as pessoas se mexerem." Pareceu-me que ele ficou um pouco constrangido com minhas palavras. "Cada um tem alguma coisa em que é bom e alguma coisa em que é ruim", disse. "Talvez eu seja bom, como você disse, em fazer as pessoas se mexerem."

Sorri. "Michael me contou que diziam no Exército que você ia ser o chefe do Estado-Maior." Pensei que isso ia deixá-lo contente, mas minhas palavras causaram o efeito contrário. A luz que o rosto de Uri irradiava arrefeceu de uma só vez. "A coisa mais terrível que pode acontecer a um garoto é que lhe digam aos dezoito anos de idade que ele pode fazer tudo." Fiquei calada, constrangida. Mas ao mesmo tempo admirei sua sinceridade. No lugar em que vivíamos, as pessoas diziam tudo umas às outras, menos a verdade. O bolo que você levava para o jantar na casa de um amigo era sempre *amazing*, mesmo que por engano você tivesse usado sal em vez de açúcar. E as crianças eram sempre *wonderful*, mesmo que já fizesse um mês que não falavam com você. Por isso, quando nos aproximamos do teleférico que nos levaria para cima, e Uri se recusou a agir como se tudo estivesse *excelent*, isso fez com que eu me retraísse e, ao mesmo tempo e na mesma medida, gostasse mais dele.

"Então, o que aconteceu de fato?", perguntei enquanto esperávamos a chegada do bondinho. "Com a sua família." O silêncio que se seguiu me fez temer que a pergunta tivesse sido desastrada. Mas num instante, quando o bondinho chegou, Uri sentou-se no banco a meu lado. "A realocação acabou conosco", ele disse, olhando pela janela. "Eu me acabei com a Orion, com todo o peso que eu tinha. Tali disse antecipadamente que não era uma boa ideia. Eu tinha um bom emprego na Wix, ela não compreendia por que eu ia abrir mão de bônus e de ações por uma start-up que poderia decolar, mas também se despedaçar. Mas eu tinha certeza de que era capaz de fazer aquilo."

Michael e eu tínhamos tido a mesma conversa, dez anos antes. Michael hesitava em largar o emprego seguro na empresa para desenvolver uma ideia sua numa start-up, e eu me recusei a dar minha opinião. Não quis ser aquela que o impediria de seguir sua paixão. Eu lhe disse que aceitaria de bom grado o que ele decidisse. Acho que ele não se arrependeu de ter enfim decidido ficar. Ele subiu os degraus da escada, e com os bônus e as ações chegou a quantias comparáveis às dos israelenses que foram bem-sucedidos. Mas às vezes eu via como ele olhava para os homens que tinham ousado, os que se lançaram com toda a força em suas próprias ideias, investiram suas economias, e agora circulavam no Vale do Silício envoltos numa aura de cometas.

"No início pareceu ser a decisão correta", disse Uri enquanto o bondinho pairava no aclive da montanha, "levantei muito dinheiro com investidores, as coisas corriam bem, mas fui para a emissão de ações depressa demais. Não basta se lançar com toda a força, fazer pessoas se mexerem, você também tem de saber para onde está correndo, e eu fiz a gente correr direto para o precipício."

Os olhos verdes de Uri passeavam pelo declive coberto de neve que se estendia bem longe, debaixo de nós, pontilhado de abetos. Pensei que tivesse acabado de falar. Mas quando o bondinho se aproximou da estação, ele disse de repente, baixinho:

"Estou com saudades das crianças. Foi por isso que me ofereci para dar esse curso, não aguentava mais o silêncio em casa."

"E não pensou em voltar para Israel?" Ele tirou uma das luvas. Sua grande mão apareceu, vermelha por causa do frio. "Compramos aqui uma casa grande, antes da falência. Estamos um pouco enrolados numa confusão econômica, então pensamos que seria melhor eu ficar e tentar resolver isso." Tornou a vestir a luva. Sua resposta fora limpa e aberta como a neve à nossa volta, algo branco e gelado que apenas está lá do jeito que é.

"E você", os olhos verdes de Uri se fixaram nos meus, "pensou alguma vez o que aconteceria se voltassem para Israel?"

Sorri. Disse-lhe que esse era o tipo de pergunta que não deveria ser feita. Porque simplesmente faz mal. "Mal por quê?" "Pois daí chega-se rápido à pergunta de: o que seria de mim se tivéssemos ficado em Israel." "E...?" "Talvez eu continuasse a pesquisar, encontraria um emprego em alguma faculdade. Talvez pagasse a alguma editora para que publicasse minha tese de doutorado, com uma bela encadernação, e a lançasse numa galeria em Jaffa." Hesitei se deveria continuar. "Mas para isso é preciso lançar-se na vida com as duas mãos, e eu nunca fui do tipo que se lança. Não consegui manter regularidade, muito menos constância. Quando chegou a segunda proposta de realocação no trabalho de Michael, quase fiquei alegre por sair da corrida."

Não lhe contei que começara a invejar aquelas mulheres que um dia achara repulsivas, essas que não fazem nada. Quando abandonei o pós-doutorado, minha mãe advertiu-me de que eu ia me arrepender, mas depois de minha derrocada na academia, e principalmente depois do que aconteceu com Ofri, eu só queria me distanciar. Sobre tudo isso eu não falei com Uri, mas tive a impressão de que pelo menos parte ele conseguiu ouvir.

Saímos do carro perto do restaurante vazio. Uri pediu para nós uma cidra quente. "Creio que posso entender o que você disse", ele falou. "Talvez seja em parte o mesmo que incomodou Tali. No início ela queria fazer a transição tanto quanto eu, mas em algum ponto no meio do caminho, antes ainda do que houve com a Orion, ela começou a ficar com raiva de mim, por eu tê-la afastado de tudo." "Eu não estou com raiva de Michael", apressei-me a dizer, "não estou mesmo. Estou bem no meu trabalho e em nosso trio familiar." Uri tomou um gole da cidra e disse com delicadeza que não seria para sempre um trio. Mais alguns anos e Adam irá para a faculdade. Somente agora, quando ele está longe dos filhos, começou a compreender como vai ser difícil quando eles crescerem e se afastarem de verdade.

À tarde, fiquei cozinhando, e Uri foi esquiar com Adam e Michael. Quando tudo ficou pronto, apaguei o fogo sob as panelas e subi para tomar um banho. O espelho no banheiro era imenso e horroroso. Despi-me sem olhar para ele. Numa decisão súbita, virei-me e fiquei bem diante dele. Já me esquecera de quando fora a última vez que me contemplara assim, na luz. Meu busto ainda estava em ordem, assim me pareceu, e o traseiro também, mas minha barriga me causou repugnância, e o aspecto de minha pele me deixou triste, pois eu sabia que, se fosse um pêssego no mercado, eu não ia me escolher. E pensar sobre mim dessa maneira — um pêssego cansado no mercado —, por mais que eu tentasse desmembrá-lo em componentes e teorias definidoras, esse pensamento ainda estava lá, simples e agudo — a mulher bonita que eu era tinha se tornado uma mulher com uma boa aparência para sua idade.

Eles voltaram do esqui alegres, barulhentos e muito famintos. Durante o jantar, fiquei olhando espantada para Adam, essa viagem com Uri o tinha animado. Como de repente se envolvia em nossas conversas. No dia seguinte, quando falamos no Skype com os pais de Michael, Ada contou de um atentado a facadas nos territórios, e, para minha surpresa, Adam disse: "Israel tem de fazer uma operação de represália". Discuti com ele, irritei-me. Mas também fiquei contente por ele ter saído de dentro de si mesmo e de seu computador, por estar olhando em volta, pensando.

Na última noite, ficamos diante da lareira e tomamos vinho quente com canela. Adam estava em cima, diante da televisão, e quando subi para ver como estava, vi que tinha adormecido. Eu o cobri e voltei para baixo, para Michael. Disse-lhe que, apesar de não concordar com Adam — "operação de represália, está percebendo?" —, era bom que o garoto estivesse começando a se interessar por política. Michael pegou uma tora e a acrescentou ao fogo da lareira. "Não entendo como você se entusiasma com política, Lilo, é isso que emperra o Oriente Médio. Se as pessoas esquecessem a ideologia e se concentrassem em seu bem-estar pessoal, tudo seria diferente."

Uri surgiu de trás de nós e sentou-se ao meu lado no sofá. Tinha trazido um cobertor e o passou para mim. Eu o estendi sobre os joelhos, de modo que só meus pés descalços ficaram de fora diante da lareira. Pensei que ia mudar de assunto, mas ele se dirigiu a Michael, pensativo:

"Então você acha que é preciso desistir da ideologia? O que isso quer dizer, na verdade?"

"Veja o que está acontecendo aqui na América: pessoas vêm para o Vale do Silício para enriquecer. Nação, política — põem tudo de lado para ganhar dinheiro. E o mundo avança graças a isso — veja Sundar Pichai, esse cara nasceu na Índia e virou o diretor-geral do Google. O capitalismo venceu o racismo. Pense qual será o aspecto do mundo se, em vez de 'israelenses' e 'árabes', houver simplesmente engenheiros na Amazon e programadores na Apple, pessoas que não se definem por sua religião ou cor ou sexo, só pelo histórico de suas realizações."

Uri bebeu do vinho, em silêncio. Depois disse: "A mim isso assusta. O dinheiro é a ideologia mais perigosa que existe. Ela não santifica nada e permite que você faça qualquer coisa".

Bebemos nosso vinho. Contemplamos o fogo. Por fim, fomos dormir. Uri no quarto junto à sala, e nós no que ficava no fim do corredor. Michael entrou na cama, sonolento. Era tarde, no dia seguinte teríamos de dirigir por todo o caminho de volta. Mas algo despertou em mim. Um arrepio agradável entre as coxas. Eu me despi e, em vez de vestir o pijama, deslizei nua para debaixo do cobertor, colada em suas costas. Acariciei-o até que se virou para mim, ereto e duro. Subi em cima dele, molhada, faminta. Eu o coloquei dentro de mim num movimento suave. A cama rangeu um pouco, e Michael, talvez temendo que Uri nos ouvisse no quarto ao lado, me inclinou um pouco tentando não fazer barulho. Ele me tocou lá, e eu me concentrei, parei de me mexer, deixei que ele fizesse isso, e quando senti que estava chegando perto, tornei a me mexer, mais rápido, esquecendo os rangidos da cama. E talvez ao contrário, satisfeita com eles. Pois quando Michael pôs a mão em minha boca, sussurrando "shhhh, que Uri não ouça", foi esse "Uri" pronunciado de repente entre nós, no escuro, que libertou num soluço um forte tremor, e mal pude conter meus gemidos. E a clara noção de que ele estava lá, no outro lado do corredor, nos ouvindo, essa ideia fez meu orgasmo ser ainda mais forte.

2.

Quando Adam completou seis anos, Michael disse que talvez devêssemos voltar para Israel. Naquela época morávamos perto da sede da empresa no Texas e contávamos os dias até a passagem para o próximo cargo. Se voltarmos nos próximos anos, disse Michael, ele ainda será um garoto israelense.

Nós dois sabíamos — se ficarmos aqui vai se criar uma fronteira entre nós e ele. Pois Michael e eu éramos israelenses que também falavam inglês, e Adam crescera e se tornara um americano que também falava hebraico. Havia coisas que ele sabia e das quais não gostávamos: piadas sobre beisebol que não entendíamos, mesmo depois de tantos anos, e situações sociais em que ficávamos hesitantes. E eu concordava com isso. Pois nossa tarefa era servir de ponte. Os pés fincados em Israel, o corpo esticado por cima do mar, e os braços lançados à frente, cravados na boa terra do novo continente. E sobre nossas costas, em cima dessa ponte, Adam poderia atravessar.

E certa manhã Adam pediu a mim e a Michael que parássemos de falar com ele em hebraico na rua. Morávamos então em Seattle, de manhã caminhávamos juntos até a escola, Adam apontava para os carros que passavam e perguntava a Michael quantos cavalos de potência cada um deles tinha, e me pedia que lhe contasse sobre tubarões-brancos. Um dia, disse: "*Sharks*, mãe, não tubarões". Passou a falar inglês e recusou-se a responder até eu passar a falar também.

Liguei para a professora. Sondei se não havia acontecido algo fora do normal na classe. Se, talvez, assim como tubarões-brancos farejam sangue, garotos americanos farejassem situações estranhas. Pode ser que alguém esteja rindo dele, sugeri. A sra. Jason me pareceu chocada. "Não acredito que uma coisa dessas aconteça aqui, sra. Shuster, nossa escola se orgulha muito de sua diversidade cultural." E, de fato, a diversidade cultural estava pintada na parede em cores alegres — um menino chinês segurando a mão de uma menina negra, que segurava a mão de uma menina indiana. No dia seguinte, perguntei a Adam e recebi a mesma resposta — nenhum garoto tinha rido dele, simplesmente não estava a fim de falar hebraico fora de casa. Porém a sra. Jason não desistiu tão fácil de sua diversidade cultural — fomos convidados duas vezes a apresentar para a classe dela o alfabeto hebraico ("da direita para a esquerda! *Incrível!*").

E eu me dediquei ao exaustivo trabalho de ser progenitora e recortei vinte e sete tiras com a palavra *Shalom* em hebraico, para que todas as crianças da classe a colorissem. Mas mesmo depois que a palavra *Shalom* enfeitou as paredes da turma, Adam continuou em sua recusa. Ele não queria ser parte da diversidade cultural da escola. Queria ser como todos. Meu filho queria ser engolido no inglês como se fosse a barriga protegida de um imenso leviatã.

"Eu lhe disse que isso ia acontecer", minha mãe exclamou ao telefone. "Agradeça por ele ainda concordar em falar hebraico em casa." "Isso vai passar", respondi, mais peremptória do que de fato estava. "Que nada, só vai piorar", ela estava radiante. "Exatamente como eu não queria que sua avó ou seu avô falassem comigo em iídiche, assim ele tem vergonha de vocês." Mas vovó e vovô eram refugiados, eu quis lhe dizer, sobreviventes que acumulavam latas de conservas. Michael e eu não éramos assim, sabíamos de cor monólogos de literatura barata. Declamávamos cenas de *Seinfeld*.

Quando estávamos no ensino médio, fechávamos a porta e ouvíamos no volume máximo canções escritas na América, e quando deitamos juntos pela primeira vez, não chamamos isso de "transar", mas de sexo. Éramos cidadãos leais ao império.

"Espere e verá", disse minha mãe, "imigrante é imigrante." Mas depois de se recusar a falar hebraico aos sete anos, meu filho de repente decidiu o contrário quando fez dezesseis. O israelismo que estava adormecido nele despertou de uma só vez. Ele não queria ser um garoto americano, que foge quando um terrorista invade uma sinagoga; queria ser um combatente, com um fuzil, saindo numa operação de represália.

"Você pode imaginá-lo como um soldado?", perguntei a Michael na viagem de volta de Tahoe. Adam dormia no banco traseiro. A boca entreaberta, as pernas dobradas. Michael olhou para Adam pelo espelho, os olhos a perscrutá-lo como se estivesse tentando resolver para qual unidade do exército o enviaria. "Você nunca pensou nele desse jeito?" "Não", respondi, "não quis sequer tentar pensar nele fardado, isso me causa arrepios." Ele diminuiu a velocidade antes de uma curva na estrada. "Mas sabe uma coisa estranha", eu disse, "até que pensei como seria Ofri de uniforme." Esperei sua resposta, mas Michael ficou calado. A neve lá fora ficou um grau mais gelada.

3.

Os policiais chegaram à tarde, quando eu descascava uma abóbora para a sopa, com a playlist da banda israelense Mashina ao fundo, e talvez por isso levou alguns instantes para eu compreender que alguém tocava a campainha. Pus a abóbora na tigela e fui abrir a porta. No outro lado do umbral havia um policial fardado e a seu lado um homem à paisana, que disse: "Sra. Shuster?".

"O que aconteceu com Adam?", perguntei assustada. Em minha cabeça já se formavam cenas terríveis: acidente, um rival na escola, atentado. Eles olharam para mim confusos, e dos dois, foi exatamente o policial fardado quem primeiro compreendeu e apressou-se em afirmar: "Está tudo bem, não viemos comunicar nada".

Respire, Lilach, respire. Não lhe aconteceu nada, acalme-se, foi só uma batida à porta e um policial no outro lado. Será que somente em Israel isso prenuncia uma tragédia?

O homem à paisana — um detetive, compreendi de repente — olhou-me com curiosidade. "Por que a senhora logo supôs que lhe aconteceu alguma coisa?" Dei de ombros. "Sou mãe, quando vi policiais em minha porta, foi a primeira coisa que me veio à cabeça." Ele assentiu, mas não tive certeza de que compreendera de verdade. "O senhor tem filhos?" Ele balançou a cabeça, negando. "E o senhor?", perguntei ao guarda fardado, e adivinhei seu assentimento ainda antes de ele ser dado. Por isso ele se apressara a corrigir a impressão que sua aparição causara em minha porta.

O detetive O'Malley e o policial Barry se apresentaram e perguntaram se poderiam entrar. Eu os levei até a sala, onde ainda se infiltrava a voz de Iuval Banai. Certamente eles se deram conta da música, mas não comentaram nada. Não perguntaram que língua estranha era aquela. Talvez por educação, talvez porque não lhes importasse.

"Sra. Shuster, entendo que seu filho não está em casa agora, pode nos dizer onde ele está?"

Agora, quando falou, lembrei que já tinha visto o detetive uma vez. Era o homem que estava encostado na viatura ao lado da investigadora.

"Ele está no curso de autodefesa, por quê?"

"Gostaríamos de falar com a senhora sobre a morte do garoto da turma dele, Jamal Jones. Suponho que a senhora conheça os detalhes."

"Sim, ele morreu numa festa de Josh Hart." O guarda assentiu, olhando para mim, esperando que continuasse a falar. "No enterro disseram que foi uma parada cardíaca... depois falaram de uma intoxicação por metanfetamina, e vocês procuraram por drogas na escola."

"A senhora esteve no enterro?"

"Sim, todos os pais foram."

"E Adam?"

Não quero ir, mãe.

"Sim, claro, Adam foi."

"A senhora percebeu algo estranho em seu comportamento nos dias que se seguiram à morte?"

"Ele estava agitado, o senhor sabe, um garoto da escola tinha morrido diante dele."

O detetive O'Malley inclinou-se para a frente, e eu me lembrei de Uri, como estivera sentado nesse mesmo sofá quando veio nos ver pela primeira vez, sua mão ursina em torno da xícara de café.

"Querem beber alguma coisa?"

"Não, obrigado. O que a senhora sabe sobre a natureza das relações entre Adam e Jamal?"

"Eles não eram amigos, se é isso que o senhor quer saber." (*O que está perguntando, na verdade?*) O detetive O'Malley assentiu. Ele sabia disso. O guarda fardado disse, numa voz que me soou mais delicada:

"Os garotos na escola dizem que Jamal molestava Adam o tempo todo, com violência, bullying online e enfrentamento físico."

"Sim", eu disse, "ouvi falar."

Eu sabia que os dois supunham que fora Adam quem me contara, talvez chorando em meus braços, e tive vergonha do modo como soubera a verdade — nanquim vermelho na sola do tênis numa casa estranha em East Palo Alto, objetos gritando para mim o que meu filho nunca me contou.

O detetive O'Malley percorreu nossa sala com o olhar, detendo-se no retrato de Adam ao lado da janela. "Adam alguma vez lhe disse que queria pegar Jamal de jeito?"

"Suponho que todo garoto sonha em revidar um dia ao brutamontes que o molesta." (Parabéns, Michael batia palmas em minha cabeça, que esses idiotas deixem você em paz e vão se ocupar com problemas de verdade.)

"Mas ele não lhe falou sobre um plano para isso?"

"Plano? O que o senhor quer dizer com isso?" Pois era verdade, Uri contou que havia buscas estranhas, preocupantes, no computador de Adam. Mas isso não era diferente dos filmes pornô que a garotada busca na internet, você fica vendo na tela tudo com que você sonha que aconteça e sabe que não acontecerá jamais, isso não é um "plano", senhor detetive, é sonhar acordado digitalmente.

O homem à minha frente tornou a voltar o olhar para o retrato de Adam junto à janela, e embora eu conhecesse esse retrato de cor — fui eu que o fotografei em Cabo —, meus olhos de repente também se dirigiram para ele, como se pudesse ter se modificado sem que eu percebesse.

"Recebemos a informação de que seu filho planejou matar Jamal Jones."

"Vocês estão loucos? Ele é um garoto de dezesseis anos!"

"Ele disse isso algumas vezes a outro garoto."

"Você sabe quanta besteira os garotos falam aos amigos? Quantas vezes eles contam vantagem sem que haja nada por trás daquilo?" E ante seu silêncio: "E quem é esse garoto? Por que só se lembrou disso agora?". E como continuou calado: "Vocês piraram completamente".

O detetive O'Malley continuou sereno diante de minha explosão, como se esperasse exatamente isso. Ao cabo de um instante perguntou, no mesmo tom gentil e prático: "Quem sabe a senhora nos conta alguma coisa sobre Adam?".

Quando enfim falei, minha voz tremia de tanta humilhação. "Ele é um bom garoto. Gosta de animais." "Namorada?" Vi mais uma vez diante de meus olhos a garota no cemitério, lábios pintados, olhos enormes. Um sonoro tabefe. "Não que eu saiba." "Algum hobby?" "Televisão, hip-hop, esse curso do qual participa."

"Que tipo de curso?"

Vai explicar a ele. "É um curso que foi criado depois do atentado na sinagoga. Eles aprendem defesa pessoal, krav maga. Coisas de garotos."

"A senhora se incomodaria se déssemos uma espiada no quarto dele?"

Subi pela escada, eles atrás de mim. Nos sapatos do policial Barry havia um pouco de lama. Prometi a mim mesma que, no momento em que fossem embora, eu ia limpar a casa toda. "É aqui."

Abri a porta num movimento amplo, desafiador. Movimento de não-tenho-nada-a-esconder-e-tenham-vergonha-do-que-estão-pensando. "Este é o quarto dele."

O cobertor na cama estava desfeito, sinal de um despertar atrasado, apressado. Junto ao computador havia uma pilha de livros de estudo. No chão estavam jogadas blusas e calças (são dele, pensei, tudo que existe aqui é dele, ele não tirou de ninguém). O detetive O'Malley apontou para o pôster na parede, ao lado do retrato de Kanye West.

"A tabela periódica?"

"Por causa daquela série, *Breaking Bad.* Depois que assistiu à série, ele começou a gostar de química. Está no curso de química para jovens, em Stanford, e agora também tem mais aulas dessa disciplina na escola." E agora, em nossa garagem, há um pequeno laboratório, "O Jovem Químico", é como o chamam. Mas isso não vou lhe contar, detetive O'Malley, pois não está me agradando seu olhar, o jeito como olha para as coisas de meu filho. Você não tem filhos, então não sabe o quanto eles são atraídos por essas coisas — armas, piratas, venenos. O policial Barry aí a seu lado é pai, ele compreenderia. Michael, por exemplo, aos treze anos de idade, tentou fabricar materiais explosivos usando restos de adubo químico no kibutz. E Moshe, o pai dele, ainda guarda uma pistola que confiscou na Cisjordânia, embora para nós essas coisas não sejam como elas são para vocês, americanos. Para nós é proibido ter uma pistola em casa, mas ele a guarda assim mesmo, pois rapazes, e não importa se têm oito ou oitenta anos, gostam de sentir que têm uma arma letal a seu alcance. Não quer dizer que farão alguma coisa com ela, senhor detetive, eles apenas gostam de saber que ela está lá.

Eu estava esperando que saíssem logo do quarto de Adam, mas O'Malley não estava com pressa. Ele apontou novamente para o pôster com a tabela periódica. "Esse curso em Stanford, eles os ensinam a preparar substâncias? A destilar?"

"Ele aprendeu a fazer uma bomba fedorenta, se é isso que está perguntando."

Descemos, O'Malley e Barry na frente, eu atrás deles. Eu ouvia o ranger dos sapatos deles no parquê cinzento e pensava no balde cheio de água, no sabão fazendo espuma no chão. Maria deveria vir fazer limpeza no dia seguinte, mas eu sabia que no momento em que eles saíssem daqui eu ia trocar de roupa e lavar tudo.

Acompanhei-os até o portão. Kelev saiu de sua casinha e foi receber os visitantes, balançando a cauda, temeroso mas amigável. Desde que Adam começou a passar a maior parte do tempo livre no curso, ele sente falta de companhia. O'Malley inclinou-se para acariciar o cão e eu lhe concedi um crédito por isso, pois a maioria das pessoas se retrai e não o acaricia. Ele passou a mão pelo dorso do animal, contornando com cuidado a cicatriz.

"Quem fez isso com ele?"

"Um grupo de garotos. Adam o salvou deles. Eles o espancaram também."

O'Malley baixou os olhos. Talvez percebendo a acusação oculta em minha voz — esse menino, disposto a se machucar assim para salvar um cão, esse menino não é capaz de fazer mal a ninguém.

4.

Assim que os policiais foram embora, eu liguei para Michael. Ele não atendeu. Não esperava que atendesse. Tinha voado na véspera para Nova York para uma série de reuniões importantes.

O fuso horário me desfavorecia. Deixei recado com sua secretária, pedindo que ligasse para mim. Mas não disse "com urgência". Não disse: "Jane, diga a ele que minhas pernas estão tremendo e meus órgãos internos estão cobertos de gelo". Pedi apenas que me ligasse, por favor, quando estivesse disponível.

Decidi ir até o curso para falar com Uri. A voz severa do detetive O'Malley repetia o blefe em minha cabeça. *Recebemos a informação de que seu filho planejou matar Jamal Jones. Ele disse isso a outro garoto.* Empáfia de crianças, como é possível que eles não percebam isso, Adam estava se gabando. Se Jamal Jones morreu por overdose de metanfetamina foi só porque a polícia da Califórnia não faz o bastante para acabar com o problema das drogas entre os jovens. Que deixem meu filho em paz.

Mas a dúvida estava lá, nos movimentos bruscos ao volante, nas buzinadas nervosas para os educados motoristas americanos que me olhavam chocados pelo espelho dianteiro. Ele tinha falado em atingir Jamal para impressionar os garotos, para protestar contra a humilhação, e assim mesmo, em minha cabeça, havia um pensamento sem palavras. Espaços em branco. Não era capaz de dizer isso nem para mim mesma.

Estacionei junto ao salão.

Desde que Uri começara a trabalhar na firma de Michael, o curso começava mais tarde, e já estava escurecendo quando cheguei ao estacionamento. Eu esperava encontrá-los lá dentro — quem é que manda crianças fazerem exercícios de orientação numa escuridão absoluta —, mas o salão estava vazio.

Quando entrei, lembrei-me das ratazanas que tinha visto em minha visita anterior e esperei que Uri já tivesse cuidado delas. Junto à parede havia uma lata com raticida, e vi nisso um sinal de que a área estava livre. Resolvi esperar lá dentro até eles voltarem. Lá fora estava escuro e frio, e não quis ficar fechada, sozinha com meus pensamentos, dentro do carro. O salão me transmitia certa tranquilidade.

Fiquei lá sentada em silêncio. Minutos se passaram, e ninguém chegava. Meu olhar percorreu a parede, passou pelo painel, deteve-se nos retratos dos alunos.

Recebemos a informação de que seu filho planejou matar Jamal Jones. Ele disse isso a outro garoto.

Levantei-me do banco e me aproximei da parede. Lá estava o garoto ruivo com o solidéu, e seu rosto inexpressivo, um tanto opaco, deixou claro para mim que não fora a ele que Adam tinha dito isso. Ali estava o garoto robusto, de ombros largos, exatamente o tipo que Adam em geral evitava. E eis aquele garoto bonito, com a blusa da King's School, grande demais para ele, os olhos enormes olhando direto para a câmera, e de súbito me pareceu claro que foi para ele que Adam falou. Até mesmo na foto havia algo nele que fazia você querer se aproximar, que atraía sua atenção. Olhei para ele: seus olhos grandes, os lábios bem desenhados. E de repente, como se eu tivesse levado um tapa, dei um salto para trás.

Eu a tinha reconhecido — a garota de cabelos curtos do cemitério.

5.

Eles voltaram quinze minutos depois, suados e arquejantes. Quando me viram, calaram-se todos de uma só vez, na mesma postura secreta de que eu me lembrava no círculo dos socos no bosque, mas dessa vez eu não estava pensando nisso. Rapidamente percorri meu olhar por todos eles assim que entraram e constatei: ela não estava lá. Adam foi um dos últimos a chegar. Ficou zangado, como eu previra. Veio até mim e perguntou baixinho: "Mãe, o que lhe deu na cabeça, por que veio no meio do Uri?". Mas não era a raiva dele que me preocupava naquele momento. Quando Uri entrou, depois de todos, numa blusa de ginástica de mangas curtas apesar do frio, fui até ele e perguntei se poderíamos falar por um instante lá fora.

"O que aconteceu?", perguntou quando saímos. "Você parece preocupada."

Contei-lhe sobre a visita da polícia. Para minha surpresa, ele pareceu totalmente tranquilo. "Algum garoto disse algo e eles são obrigados a investigar. O importante é que você respondeu a eles como devia. Eles vão compreender sozinhos que o que Adam falou era só besteira. Bravata idiota de garotos."

"E você, não está preocupado?"

"Não mesmo. Se eles estivessem pensando que Adam estava de algum modo ligado à produção de metanfetamina, teriam mandado a divisão antidrogas para a sua casa, com um mandado de busca. O fato de a polícia ter enviado um policial de patrulha e um detetive de baixo escalão demonstra que até mesmo eles sabem que tudo isso é besteira."

Mordi o lábio. A contragosto senti as lágrimas encherem meus olhos. Ele tocou em meu ombro. "É isso, já acabou", e estendeu a mão para enxugar com seus dedos as lágrimas que escorriam por meu rosto.

"Você acha que devo contar a Adam que eles vieram?" Ele acenou com a cabeça que não. "Isso só vai desestabilizá-lo. Ele enfim começa a se recuperar dessa história com Jamal. E eu realmente não acho que eles vão voltar."

"E quanto a esse garoto que falou com eles sobre isso?" Não sei por que não lhe perguntei diretamente sobre ela. Talvez estivesse constrangida por ter olhado de modo invasivo os retratos dos garotos.

"Suponho que eles não disseram o nome dele."

"Não. Só disseram que um *kid* tinha contado a eles — mas '*kid*' pode ser um garoto ou uma garota."

Nos olhos verdes de Uri brilhou uma centelha e logo se apagou. De novo notei aquela contração dos ombros, um movimento quase imperceptível das espáduas. Esperei que agora mencionasse a garota de cabelos curtos, dissesse que havia mesmo uma garota no curso, que Adam tinha um relacionamento com ela, talvez tenha sido ela quem procurou a polícia. Mas Uri não falou nada disso. "Esqueça isso, Lilach, vamos nos alegrar por isso ter ficado para trás."

Fiquei calada. Olhei para ele. Ainda esperava que falasse sobre a garota. Ele olhou para os lados, transferindo seu peso de uma perna para a outra. Por fim, abriu a boca e disse: "Tenho de voltar para os garotos".

6.

Uma tempestade de relâmpagos e uma gripe. As duas únicas vezes em que foi Michael — e não eu — quem levou Adam para a escola.

No ano anterior, uma tempestade de relâmpagos de rara intensidade atingiu a região do golfo. Informaram no noticiário sobre cinco mortes em acidentes na estrada, devido a inundações. Fiquei com medo de dirigir. Meio ano depois, peguei uma gripe forte, que me deixou de cama. Mas desde então, toda manhã, Adam e eu estamos juntos no carro. Porém, na manhã seguinte à conversa com Uri, não levei Adam para a escola. Tinha outra escola para visitar.

Acordei Adam mais cedo do que de costume. Eu o levei a uma distância de duas ruas, até a casa da família Fuks. Ashley estava sentada ao lado da mãe no banco dianteiro do carro, olhando em frente com expressão de tédio. Adam entrou atrás, encolhido e furioso. Eu lhe acenei um adeus e saí de lá, não queria me atrasar.

A King's School era uma escola pública de ensino médio, a quinze minutos de carro. Quando cheguei lá, o estacionamento fervilhava de carros. Pais e mães despediam-se de seus filhos na entrada da escola. Estacionei não muito longe e fiquei observando, esperando que ela viesse. Por fim, ouviu-se o sinal. Os últimos jovens apressaram-se a entrar, e ela ainda não havia aparecido. Talvez esteja doente, pensei. Nem estivera no curso naquela semana. Liguei o motor e me dispus a ir embora. Foi quando então a vi descendo a rua — num jeans rasgado, vestindo uma blusa cortada, cinza, com capuz. Seu cabelo curto caía sobre os olhos sem que ela se preocupasse em afastá-lo.

Mais um toque, curto e estridente, assustou o pátio da escola. Pensei que a garota ia apressar o passo, mas ela continuou a caminhar exatamente no mesmo ritmo. Talvez o tivesse até diminuído, como se o sinal, em vez de incitá-la, despertasse sua rebeldia.

Desliguei o motor. Saí do carro e segui atrás dela. "Com licença?" Ela continuou a caminhar. Eu nunca tinha deparado em minha vida com uma desconsideração tão ostensiva. Somente após um instante percebi o fio preto do fone de ouvido, que despontava entre os cabelos curtos e desaparecia dentro do capuz.

"Com licença?", dessa vez toquei em seu ombro. Temi que se assustasse com o toque, mas ela apenas se deteve, indiferente, retirou um dos fones e disse "sim?".

"Sou a mãe de Adam Shuster", eu disse em hebraico.

"O.k."

"E você?"

"Netta."

Eu não sabia como continuar a partir daí.

"O que está ouvindo?"

"Pixies."

"Garotada de sua idade ouve Pixies?"

"Eu gosto de *oldies*", disse em inglês.

Fiquei calada. Ela ficou calada. Eu não sabia se ela continuava ali por educação ou se de fato não fazia diferença para ela ir para a aula ou ficar ali comigo.

"Você está no curso com Adam, não?"

Ela balançou a cabeça negando, energicamente. "Eu saí desse curso."

"Por quê?"

Netta abraçou o corpo com os braços, o rosto inexpressivo. "As viagens, era longe demais para mim."

Eu a vi enviesar o olhar para o portão da escola. Não estava gostando de minhas perguntas. Mais um instante e iria se despedir de mim e entrar.

"Eu também não quero que Adam frequente esse curso", eu disse de repente, num impulso. "No início pensei que era uma boa ideia, mas agora não sei." Uma pequena brecha de curiosidade apareceu em seu rosto. Lancei-me sobre essa brecha. "Houve ali algo que a fez sair? Eu vi os socos que os garotos davam uns nos outros, tem a ver com isso?"

"Eu posso levar socos exatamente como os garotos", disse Netta num tom orgulhoso e ofendido. "Não foi por isso que saí."

"Então por quê?"

Seu belo rosto ficou imóvel e duro por uma fração de segundo, depois ela ajeitou a mochila no ombro e dirigiu-se ao portão. "Preciso mesmo ir, tenho aula."

"Prometo que não falarei com ninguém sobre isso, eu só preciso saber." O tom de súplica em minha voz a deteve. Netta olhou para o pátio, que já estava vazio. Levou a mão aos cabelos, os dedos os remexendo, num movimento nervoso. "Tinha ratazanas no salão", disse enfim. "No início Uri disse que ia chamar um serviço de desratização, mas depois mudou de ideia. Queria que cuidássemos juntos daquilo, disse que precisávamos aprender a fazer coisas por nós mesmos. Ele comprou ratoeiras, e nós as espalhamos por lá."

Parou por um momento, hesitante, antes de continuar. "Uma semana depois cheguei atrasada ao encontro. Quando entrei, eles estavam todos num canto, em torno de alguma coisa.

Quando me aproximei, vi que eram três ratazanas que tinham ficado vivas. Uri perguntou quem conseguiria matá-las com as mãos. Fez daquilo um ritual completo."

Calou-se. Seus olhos me examinaram com uma ponta de desafio, avaliando o efeito de suas palavras. "Não é possível que Adam tenha participado de uma coisa dessas", eu disse. Pareceu-me que minha firmeza a surpreendera. "Adam foi o primeiro a se voluntariar", disse, "os outros o ficaram incentivando."

"Não pode ser", falei. "Talvez você não tenha visto direito."

O azul dos olhos dela escureceu um pouco. "Está me chamando de mentirosa?"

Algo dentro de mim me advertiu que parasse antes que eu a ofendesse. Pude imaginar como os outros garotos tinham reagido quando ela ousou se opor a Uri, a todos. Após um instante, falei, cautelosa: "Foi sobre isso que você discutiu com Adam no cemitério?".

Os dedos de unhas pintadas com esmalte preto se crisparam na mochila. "Por que vocês brigaram lá, Netta?", perguntei delicadamente. "O que houve entre vocês?"

"Não houve nada."

"Aconteceu alguma coisa, se não você não teria batido nele."

"Só não diga isso como se eu tivesse atacado o ferrado do seu filho, ou algo assim."

Ela pronunciou essas palavras com tal ódio que por um momento esqueci que era uma menina de dezesseis anos. "Ele não é um ferrado, ele é um bom garoto. E você não tem o direito de falar assim dele e com certeza não tem o direito de esbofeteá-lo."

Seus maravilhosos lábios de morango se retraíram num sorriso cheio de hostilidade. "Então fique sabendo que seu bom garoto não parava de me dizer no curso o quanto ele queria dar o troco para os garotos que estavam fazendo bullying com ele, e quando Jamal morreu, fiquei preocupada e fui ao enterro, e perguntei para ele se estava tudo bem, e ele me disse que estava feliz com o que tinha acontecido. Fe-liz."

"Ele estava em choque", balbuciei, "estava confuso." Netta sacudiu a cabeça, negando. Seu cabelo curto movia-se sobre a testa e o pescoço. "Seu filho, minha senhora, é totalmente biruta, exatamente como esse Uri que ele tanto admira. Você está percebendo que esse psicopata os ensina a matar animais com as mãos?" Eu não soube o que dizer. Lá estava eu, derrotada por uma garota de dezesseis anos. Por fim gaguejei: "Mesmo que você não goste da forma como Uri conduz o curso, ou da falta de sensibilidade de Adam, você poderia pelo menos discutir isso com ele, em vez de ir à polícia".

Netta cravou em mim um par de olhos perplexos. "Que polícia?"

Não consegui decidir se sua surpresa era sincera. "Você acha que eu fui à polícia?", disse, ofendida. "Não sou uma delatora."

7.

Ela se virou e entrou no pátio da escola. As aulas já tinham começado, mas ela não se apressou. Mochila num ombro só, um andar desafiador, subiu a larga escadaria. Esperei até que sua figura alta e esbelta desaparecesse no portão de entrada. Quando me dispus a ir embora, vi o guarda olhando para mim. Uma mulher estranha perturbando uma jovem com perguntas na entrada da escola. Afastei-me de lá a passos rápidos.

Entrei no carro e liguei o rádio. Não liguei o motor, deixei que a música tocasse. O que você fez naquela noite na festa, Uri, sobre o que conversou com os policiais na casa da família Hart? No Exército todos pensaram que Uri seria o chefe do Estado-Maior, tinha dito Michael, e eu compreendia perfeitamente por quê. Tinha uma voz de flautista de Hamelin, não havia como não segui-lo.

Fechei os olhos no interior do carro estacionado. Apertei as têmporas com as mãos. Minha cabeça estava explodindo. Por trás de minhas pálpebras brilhavam manchas coloridas, círculos alaranjados no escuro, o cigarro de Einat Grinbaum naquela noite no estacionamento. *Você há de reconhecer que é bom que os garotos estejam aprendendo a guerrear de volta*, ela tinha dito. E Netta, ela não tinha dito agora a mesma coisa? E Uri, quando lhe perguntei no lago Tahoe se ele estava pensando em reduzir a frequência do curso a uma vez por semana, ele respondera: *Claro que não, com todo o antissemitismo que existe hoje, é importante que os garotos saibam responder à guerra com guerra.* Tolices de crianças. É o que é. Crianças brincando de exército, atacando o inimigo num bosque na Califórnia como se estivessem nas profundezas do Líbano. Eles têm até um chefe de Estado-Maior, general Uri Ziv, de uma unidade de comandos, agente do Mossad, programador numa empresa da indústria de segurança no Vale do Silício.

E de repente tive raiva de mim mesma. Desconfiando assim de um homem que fora tão bom para nós, que se arriscou por nós quando quis deletar a busca no computador de Adam. Como duvidar de alguém que enfim tirou meu filho da concha de seu isolamento. Meu filho agora tem amigos, um grupo de verdade, graças apenas a esse curso.

Quando por fim liguei o motor, já eram dez horas da manhã. O voo de Michael, vindo de Nova York, deveria pousar às dez e meia. Decidi ir buscá-lo no aeroporto. Não quis esperar que chegasse em casa para conversar com ele. Na véspera, quando finalmente ligou de volta, alegre e levemente embriagado em algum bar, eu lhe disse que conversaríamos quando voltasse. Sabia que estava cercado de colegas de trabalho, que em meio àquele encontro social corriam questões de negócios. Sabia que seria difícil para ele prestar atenção em mim num bar em Manhattan.

As portas automáticas do terminal se abriam e fechavam. E toda vez surgia de dentro delas uma figura diferente, um homem com mala executiva, um casal abraçado, uma mulher com mochila. Crianças emocionadas querendo abraçar o pai, que voltava de viagem. Um homem ofereceu um balão em forma de coração a uma jovem sorridente que arrastava uma grande mala. O quadro com informações de voos mostrava que o de Nova York tinha pousado havia pouco tempo. Fiquei olhando para as portas com impaciência, aguardando o momento em que se abririam e meu homem saísse. Quando isso aconteceu, dez minutos depois, apressei-me a ir a seu encontro. Ele não me esperava, por isso não varreu o saguão com o olhar, e começou a se dirigir para a saída, contornando uma mulher vestida num sári, que acabara de levantar a filha no ar exclamando: "Estava com saudades!".

"Michael", gritei. "Michael!" Ele não me ouviu. O burburinho era grande demais. Abria caminho em sua direção quando de repente vi que se deteve. Mas não por minha causa, por causa dele, porque Uri estava diante dele e lhe deu um abraço caloroso, másculo.

"Eu sempre volto sozinho do aeroporto, e hoje dois vieram me buscar!"

Caminhamos em direção à saída, a mão de Michael abraçando meus ombros; em seu rosto, um sorriso cansado mas contente.

"Neste caso, acho que para você seria preferível que só Lilach estivesse aqui", disse Uri, "porque a má notícia é que vim para levar você direto ao escritório."

"*Ual'la?* O que está acontecendo?", Michael parou, surpreso.

Uri sorriu, desculpando-se. "Berman quer que nos reunamos dentro de uma hora para tratar do M.C.G. Devo brifar você agora, no caminho. O pessoal em Washington antecipou a apresentação."

Os olhos de Michael se dilataram, com admiração. "M.C.G.? Ele colocou você nessa equipe? Meu irmão, é o projeto mais secreto da unidade!"

Não perguntei a eles o que era M.C.G. Sabia que não poderiam responder. Enquanto outras companhias no Vale do Silício desenvolviam aplicativos de compras pela internet, a companhia em que Michael trabalhava desenvolvia tecnologias de segurança, uma palavra bonita para armas. Por isso, o telefone de Michael ficava às vezes desligado durante dias inteiros, fechado em compartimentos que a companhia dispusera para os funcionários, de modo que não introduzissem nenhum celular nos laboratórios. Daí sua resposta à pergunta "como foi no trabalho?" geralmente ser monossilábica: "Bem".

"Podemos falar só por dois minutos?", perguntei. E Uri corou um pouco, constrangido, disse "claro, claro, desculpe", e deu um passo atrás, dando-nos espaço para uma conversa particular.

"Ontem a polícia apareceu", eu disse, e vi o rosto de Michael ficar sério de repente. "Disseram que Adam contou a outro garoto que ele sonhava em matar Jamal Jones."

"E... o que houve depois?"

"Eu disse a eles que isso era conversa de garotos."

Michael assentiu, avaliando minhas palavras. "Eles pediram para falar com Adam?"

"Não. Acho que a conversa comigo foi suficiente."

Eu sabia que se quisesse dizer alguma coisa sobre Netta, sobre Uri, seria melhor dizer agora, mas não sabia como começar, e Uri estava próximo demais. "Volte rápido", pedi, "vamos conversar à noite."

Saí de lá sozinha. Michael seguiu com Uri para o escritório. Quando se despediu de mim, abraçou-me com força e me beijou nos lábios, Uri me deu um leve abraço e me beijou no rosto, e os dois entraram no carro de Uri e me acenaram um adeus.

Liguei para Shir. Nas últimas semanas tínhamos nos encontrado uma vez para um café e uma vez num jantar, e principalmente trocávamos muitas mensagens de texto. Quando liguei, queria contar-lhe tudo, ou pelo menos parte, mas no momento em que ela atendeu, me vi falando sobre coisa nenhuma, perguntando como ela ia, me detendo em trivialidades. "Você está me soando um pouco estranha", ela disse após alguns minutos. Não contestei. "Quer sair para almoçar?", perguntei. "Estou perto do centro." "Gostaria", disse ela, "mas não posso sair do escritório por muito tempo. Quem sabe você vem aqui para um café?"

Os escritórios da companhia de Shir, no distrito financeiro, tinham um design simples e claro. Como na própria Shir, não havia neles um pingo de ostentação. Contei vinte funcionários e funcionárias circulando entre as salas, a maioria mais jovens que nós. Shir me abraçou e me levou para o pátio. "Não acredito que você é a dona de tudo isso", eu disse, quando nos sentamos. "Às vezes nem eu mesma acredito", disse ela sorrindo, e eu sabia que era sincero. Ela não perguntou o que havia acontecido, mas deixava um pequeno espaço entre uma frase e outra, para que eu pudesse preenchê-lo como quisesse. Perguntei o que estava havendo com Jack. Seu rosto anuviou-se. "Propus aplicar dinheiro da companhia na start-up dele", disse. "Pensei que isso ia alegrá-lo, mas pelo visto foi um erro."

Tomamos café e comemos granola e frutas. No meu íntimo, eu lhe agradeci por cada minuto que passamos juntas. A aula de reforço em química ia manter Adam na escola até mais tarde, se eu voltasse agora para casa seríamos apenas eu e Kelev. Verdade que eu tinha coisas a fazer. Uma oficina para preparar. Roupa lavada para dobrar e bifes à milanesa para fritar. Mas eu não queria voltar para casa, e esperava, talvez, conseguir falar.

"Tenho de entrar numa reunião", Shir desculpou-se uma hora depois. Ela me acompanhou até o elevador e se inclinou em seus saltos altos para me beijar. Eu me sentia como uma menina pequena e abandonada, e tive vontade de segurá-la pelo braço e implorar que ficasse mais um pouco.

Caminhei lentamente para o carro. Durante todo o percurso até Palo Alto, tive medo de meu encontro com a casa vazia. Por isso fiquei tão surpresa ao encontrá-la agitada e cheia de gente. Policiais, cães e homens da divisão antidrogas. E o detetive O'Malley foi gentil como sempre ao me apresentar um mandado de busca.

8.

Tinha chovido ao meio-dia, e o cheiro de grama molhada era fresco e bom. Os cães farejadores circulavam pela casa fungando em cada canto. Kelev e eu ficamos no vestíbulo e olhávamos para eles com os cabelos arrepiados. Eles trotavam de um lado para outro, os focinhos palpitando, os músculos trêmulos sob a pelagem negra. Quinze minutos depois saíram com a cauda erguida, urinaram junto ao cipreste e entraram na van da polícia. Ouvi passos atrás de mim e vislumbrei Maria, as luvas para limpeza ainda em suas mãos, e uma expressão culpada e assustada no rosto.

"*Señora*, desculpe por ter deixado eles entrarem, não sabia o que fazer, *señora*, tentei ligar, mas a *señora* não atendeu." A submissão em sua voz me constrangeu. Era como se ela temesse que eu lhe faria alguma coisa ruim. "Eu estava com uma amiga", eu lhe disse, "tudo bem, claro que você os deixou entrar, quando tem policiais na porta temos que deixá-los entrar."

Ela assentiu, mas suas pupilas ainda perscrutavam meu rosto, para ver onde eu estava escondendo a minha raiva, para que não descesse sobre ela de repente, sem que estivesse preparada.

E de repente compreendi que ela não estava se desculpando assim só porque deixara os policiais entrarem, mas porque conversara com eles sobre nós, respondera a perguntas sobre os donos da casa.

O'Malley passou perto de nós e Maria baixou os olhos, como se a ousadia de olhar nos olhos de um representante da lei americana pudesse lhe custar um alto preço. Um policial de rosto alongado veio do andar de cima, descendo a escada, trazendo consigo o computador de Adam. Prometeu-me que o computador nos seria devolvido intacto depois de examinado. "Perdão pelo inconveniente, sra. Shuster." Assenti debilmente. No outro lado da rua, divisei os rostos curiosos dos vizinhos. Outro policial saiu da casa, atravessou o gramado em direção à viatura, levando nas mãos alguns cadernos de Adam. O'Malley postou-se a meu lado. "Nos esforçamos por não bagunçar demais", disse. Fiquei calada.

O guarda com os cadernos entrou no carro que estava estacionado junto à nossa cerca. O'Malley virou-se para mim e disse: "Vamos querer dar uma olhada na garagem também".

"Um momento", eu disse, "vou trazer o controle remoto." E fui até lá com uma leve sensação de tensão, mas também de alívio, pois eu não gostava daquela ocultação, pelo contrário, olhe e veja — meu filho montou para si um pequeno laboratório químico juvenil, e isso é bem legal e jeitoso, e é preciso ser louco para entender isso de outra maneira.

A porta branca rangeu e começou a subir. Kelev correu para dentro, e O'Malley e eu entramos atrás dele. Seus latidos ecoavam no interior escuro, fortes e estridentes. "O que é? O que aconteceu?", perguntou O'Malley, curvando-se para ele, acariciando o pelo marrom, mas cuidando de não tocar na cicatriz. "O que tem aqui que faz você latir tanto?" E eu sabia que não era o que havia lá que o fazia latir assim, e sim o que não havia lá: a garagem estava vazia. Lá estavam, é claro, as três bicicletas, o equipamento de esqui, a caixa de ferramentas e o cortador de grama. Mas o laboratório químico de Adam, que ocupava todo o interior, a mesa e os kits e o pequeno armário, tudo isso tinha desaparecido sem deixar rastro.

O'Malley saiu da garagem e voltou um instante depois com os cães farejadores, que farejaram tudo em volta e se apressaram em sair. Kelev ficou sentado na entrada da garagem e continuou latindo, talvez para os outros cães, talvez para a garagem vazia. O'Malley curvou-se e passou a mão em seu dorso. Seu olhar percorreu as paredes da garagem. Finalmente, voltou para o quintal. "Vamos estar em contato nos próximos dias", ele me disse quando estávamos no caminho da entrada. "Vamos querer falar com Adam também."

Na van no outro lado da rua, o motor foi ligado. O policial de rosto comprido avançou alguns metros e parou à nossa frente. O detetive meneou a cabeça num cumprimento e não pareceu surpreso quando não respondi ao seu gesto. Ele entrou na viatura. Kelev correu atrás dela uma certa distância antes de voltar correndo para mim. Eu o acariciei, minhas mãos trêmulas passaram pela cicatriz em seu dorso. O toque na pele rosada, que em geral me fazia retrair, agora não me causou nenhuma repulsa. E Kelev, que em geral não deixava ninguém a não ser Adam tocar na cicatriz, dessa vez deixou que eu o acariciasse ali.

Entrei em casa e chamei Maria. "Não estou zangada", eu lhe assegurei, "só quero saber o que eles perguntaram." Ela assentiu, emocionada, e disse que me contaria tudo. No início, o detetive perguntou se a *señora* lhe pedira que limpasse alguma coisa em especial naquela semana. Pude imaginar O'Malley esperando a resposta, tenso, inclinado para a frente como Kelev, quando eu tiro uma lata de carne em conserva da despensa e a agito diante de seu focinho. "Eu lhe disse que a *señora* pediu que eu limpasse a gaveta das verduras na geladeira", disse Maria. "Só isso?" "Eles também perguntaram sobre Adam, se ele me pediu para limpar alguma coisa no armário." "E ele pediu?" "Primeiro eu não lembrei, *señora*, e disse que não, então eles me disseram para pensar mais para trás, nas semanas anteriores, e tentar me lembrar se ele tinha pedido algo especial, e foi assim que lembrei que, um tempo atrás, ele quis que eu limpasse a garagem." "E o que eles disseram quando você lhes contou isso?" "O detetive anotou isso, ele ficou muito interessado, perguntou o que eu tinha visto quando limpei." "E o que você viu, Maria?" Maria deu de ombros. "Fora o chão imundo, não tinha nada lá."

Eu lhe agradeci e esperei que ela voltasse para seus afazeres. Peguei o telefone, liguei para Michael e caí direto na secretária. Liguei para o escritório, para o ramal de Jane. "O sr. Shuster está numa reunião importante", respondeu a bela secretária em sua voz melíflua, que eu detestava.

E eu não contei a ela que a polícia tinha acabado de fazer uma busca em nossa casa; apenas disse: "Por favor, diga-lhe que me ligue assim que estiver livre". "Claro", respondeu ela, "vou transmitir seu recado ao sr. Shuster", pronunciando o nome dele com uma doçura que me causou aversão. Subitamente suspeitei que, apesar de meu pedido, ela não diria nada a Michael. Meu segundo pensamento foi ainda pior — ela vai dizer a ele e assim mesmo ele não vai ter nenhuma pressa em responder à ligação. Já estávamos quase desligando, e tentei prolongar a conversa: "Por acaso, Uri Ziv está disponível?".

"Uri?", ela perguntou.

"Sim, Uri Ziv. Ele começou a trabalhar com vocês não faz muito tempo." Fiquei esperando enquanto Jane verificava, olhando em volta, o gramado pisoteado pelas solas de sapatos estranhos, os vizinhos espiando no outro lado da cerca.

"Ele também está na reunião", disse sua voz de mel, "vou comunicar aos dois que a senhora ligou."

9.

Não chegamos a tempo do voo das seis horas da tarde, atrasamos quinze minutos. A comissária no aeroporto sugeriu que eu preenchesse um formulário para ressarcimento parcial, mas pedi que me dissesse quando partia o próximo voo direto. Ela verificou no computador. Fiquei observando seus dedos enquanto digitava, unhas de um vermelho brilhante passeando pelo teclado. Sete e meia da manhã. Não quis esperar. Decidi que seria mais fácil pegar um voo de uma hora até Los Angeles, ou San Diego, e de lá dirigir mais duas horas. A comissária achou um voo para San Diego, a meia hora da fronteira. Durante todo esse tempo, Adam ficou sentado na cadeira lateral de uma fileira de cadeiras de espera, mergulhado em seu Ipad, procurando lugares de mergulho submarino no México. De vez em quando fazíamos isso, uma viagem familiar espontânea no outro lado da fronteira, e talvez por isso não estranhou quando fui buscá-lo na escola, uma mala no bagageiro, dois passaportes na bolsa. Ele ficou entusiasmado.

O voo foi horrível. Turbulências e ventos. Tudo tremia. Eu me agarrei às vozes alegres das comissárias, que estavam sentadas atrás, conversando, aproveitando a folga inesperada, já que os carrinhos de servir estavam fora de uso devido às condições atmosféricas. Pelo visto estava tudo bem. Se a situação fosse realmente grave, elas não estariam rindo assim. Adam tampouco parecia perturbado pelos solavancos. Ele cochilou a maior parte do tempo de voo.

Quando saímos do avião, eu me curvei para vomitar. Não fui a única. Em San Diego, uma tempestade escurecera o céu. Adam perguntou se não valeria a pena reconsiderar e ficou surpreso quando rosnei: “Vamos continuar”. O homem no balcão da locadora garantiu que a previsão para o México no dia seguinte era de sol. Talvez fosse verdade. Talvez temesse que cancelássemos o negócio. Quando entramos no carro, tirei o telefone do modo avião. Deixei o telefone ligado, para o caso de Michael finalmente sair da reunião e ligar enquanto eu estava dirigindo. Entrei na rodovia principal. A chuva varria o para-brisa em poderosas rajadas. Pude imaginar Michael na tepidez da sala de reunião, sem cogitar que estávamos tão longe de casa.

No outro lado da fronteira, em Tijuana, o posto de controle estava quase vazio. Havia lógica nisso — quinta-feira à noite, um tempo desgraçado. Dois ou três grupos de universitários atrás de bebida barata, e só. Pouco antes do posto de pedágio, Adam de repente perguntou se não seria melhor cancelar; por que atravessar a fronteira para o México num tempo tão ruim? "Vai melhorar", afirmei. Paguei o pedágio ante seus olhos perplexos e continuei a dirigir, agora nas combalidas estradas mexicanas. "Mãe, está tudo bem?", ele perguntou. "Sim", respondi", pisando no acelerador e ligando o rádio a todo volume.

Quando chegamos a Ensenada, decidi que era tempo de parar. Localizei um bom hotel num aplicativo. O recepcionista parecia ter a idade de Adam. Um jovem moreno, de rosto redondo, com um bigode tênue e fino. Dei uma gorjeta a outro jovem, também da idade de Adam, que carregou as malas e disse: "Esta é sua suíte, *señora*, aproveitem".

Duas camas queen. Uma varanda com vista para o mar. Em outras circunstâncias, seria um lugar encantador. Assim que saí do chuveiro, vi que havia três chamadas de Michael não respondidas. Adam estava deitado na cama junto à janela, usando fones de ouvido. Não tinha escutado as ligações. Também não me ouviu, até eu estar a seu lado sinalizando que tirasse os fones.

"Adam", eu disse, "precisamos conversar."

Ele olhou para o relógio sobre a cômoda. Já eram dez horas da noite. Não tinha percebido que era tão tarde. "Estou cansado", disse. "Por que não deixamos para amanhã?"

"Não." Ele ficou surpreso com minha agressividade ao responder. Pela primeira vez, desde que fora buscá-lo à tarde na escola, olhou para mim de verdade. Eu tivera muitas horas para planejar aquela conversa. Mas ainda não estava preparada.

"Quero que me conte o que houve entre você e Jamal."

"O quê? O que isso tem a ver agora?"

"A polícia esteve lá em casa hoje. Fizeram uma busca."

Pela janela da suíte ouvia-se o ronco incessante do mar. Adam olhou para mim, surpreso. "O que eles queriam?"

Sentei-me na cama a seu lado. Falei com cautela. "Os investigadores disseram que foram informados que você queria atingir Jamal. Disseram que ele incomodava você na escola." Quando mencionei o bullying, ele baixou os olhos. Suas mãos amarfanhavam a colcha esverdeada, da mesma cor dos tapetes e do papel de parede. Agora tinha chegado a parte difícil. Eu tinha ensaiado as palavras em minha cabeça durante toda a viagem. Sabia que tinha de fazer isso. "Quando estiveram lá, eles levaram o seu computador para ser examinado." Um suspiro profundo. "Havia coisas no computador que podem complicar você?"

Ele ficou pensando. Depois disse: "Umas semanas atrás, eu li muita coisa sobre metanfetamina".

Alguém ligou o rádio em um dos quartos próximos. A música atravessou as paredes, e logo baixaram o volume.

"Por que você leu sobre metanfetamina?"

Ele sentou-se na cama. "Eu gosto de ler sobre o que me interessa. Também li sobre fabricação de bombas caseiras, espero que a polícia não pense que quero realizar um atentado ou coisa assim."

"Isso não é nada engraçado, Adam."

"Esta semana fiz uma busca sobre engenharia genética e clonagem. Você acha que vão me acusar de clonar a vendedora da cafeteria?"

"Adam!", gritei. "Isso não é engraçado. Policiais vieram a nossa casa, eles querem falar com você!"

A música no outro lado da parede tinha sumido de vez. Talvez temessem que os gritos em hebraico tivessem sido dirigidos ao barulho que vinha do quarto deles. Adam parecia chocado. Eu nunca tinha gritado com ele assim. Pensei que ia irromper em choro, mas ele não chorou. Só perguntou de repente, em inglês, com outro tom de voz: "Quando é que o pai vai se juntar a nós?".

"Seu pai teve de ficar no trabalho até tarde. Ele com certeza vai pegar um voo amanhã." Adam cravou dois olhos preocupados em mim. "Mas ele sabe que estamos aqui, certo?"

"Claro que sabe." E rapidamente, antes que fizesse mais perguntas: "Os policiais que estiveram em nossa casa também fizeram uma busca na garagem. Vi que você retirou de lá o Jovem Químico." "Sim, eu já aproveitei tudo que podia. Estava pensando em pôr um equipamento de malhação, pesos, coisas assim, no lugar." "Mas, na noite da festa, ele ainda estava na garagem. Vi você lá, mexendo no armário." Ele ficou paralisado, na cama. "Adam, o que havia no armário?"

"Não acredito nisso. O quê, você anda me seguindo?"

Ele se levantou, nervoso, e abriu a porta de vidro que dava para a varanda num movimento brusco. O rumor do mar soava agora como um rugido. O homem no balcão da locadora em San Diego tinha mentido. A tempestade atingira o México também. Era impossível distinguir entre o mar e o céu. Saí atrás de Adam para a varanda, que um pequeno toldo protegia da chuva. "Responda-me, por favor." Ele me virou as costas. Algo em mim advertiu-me que não continuasse a fazer perguntas. Lembrei o que tinha acontecido na vez anterior, o punho coberto de cacos de vidro, e vai saber se dessa vez não seria mais grave ainda. Mas eu também sabia que tinha de esclarecer aquilo de uma vez por todas.

"Adam, o que tinha no armário?"

"Ritalina."

"Ritalina? Desde quando você toma Ritalina?"

"Eu não tomo. Iochai Kerin toma, e ele concordou em me dar."

"Mas as suas notas são ótimas."

Ele se virou para mim, sorrindo com amargura, como se tivesse antecipado minha total incapacidade de compreender. "Isso se cheira, mãe. Precisa esmagar até virar pó. Meu pai quis que eu fosse a essa porcaria de festa do Josh, então eu pensei em experimentar."

A chuva continuava a cair, mas não estava frio. As chuvas no México podem ser tépidas como um chuveiro morno. Lembrei isso de nossas viagens anteriores. "Não acredito que você cheirou Ritalina."

"Acabei não cheirando. Dei a um outro garoto na festa."

"Jamal?"

"Como assim, Jamal? Levei para Jason, um amigo do Josh. Ele é um dos que são aceitos na patota, mas me trata relativamente bem."

"E o que houve com Jason?"

"Ou ele cheirou isso durante a festa, ou deu para outra pessoa."

Fiquei calada, tentando digerir tudo aquilo. Um instante depois, perguntei: "Tem certeza de que isso não chegou de algum modo ao Jamal?".

Ele fez um gesto com a mão, impaciente. "Ritalina não mata ninguém, mãe. Metade da turma toma isso em forma de pílulas, durante as provas, e metade cheira por diversão. Além disso, Jamal morreu por overdose de cristal, metanfetamina, que é uma droga completamente diferente."

"E é possível que a polícia encontre em nossa casa algo parecido com metanfetamina? É uma substância que lembre em alguma coisa a Ritalina?" Ele me olhou como se eu fosse uma imbecil. "Então, Adam, eu não estudei química, me explique."

"Eu lhe disse, são duas coisas diferentes. A Ritalina é metilfenidato, e cristal é metilanfetamina, mas a questão é que numa produção caseira de cristal usa-se às vezes veneno para rato em pequenas doses para provocar reação química, e em minha opinião foi isso que matou Jamal, pois quando se produz isso em casa, ocorre às vezes um erro na dosagem, os usuários pensam que estão cheirando metanfetamina e na verdade estão introduzindo em seu corpo veneno para rato."

A chuva agora estava mais fraca, já se podia distinguir de novo entre o mar e o céu. Eu estava exausta, tanto que quase não conseguia ficar de pé. "Vamos entrar", eu disse. "Vamos dormir."

Quando ele saiu do banheiro, o cabelo molhado, parecia ter menos que os seus dezesseis anos. Foi para a cama sem me dar boa-noite. Mas ao cabo de um momento, deitado de costas para mim, ouvi sua voz no escuro.

"Mãe?"

"Sim?"

"O que falamos agora, foi isso que a polícia perguntou quando foi lá em casa, ou as perguntas são suas?"

Fiquei calada. Ele se virou na cama. Não consegui ver seu rosto no escuro, mas pareceu-me que estava olhando para mim. "Foi a polícia", eu disse, "foi a droga da polícia", e comecei a chorar, um choro sufocado que fez Adam estremecer. "Chega, mãe, por favor, chega." Obriguei-me a parar. Mordi os lábios no escuro.

Quando ele adormeceu, saí para a varanda. Liguei para Michael. Ele atendeu logo. "Onde vocês estão?!" "Em Ensenada." "No México!?" "Vieram policiais a nossa casa durante a tarde. Fizeram uma busca. Querem falar com Adam também. Então pensei que nos faria bem um refresco no fim de semana." Ele ficou calado. Estava digerindo aquilo. "Busca?" "Sim, com cães farejadores e tudo. Pedi a Maria que arrumasse tudo, mas não quis que Adam voltasse da escola e visse a casa toda revirada." "E você simplesmente o levou para o México?" "Eu sabia que você ia ficar retido por horas, pensei que podia se juntar a nós amanhã, para o fim de semana." "Lilo, está tudo bem?" "Sim, por que não estaria?" Falei baixinho, num tom lógico e sereno, e isso o confundiu. "Porque a mim isto soa bem histérico, viajar assim para o México." "Já fizemos isso muitas vezes, lembra a viagem para Los Cabos no Dia de Ação de Graças?" "Sim, mas não desse jeito. É como se você estivesse fugindo com ele ou algo assim." "O que há de tão terrível em viajar para Ensenada? Um garoto morre na frente dele, agora a polícia vem perturbá-lo, quisemos respirar um pouco." "Sim, mas isso não parece ser boa coisa, parece um pouco doido." "Então agora eu sou doida porque quis viajar para um fim de semana no México?" "Quem sabe você se assustou?" "Claro que me assustei, estou lhe dizendo que havia policiais em nossa casa e cães farejadores, levaram o computador de Adam, foi horrível, e você não estava disponível, estava em sua reunião, então fui obrigada a tomar uma decisão eu mesma. Você pode parar de se comportar como se eu o tivesse raptado, ou algo assim?"

"Está bem, agora se acalme, está tudo bem." Ele hesitou do outro lado da linha e por fim disse: "Veja, não vou poder me juntar a vocês amanhã, estou com muito trabalho. Vocês podem ficar os dois para o fim de semana, se você estiver a fim, ou então voltar no sábado, o que for melhor para vocês. Mas logo depois, na manhã de segunda-feira, quero levar Adam à delegacia, por iniciativa nossa, para falar com eles. Vamos explicar que tudo isso é bobagem. Se isso tranquilizar você, podemos ir com um advogado, embora eu ache que isso só sinalizaria que estamos assustados, quando está claro que não há razão para sustos, e que está tudo certo com Adam. Está bem assim, docinho?".

As ondas rugiam diante de mim. Tudo era admiravelmente lógico. "Está bem", sussurrei.

Quinze minutos depois, Michael ligou. Estava a caminho. Sem dúvida chegaria de manhãzinha.

Na manhã seguinte o céu estava azul. Nenhum resquício de tempestade. Michael chegou para o café da manhã. Depois de comermos, ele subiu ao quarto para dormir um pouco, e Adam e eu descemos para mergulhar num lugar próximo ao hotel. Foi bom nos sentarmos juntos em frente ao mar, comer empanadas e tomar suco de abacaxi. Ao meio-dia, Michael juntou-se a nós. Alugamos um barco e navegamos entre as enseadas. "Vejam que beleza", eu disse. "Estou contente que tenhamos conseguido arejar um pouco." E eles disseram sim, bonito mesmo, e nenhum de nós mencionou a noite anterior, ou o fato de que Adam e Michael cogitavam em seu íntimo se eu não estava ficando um pouquinho louca.

Quando terminamos o passeio de barco, subimos ao quarto para descansar. Michael olhou para a mala que eu ontem tinha feito com pressa e não disse nada, mas quando saí do banheiro ele desligou o telefone e disse: "Pedi a Jane que nos reservasse um voo para domingo de manhã, Adam quer chegar a tempo do Uri".

À noite jantamos frutos do mar num restaurante à beira-mar. Adam contou a Michael sobre nosso mergulho naquela manhã. Michael ouviu, perguntou que peixes tínhamos avistado. E durante todo esse tempo olhava para mim com um olhar estranho, olhar de um mergulhador que deu com um animal das profundezas e tenta decidir se ele pode ser perigoso.

10.

Na manhã de segunda-feira, eles foram à delegacia. Michael esperou do lado de fora. Adam contou aos policiais sobre o bullying de Jamal. Disse que tinha sonhado em matá-lo e que falara sobre isso com outros garotos, mas que fizera isso só para se gabar, sem verdadeira intenção, como fazem garotos virgens que alardeiam que vão transar loucamente com uma garota até ela implorar por mais. Os policiais o pressionaram com perguntas, mas não demais. A busca em nossa casa não resultara em nada, a garagem estava limpa de drogas. No quarto de Jamal, no entanto, foram localizados restos de erva. Tinham escrito sobre isso no jornal. Anabella Jones fora citada. (Todas as crianças fumam às vezes um baseado, ela disse à repórter, não quer dizer que ele usou cristal. Drogados usam cristal, e meu filho não era drogado.) Depois de uma hora de interrogatório, os policiais disseram a Adam que ele podia ir embora. Tinham obtido respostas lógicas para tudo. Não tinham um motivo real para suspeitar dele. À noite, em casa, Michael me disse que estava contente de terem ido. "Seria ruim se Adam não fosse esclarecer tudo por sua própria iniciativa. Quem não tem o que temer, não foge para lugar nenhum."

Michael enviesou o olhar para a porta fechada do quarto de Adam e disse baixinho: "Sabe o que mais me perturba? A facilidade com que se distorcem as coisas neste país. Nosso filho é uma vítima nessa história. Jamal fez bullying com ele, como é que os policiais foram capazes de pensar que ele é um assassino?".

Ninguém, a não ser nós três, soube da viagem ao México, mas a busca em nossa casa e o interrogatório de Adam na delegacia tornaram-se públicos naquele mesmo dia. Não só entre os moradores de nossa rua, que ficaram olhando as viaturas da polícia chegar e partir, e cujos cumprimentos ficaram mais retraídos e cautelosos nos dias seguintes.

A mãe de Ashley me pegou no estacionamento da escola e disse que era "*uma afronta*" virem revirar assim a casa de um garoto, o que eles achavam que iam encontrar lá, mesmo que Jamal tenha feito bullying com Adam, isso não era razão para um assassinato. Quando disse a palavra "assassinato", seus olhos se arregalaram com uma excitação que me pareceu ser quase sexual. Apressei-me a balbuciar alguma coisa e me afastar. À tarde, ligou para mim a orientadora da faixa etária de Adam, uma mulher pequena com uma boca grande, que queria nos convidar para uma conversa. Retruquei que meu filho já sofrera bastante com aquela história toda e que nos deixasse em paz.

Eu estava preocupada com meu filho. Imaginava-o caminhando pelos corredores da escola, cercado de cochichos. À noite, disse a Michael que não estava tranquila. "Você sabe como ele é fechado. Talvez não esteja nos mostrando o quanto esses rumores o atingem." No dia seguinte, sondei com Adam se não queria, quem sabe, mudar de escola. Ele rejeitou essa hipótese de cara. "Meus amigos estão aqui", disse, "e o grupo do Uri."

Na mesma noite, estávamos na sala. Adam ainda não tinha voltado da corrida. Parecia que estávamos adiando a subida para o quarto. Desde minha viagem impulsiva ao México, havia certa frieza entre nós, e talvez ela tenha me feito postergar o momento em que contaria a Michael sobre minha conversa com Netta. Eu temia sua reação quando soubesse que eu fora emboscar uma menina estranha na porta de sua escola. Enfim eu lhe contei. Ele ouviu com um semblante sério. Quando terminei, ele disse: "Não entendo qual é o problema".

"Você não entende qual é o problema com um homem que estimula crianças a matar animais com as mãos?"

Michael deu de ombros. "As pessoas usam ratoeiras o tempo todo. Você simplesmente está acostumada que o serviço de desratização faça isso por você."

"Mas Uri não armou ratoeiras, como fazem pessoas normais. Ele deixou as ratazanas vivas para que os garotos aprendessem como matá-las." Procurei os seus olhos, mas Michael estava olhando pela janela, para a noite que envolvia a casa lá fora e se detinha no umbral iluminado de nossa porta. "É como se ele quisesse que eles experimentassem o ato de matar", eu disse.

Michael tornou a voltar os olhos para mim, que continuavam distantes mesmo quando me olhava. "Talvez tenha sido assim que essa garota entendeu. Mas pense nisso desse jeito — digamos que eles tenham espalhado vinte, talvez trinta ratoeiras. É um número lógico, se existir um problema sério de ratazanas e se você quiser se assegurar de que o lugar vai ficar limpo. E digamos que, das trintas ratoeiras que matam a ratazana no momento em que ela entra, em três delas o mecanismo falhou. A ratazana ficou ferida, mas não morreu. O que acontece então?"

"Não estou compreendendo a pergunta."

"O que você faz com essas três ratazanas? Você não quer libertá-las, pois vai continuar a ter problemas com ratazanas, e de qualquer maneira estão tão feridas que é uma questão de compaixão pelos animais. E você não quer afogá-las — que é, aliás, como se procede em Israel — pois aqui é considerado uma crueldade e é ilegal matar animais nocivos dessa maneira. Você terá de matar essas ratazanas você mesma, num golpe rápido, na cabeça. Foi exatamente isso que Uri pediu que os garotos fizessem. Assumir a responsabilidade e dar cabo eles mesmos das ratazanas que sobreviveram às ratoeiras."

"Ainda que você tenha razão, você não fica incomodado por Adam ter se oferecido para isso? Ele era um menino tão sensível, e agora é o primeiro a matar um animal com as próprias mãos, numa espécie de ritual doentio de amadurecimento."

"Não creio que isso seja doentio."

"Então por que Netta apresentou isso dessa maneira?"

"Porque ela é uma garota que gosta de encenações. Francamente, Lilach, você não percebe que ela é uma menina perturbada? O tapa que ela deu em Adam no cemitério e o atrevimento com que ela falou com você são comportamentos clássicos de quem quer atenção."

Ficamos sentados em silêncio por alguns momentos. E por fim Michael levantou-se do sofá, disse que estava cansado. Fiquei sozinha na sala, esperando Adam voltar.

II.

Quando cheguei à sala de lazer, a maioria dos moradores já estava lá. Eu os cumprimentei e de novo me desculpei pela minha súbita ausência devido à viagem ao México. Marta não estava em seu lugar de sempre. Os primeiros sons de *Bonequinha de luxo* começaram a se ouvir da tela, e Audrey Hepburn caminhava pela Quinta Avenida. Quando o filme terminar, vou falar a eles sobre romantismo e capitalismo. Sentei-me ao lado de Chan. Fiquei contente ao ver que Dwayne também estava lá. Todos estavam reclinados para trás em suas cadeiras, e a música que vinha da tela nos envolvia, por isso levou um instante até eu perceber o grito do zelador.

Marta tinha caído da cama. No início pensou-se que esse era o problema, a queda da cama. Mas quando a ambulância chegou, um dos paramédicos disse: "Acho que ela teve um AVC". A partir daí, eles não sorriram mais, nem conversaram conosco, só agiram com rapidez e seriedade. Lucia não estava. O zelador disse: "Irei com ela na ambulância", mas era claro que só estava propondo isso por ser o protocolo. Ele era novo lá e não conhecia Marta de verdade. "Vou com ela", eu disse a ele. "Você, avise a família dela." Ele se esqueceu de ocultar o alívio em seu rosto quando assentiu.

Eu quis sugerir a Dwayne que viesse conosco, mas, quando o vi sentado no sofá, murcho, sem forças, pensei que talvez não fosse uma boa ideia. Entrei com Marta na ambulância. Ela ainda estava de pijama, que exalava um cheiro tênue de naftalina. Com o acidente, suas palavras eram confusas, mas os olhos estavam abertos e ela passou a mão em minhas costas, naquele gesto conhecido. O motorista da ambulância ligou a sirene e deu a partida.

A pele de Marta agora estava quase tão branca quanto o cabelo, e seus olhos se fecharam. O motorista avisou ao hospital que estava a caminho com uma idosa com um AVC isquêmico. Segurei a mão de Marta e tentei lembrar onde moravam seus filhos. Se iam chegar a tempo. "A América é tão grande", ela me dissera uma vez, "os meninos ficam rodando por todos os lados do continente, como bolas de gude, se espalham em todas as direções e só param quando estão muito longe."

Marta abriu os olhos e agora estava falando, mas não em inglês, numa língua estrangeira, talvez polonês. Eu nem sabia que ela não era daqui. Talvez tenha imigrado para cá ainda antes de eu nascer. Quando chegamos à autoestrada, ela silenciou por um momento e tornou a falar em sua língua estranha, dessa vez alto e energicamente.

O paramédico que se inclinara para ela olhou em minha direção, talvez querendo verificar se eu também falava aquela língua. No fim da fala de Marta, soou um sinal de interrogação, claro, exigente, ela estava esperando uma resposta.

"Marta, estou aqui com você", eu disse em inglês, pronunciando as palavras em voz alta e clara, para que o inglês em minha boca fosse um farol capaz de orientá-la para mim, mas ela voltou a dizer a frase que tinha dito antes, pelo menos a mim pareceu que era a mesma frase. "Marta, está tudo bem", sussurrei, e ela segurou minha mão com força e me respondeu naquela sua língua estranha, falando alto, com um fervor do qual eu não sabia que ela era capaz. Ela se calou e olhou para mim. Assenti. Ela sorriu, satisfeita, e continuou a falar. E assim foi a viagem, ela falava e falava, eu prestava atenção e assentia, para que não soubesse que suas últimas palavras caíam em orelhas incapazes de compreendê-las. Talvez eu devesse ter gravado para que alguém decifrasse aquelas frases. Talvez seu filho, que ia chegar num voo na noite seguinte e ia aparecer na casa de repouso com sombras escuras sob os olhos castanhos, um tanto enviesados. Mas naquele momento eu não estava pensando nisso. Quando chegamos à triagem, já era tarde demais.

Só quando tudo terminou lembrei que tinha esquecido meu casaco na ambulância. Quando desci para o estacionamento de ambulâncias, vi que o paramédico que cuidara dela ainda estava lá. "Ela se foi?", perguntou. Assenti. "Quando ela começou a falar na língua dela, eu sabia que iria embora", disse ele, e acrescentou que pessoas no leito de morte sempre falam a língua em que nasceram. Velhos mexicanos que viveram sessenta anos nos Estados Unidos voltaram de repente a falar espanhol em sua ambulância. Outros, que nem dava para saber que eram imigrantes, tão boa era sua pronúncia do inglês, de repente começavam a falar húngaro, ou turco, até hebraico ele tinha ouvido uma vez.

Voltei para a casa de repouso de táxi. O taxista era do Senegal. Seu visto, ele me disse sem que eu tivesse perguntado, ia expirar no fim do mês. Mas ele ia tentar prorrogá-lo e ficar. Ficaria grato se eu lhe desse uma boa nota no aplicativo, isso atraía mais clientes. Se houvesse um acidente agora, ele ia agonizar em senegalês, e ninguém ia entender, e eu em hebraico, e ninguém me entenderia. Mas claro que não haverá acidente algum, eu vou sair do táxi na porta da casa de repouso e dar a ele uma boa nota no aplicativo, com o acréscimo de uma gorjeta, e ele vai me dizer em inglês, *have a great day*, e eu vou responder, *you too*.

12.

Não a identifiquei quando ligou. A voz dela ao telefone era muito rouca, e velha, como se saísse da garganta de uma mulher de setenta anos. "Lila? É Anabella Jones. Podemos nos encontrar hoje?" Levou um instante para eu compreender o que estava dizendo, e quando compreendi, meu coração começou a palpitar. Respondi que sim. Propus ir até a casa dela, ou talvez à região onde ela trabalhava, mas ela recusou educadamente e disse: "Se concordar, eu gostaria de ir à sua casa. Saio do trabalho às duas".

Ela bateu à porta algumas horas depois, usando um vestido justo e preto. Não consegui concluir se era um uniforme de camareira ou um vestido de luto. Sua voz saía com dificuldade das profundezas de seu corpo enorme. "Perdi a voz faz duas semanas, e desde então não voltou."

Em seu pescoço repousava um pingente dourado, e não era preciso abri-lo para saber que o retrato de Jamal estava junto a seu coração. Convidei-a a se sentar. Ela se sentou na ponta da poltrona branca, numa posição desconfortável, as mãos no regaço, o olhar passeando por nossa ampla sala, pelo quintal bem cuidado que se via pelas largas janelas envidraçadas.

Fui até a cozinha e trouxe para nós chá e biscoitos com geleia. Minha mão tremia um pouco quando pus a xícara diante dela. Anabella arrumou o cabelo atrás da orelha, e eu pensei de repente que nunca tinha recebido uma mulher negra em minha sala.

"Também temos brownies, se você não gosta de biscoitos com geleia."

Ela fez um breve gesto com a mão direita — dedos longos de pianista — e me sinalizou que não era necessário. Ficamos sentadas lá. Anabella não tocou no chá, nem nos biscoitos. Minha garganta estava seca. Tomei um gole do chá, aquecendo minhas mãos geladas na xícara quente. Anabella notou o retrato de Adam junto à janela, que também chamou a atenção do detetive O'Malley, e o contemplou detidamente.

"Este é Adam."

"Sim."

Ela se inclinou para a frente de onde estava na poltrona, para ver melhor o retrato. "Ele parece ser um garoto alegre."

E de fato, naquela foto na praia em Cabo, Adam parecia ser um garoto alegre. Por isso eu a tinha emoldurado e pendurado na parede.

"Você tem mais filhos?"

"Não", respondi.

"Eu tenho três. Meu marido queria mais, mas eu disse a ele que arranjasse antes um trabalho, e então nos divorciamos. Agora me arrependo de não ter tido dez."

Abracei a xícara em minha mão, respirei lentamente. Anabella disse: "As crianças na escola ficam dizendo coisas".

"Eu sei." Ela parou de olhar para o retrato de Adam e agora olhava direto para mim. "Disseram que a polícia esteve em sua casa."

"Não acharam nada."

Seus olhos me largaram e se dirigiram de novo ao retrato. "Você conhece o seu filho, Lila?"

"Sim", eu disse. "Ele é um bom garoto. Pode ser que tenha dito certas coisas. Crianças dizem muitas bobagens, mas ele é um bom garoto."

Ela ficou em silêncio. O sol tremeluzia na janela francesa e lançava reflexos dançantes na parede em frente. Na mesa do canto havia um grande arranjo de orquídeas que Maria tinha arrumado dois dias antes. Anabella ficou olhando para ele enquanto falava. "Jamal era um garoto alegre. Aberto como um livro, eu sempre dizia. Gostava de hip-hop, como todos os garotos. Esses clipes na televisão com garotas dançando seminuas. Por isso não entendi quando olhei no computador dele e achei os retratos."

Antes de eu compreender o que estava acontecendo, os olhos de Anabella encheram-se de lágrimas. Fiquei lá sentada por mais um instante, paralisada, e logo me levantei correndo do sofá para buscar um lenço de papel em minha bolsa. Mas minhas mãos estendidas ficaram suspensas no ar. Anabella abriu a pequena bolsa mosqueada em seu colo e remexeu nela longamente em busca de seu próprio lenço, e quando não o encontrou, enxugou as lágrimas com a manga do vestido, num gesto enérgico. Ela não vai tocar em nada daqui, compreendi de repente, nem nos biscoitos, nem no chá, nem no lenço de papel.

As lágrimas secaram. Ela continuou a falar: "Mesmo depois de ter achado aquelas fotos no computador de Jamal, eu ainda não tinha compreendido. Pensei que era uma piada. Supõe-se que uma mãe conheça seu filho, não? Mas então encontrei os recados no telefone, e a conta que ele abriu com outro nome no site de relacionamentos".

Olhei para ela, confusa. Não entendia o que ela estava me dizendo. E ela pelo visto percebeu minha confusão, deu um sorriso amargo e disse: "Meu filho era gay, Lilach. Ele gostava de garotos. Nem eu, nem seus irmãos sabíamos. Ele sempre teve namoradas".

Ela tornou a enxugar os olhos na manga do vestido. "E eu não sei o que é mais triste — o fato de que eu não o conhecia de verdade, ou o de que ele não me conhecia de todo. Pois se meu filho soubesse o quanto o amo, ele saberia que não precisava esconder nada de mim."

Fiquei ali sentada e imóvel. Anabella fez um gesto mostrando a sala. "Pensei que se eu visse a sua casa eu sentiria alguma coisa, que ia saber alguma coisa. Mas estou aqui sentada e compreendendo que não sei nada." Inclinou-se para a frente, na poltrona branca, o corpo todo em minha direção. Seus olhos negros como veludo negro, como os olhos de Jamal. "Então, antes que eu vá embora, Lila, quero lhe perguntar novamente: Você conhece o seu filho? Pois eu estou queimando dentro de minha pele por não saber o que aconteceu com meu filho. Não durmo. Não trabalho. Os irmãos dele estão preparando sozinhos sua comida, pois não tenho força para nada. Isso está me matando, essas perguntas sem resposta. É uma tortura ficar assim. Se você souber alguma coisa, você tem de me dizer. Prometa que vai me dizer. Não sei se vou conseguir continuar assim por muito mais tempo."

13.

Fui buscá-lo na escola. Eram só duas horas, mas depois da conversa com Anabella eu o queria comigo em casa. As nuvens estavam baixas no céu, brancas e enormes. Como um animal que se agacha para parir. As primeiras gotas de chuva caíram sobre o para-brisa durante a ida. Quando parei no estacionamento próximo à escola, o chuvisco havia passado, e um sol límpido de inverno me ofuscava.

Caminhei direto para o portão protegendo os olhos com as mãos, piscando com raiva ante aquele fulgor branco. O guarda sorriu para mim e perguntou como estávamos hoje, eu sorri e disse que muito bem, e você como vai, sem parar de caminhar. Fui até a secretaria. Sabia que a secretária não gostava que alunos saíssem no meio do dia, não fazia parte do protocolo. "Ele tem de fazer um exame", eu disse à secretária, e pensei que até que não era uma mentira. A secretária assentiu e disse: "Vou chamá-lo". Fiquei esperando numa sala enfeitada de taças e certificados. Campeonato de basquete juvenil. Campeonato de futebol americano juvenil. E até o certificado do qual Adam podia se orgulhar: campeonato juvenil de química do ano anterior.

Ao cabo de alguns minutos, pude ouvir os saltos altos da secretária ressoando pelo corredor, aproximando-se, surpreendentemente desacompanhados. Quando abriu a porta, seu rosto denotava embaraço. "Adam não está aqui", ela disse. "A professora de matemática disse que o tinham visto de manhã.

Pelo jeito ele saiu sem autorização depois do intervalo. Infelizmente seremos obrigados a anotar isso na ficha dele, já é a segunda vez este ano."

"Segunda vez?"

A secretária olhou para mim com uma expressão de censura. Era uma mulher de quase sessenta anos pela qual haviam passado gerações de alunos sob regras meticulosas muito bem observadas e que acreditava que, somente graças a essas regras, era tão alta a proporção de alunos formados na escola que entravam na Ivy League. "A segunda vez", ela disse em tom grave. "No início do ano ele foi pego fora da área da escola com Jamal Jones. Isso foi anotado na ficha dele, nós lhe enviamos uma cópia pelo correio, e você nos devolveu, assinada."

Não lhe disse que nunca havia assinado essa cópia. Em vez disso, perguntei com cautela: "Tem certeza de que foi com Jamal Jones?".

A secretária disse que tinha certeza. Eles têm um registro organizado. Foi verificar nas pastas de Adam e de Jamal e confirmou: "Sim, os dois foram anotados na mesma ocorrência. O professor de educação física os viu no parque, fora da escola, no horário das aulas". Ela viu minha expressão confusa e sua voz ficou um pouco mais doce. "Olhe, garotos dessa idade podem brigar e fazer as pazes numa velocidade que nem você nem eu somos capazes de imaginar. Um dia eles são os melhores amigos e de repente passa lá um gato preto e eles não se falam mais."

O parque ficava do outro lado da escola. Árvores sombrosas, recantos ocultos. Esquilos fugiram de mim quando caminhei pela terra úmida. Uma garota vestida com calças curtas e um top fumava um cigarro, num banco. Escutava música no telefone e nem mesmo olhou para mim. Continuei a caminhar, passando por alguns zimbros. Quando cheguei a um canto isolado, ouvi um rumor vindo dos arbustos. Olhei na direção do rumor, pensando que ia ver Adam, mas no lugar dele deparei com dois pares de olhos. Um garoto e uma garota estavam lá deitados, a mão dele debaixo da blusa dela, a mão dela nas calças dele. Tratei de me afastar logo. Peguei o telefone e liguei para Adam. Quando atendeu, perguntei "onde você está?" num tom que beirava um grito.

"Fomos fazer compras."

"O quê?"

"Vimos que a Decathlon estava fazendo um *sale* de vinte e quatro horas, então nós viemos."

"Quem é 'nós', Adam? Com quem você está agora?"

E eu não precisei da resposta dele para saber.

Como é que você não pesquisou no Google até agora, Uri Ziv. Que mãe é esta que não vai pesquisar o guru do seu filho no Google. A busca em inglês não revelou nada além de alguns informes referentes à Orion, cujo teor eu já sabia. A busca em hebraico trouxe muitos resultados, até demais: Uri Ziv, veterinário em Kfar Saba. Uri Ziv, assistente social em Petach Tikva. Quatro advogados, um terapeuta ocupacional em Natseret Ilit. Levou muito tempo, mas eu sou uma mulher a quem tempo não falta. O tempo escorre das minhas mãos. Finalmente vi seu retrato. Tenente Uri Ziv recebendo o distintivo de melhor reservista das mãos do chefe do Estado-Maior na cerimônia festiva ao final da Segunda Guerra do Líbano.

A descrição do ato que levara à condecoração era tão nebulosa que não dava para concluir nada. O tenente Ziv atacou com frieza sob condições difíceis e demonstrou determinação, apego ao objetivo e criatividade operacional no decorrer de uma operação de segurança complexa, em constante investida contra o inimigo. Entendi que por trás dessas palavras pouco claras havia um número não desprezível de feridos no nosso lado, talvez de mortos também, e pelo menos um terrorista morto no outro lado. Fiquei pensando se no Líbano, como no caso das ratazanas, Uri também não hesitara em terminar a tarefa com as mãos. Olhei para o retrato do jovem que ele era, os olhos irradiando uma emoção contida enquanto o chefe do Estado-Maior se inclina para ele para condecorá-lo, talvez imaginando como seria a continuação de sua vida à luz daquele momento resplandecente. E o que lhe acontecera quando compreendeu que a coisa mais poderosa que faria na vida já ficara para trás, realizada por Uri Ziv aos vinte e quatro anos.

Uma hora e meia depois, ouvi a batida da maçaneta na porta da frente. Adam e Uri tinham chegado em casa. "Veja, mãe", Adam estava me mostrando uma luxuosa bainha de couro e, dentro dela, um Leatherman novo. "Uri comprou para mim, para eu usar nas excursões." Junto com ele também entrou na casa o cheiro de seu suor juvenil, especialmente forte após as longas horas que passara lá fora. Tive vontade de empurrá-lo para o banheiro e esfregar aquele fedor, o cheiro repulsivo de um jovem adolescente.

"Eu permiti que você matasse aula na escola?"

Ele dirigiu um olhar rápido a Uri, que ficara na porta. Vi o quanto ele queria que eu postergasse a repreensão, que não o censurasse na presença dele. "Suba e leve isso para o quarto", eu disse. Ele subiu pela escada, o novo Leatherman na mão. Uri e eu continuamos no vestíbulo. Ele afastou um cacho dourado da testa e se dirigiu a mim, hesitante: "Sinto muito, Lilach, eu deveria ter falado com você. É que tive uma reunião cancelada e eu sabia que Adam estava deprimido com o que tem acontecido ultimamente. Toda essa história com a polícia... Eu quis animá-lo".

"Para você parece razoável propor a um garoto matar aula sem a permissão dos pais?"

Uri olhou em volta, desconcertado. Ele tinha esperado uma censura amigável, não aquilo. "Falei com Michael sobre isso, deveria ter falado com você também, agora compreendo. Eu não quis deixá-la preocupada."

Não respondi. Estava constrangida por ter explodido assim. Não consegui me desculpar. Nem mesmo olhar para ele. Ele esperou um pouco, pigarreou, e por fim disse em outro tom, ofendido. "Então vou indo." E antes de eu ter tempo de dizer algo, já estava lá fora. Kelev o acompanhou até o portão em alegres latidos.

Quando me virei, Adam estava no topo da escada, o rosto afogueado. "Mãe, o que há com você? Como é que deixou ele ir embora assim?" E antes que eu respondesse, entrou no quarto e bateu a porta.

14.

Durante toda a tarde Adam não saiu do quarto. Quando bati e perguntei se queria descer para o jantar, abriu a porta e disse, num tom irritado: "Não estou com fome". Jantei sozinha. Michael chegou tarde, um leve cheiro de álcool na boca, reclamando de um jantar tedioso com os representantes que tinham vindo de Nova York.

"Como é que você não me avisou que Uri ia buscar Adam no meio das aulas", eu lhe disse assim que entramos no quarto. "Fiquei louca de preocupação."

Michael pendurou o casaco no cabide. "Eu sabia que as aulas de Adam terminam às cinco horas. Não imaginei que você chegasse antes disso."

"Então você mandou o garoto matar aula pelas minhas costas?" "Adam é um aluno brilhante, não pensei que fosse incomodar você ele perder aula uma vez. E achei legal o fato de Uri querer animá-lo."

"Já não tenho tanta certeza de que Uri seja uma boa influência para Adam."

Ele acabara de tirar a calça e estava de camisa e cueca, olhando para mim com um olhar cansado.

"Você sabia que ele o levou para comprar um canivete?"

"Ah, isso", disse Michael, as mãos remexendo os botões da camisa, desabotoando-os um por um.

"O homem fica o tempo todo falando aos garotos no curso que é preciso reagir lutando, e agora nós descobrimos que ele deu uma faca de presente para nosso filho."

Michael olhou para mim com um sorriso relaxado de quem bebeu pelo menos três taças de vinho. "Você logo vai fazer dele um assassino em série, Lilo. O homem apenas comprou para o garoto algo que se leva a acampamentos, para deixá-lo contente."

"Mas para quê nosso filho precisa de um canivete? Não é um brinquedo, Michael, acho que é até crime andar com isso pela rua."

Michael sentou-se na cama. "Ouça-me, Lilach, Uri teve boa intenção; se você não concorda, vou explicar a Adam e nós devolvemos o presente."

Ele despiu a camisa e apertou o botão da persiana elétrica. O quarto começou a escurecer, as luzes da noite ficando lá fora. "Agora você está pronta para vir dormir, ou estamos de mal?"

"Tenho louça para lavar."

Desci para a cozinha. Quando terminei com a louça, ataquei a chaleira elétrica com um removedor. Limpei a bancada de mármore, raspei camadas de gordura e sujeira, mas, apesar dos esforços, não consegui remover a humilhação. Pelo álcool, cujo cheiro senti em sua boca quando entrou em casa, pela pergunta que não fiz — só os representantes de Nova York estavam no jantar em que você esteve, ou Jane também participou —, pelo tom sonolento de sua voz quando falava comigo, quando olhava para mim.

15.

Naquela noite, Adam chorou enquanto dormia. Michael estava mergulhado em sono profundo e não ouviu, mas eu sim. Mesmo quando era bebê e chorava na cama, era eu quem ouvia e ia até ele. Mas quando ele era um bebê, eu pulava da cama no momento em que o ouvia chorar. E agora fiquei na cama sem saber se devia ir até ele ou não.

Enfim me levantei. Caminhei pelo corredor com cuidado. Hesitei no umbral da porta. Os olhos dele estavam fortemente fechados, ele gemia no sono. Sentei na beirada da cama. "Adam?"

Ele acordou assustado. Pus a mão em seu ombro. Um instante depois, acalmou-se um pouco e puxou o edredom sobre si. Estendi a mão para afastá-lo do seu rosto, mas ele o puxou de volta. Eu o ouvi fungar debaixo do edredom. E logo eu chorava também. Como é enganador esse garoto. Como quase acreditei na aparência durona dele, no "tudo bem" que ele respondia sempre que eu perguntava como estavam as coisas na escola. E na verdade nada estava bem. Desde a busca em nossa casa e o interrogatório na polícia, os amigos de Jamal o olham como se ele fosse um assassino. Professores fazem fofoca sobre ele, pais cochicham sobre ele.

Adam virou-se na cama. Talvez constrangido por ter perdido o controle com aquele sonho. Sua dor era viva e aguda, e a cama estava encharcada dela, como uma vez, quando era pequeno, em que acordou no meio da noite, sua cama e seu pijama encharcados de urina. Quis perguntar sobre ele e Netta, sobre ele e Jamal, mas senti que estava começando a se aquietar, e sabia que só ia permitir que ficasse lá se não dissesse nada. Passei a mão em suas costas. Mesmo através do edredom pude sentir como era magro. Esperei a seu lado até ele adormecer.

Nos dias que se seguiram, eu o observei com atenção. Ia para a escola de cabeça erguida. Em seu rosto não restara lembranças das dores daquela noite. Esperei que essa história passasse de uma vez, como fiz quando uma onda gigantesca me pegou na praia de Santa Monica e me revirou de novo e de novo — prendi a respiração e deixei o corpo ir de encontro à areia no fundo, fechei os olhos com força, tomando o cuidado de não inalar aquela água salgada, e esperei aquilo terminar para poder tirar a cabeça da água e respirar. Mais alguns dias, algumas semanas, assim disse a mim mesma, assim sussurrei, na minha cabeça, para Adam. E não imaginei que aquela onda não era senão uma marolinha e que a onda verdadeira ainda estava vindo em nossa direção.

Na manhã em que isso aconteceu, em que a onda verdadeira quebrou sobre nós com toda a força, entramos no carro dois minutos antes da hora. Michael ia voar para Washington ao meio-dia, e ele nos acompanhou até a porta de casa e acenou para nós quando saímos da garagem. O que vai querer ouvir, perguntei a Adam, e surpreendi-me quando escolheu Bob Dylan. Enquanto eu dirigia a caminho da escola, ele olhava pela janela, imitando o jeito de cantar de Dylan com a voz um tanto fanhosa, o que nos fez rir. O riso do meu filho pairou no espaço interno do carro como uma borboleta rara. Não perguntei nada. Não disse nada. Não ia estragar aquele momento.

Enquanto esperávamos o sinal mudar num cruzamento, ele começou a falar sobre o treinamento que tinham feito naquela semana no curso — carregar alguém ferido em uma maca por uma longa distância.

"Normalmente, no exército, eles dispensam as pessoas que carregam a maca a cada quinze minutos, porque é muito pesada, mas Boaz e eu decidimos que não entregaríamos a maca para ninguém até que todo o exercício terminasse — do jeito que eles fazem no Estado-Maior — e conseguimos." Quanto orgulho havia em sua voz. "É uma questão de estoicismo", explicou em tom sério, "o truque é não usar toda a energia de uma só vez, porque aí você se cansa."

Pensei em dizer a ele que o truque é não chegar a uma situação em que se tem de subir uma montanha enquanto atiram em você de todas as direções e você está carregando nas costas um companheiro ferido, mas fiquei calada.

"Vou aumentar o volume, está bem? É a parte mais bonita." Fiquei contente, porque eu também sempre achei que o solo de gaita de Bob Dylan em "Mr. Tambourine Man" era a parte mais bonita, apesar de um tanto batida. E que bom que esse solo ainda não estava batido para Adam, que só agora começava a ouvir Dylan. Paramos na entrada da escola. Bob Dylan tocava sua gaita. Adam e eu ouvíamos em silêncio. Ele não se apressou em sair e eu não o pressionei. Fique comigo mais um pouco, as aulas vão esperar.

"*Ial'la*", eu disse finalmente, "você tem de ir para a aula." E como me arrependi depois de tê-lo apressado, de ter sido eu quem o empurrou para fora do veículo quente, protegido.

Ele abriu a porta, e uma lufada de ar frio entrou no carro. "Vista o casaco", eu disse, pois naquele momento ainda acreditava que o maior perigo que o esperava fora do carro era o frio. "Que tenha um dia..."

Não terminei a frase. Meus olhos foram atraídos pelas palavras pichadas na parede. Olhei para as letras vermelhas, gritando para mim do muro da escola: OS JUDEUS SÃO SATÃ. SHUSTER ASSASSINO. A POLÍCIA ESTÁ ENCOBRINDO.

Saí do carro. Aproximei-me do muro alto de concreto. As palavras foram escritas na parte mais alta do muro pela mão poderosa de alguém grande, alguém cujos músculos não tremeriam mesmo quando distendidos até aquela altura para pichar diligentemente letra após letra. Alguém como Jamal.

Um garoto negro, não muito longe de mim, também olhava para aquelas palavras. Virei-me para ele e o examinei com um olhar penetrante. Ele me devolveu o olhar direto no rosto, sem se assustar e sem pestanejar. Peguem-no, que alguém detenha este rapaz! O grito estava na minha boca, mas não saiu dela. É claro que não posso dizer isso. Claro que não posso me lançar aos gritos histéricos sobre um garoto afro-americano que não fez nada a não ser fixar seu olhar, que é, na verdade, o que a maioria das pessoas está fazendo aqui, pais e filhos, professoras e professores, no estacionamento da escola, olhando as gritantes letras vermelhas.

Enquanto todos olhavam para o muro, eu olhava para a grama, pontilhada de gotas de tinta vermelha. Segui seu rastro a passos largos, meus sapatos de pano se molhando nas folhas úmidas. Não sei o que esperava descobrir, mesmo assim fui acompanhando as gotas ao longo do muro da escola, dobrando a esquina. Agora já não se viam o estacionamento, os pais, os alunos, não se ouviam mais os sussurros e as conversas. Um silêncio absoluto, ominoso, me esperava no outro lado do muro.

Ao longo do muro da escola, rolavam algumas garrafas de vidro quebradas. Passei por elas rapidamente e então parei. Por que corri até aqui? Preciso voltar, Adam está me esperando. Já tinha me virado para voltar quando uma mancha vermelha no muro me chamou a atenção. Segui adiante, espremida entre o muro da escola e uma densa sebe de arbustos. Por que alguém iria pichar num lugar como este, onde ninguém veria? Como se tivesse o prazer de me pregar uma peça, obrigar-me a sujar meus sapatos na lama e meu corpo nas folhas, esgueirando-me cada vez mais em frente, entre os arbustos e o muro coberto de musgo, até a mensagem em vermelho na parede me aparecer inteira: A VINGANÇA ESTÁ A CAMINHO.

Apressei-me em voltar. Já não me importava se ia me sujar, o principal era chegar. Pisei nas garrafas de vidro quebradas, tendo uma imagem clara na cabeça: quando chegar ao estacionamento, não vou encontrá-lo. Adam terá desaparecido. Eles vão levar meu menino.

Mas quando voltei e dobrei a esquina para chegar ao estacionamento, meu filho estava exatamente onde o havia deixado: junto ao carro. Olhando para a pichação. "Você sabe quem fez isso?", perguntei.

Adam balançou a cabeça, negando. Tentava demonstrar tranquilidade, mas o tique no olho o denunciou. "Entre no carro. Vamos apresentar queixa à polícia."

"Mãe, são apenas palavras."

"Quem escreveu pode fazer mais do que isso."

"Se tivesse coragem de fazer mais, não teria vindo no meio da noite como um covarde para escrever besteira nas paredes."

O menino que tinha chorado na cama na noite anterior desaparecera, Adam tinha passado nele um zíper, como se fecha um casaco. Era uma questão de estoicismo, ele ficou carregando a maca e não saiu de lá até a marcha terminar. A secura com que falou, a análise fria e racional de sua situação, isso não foi menos assustador do que a pichação, estar assim a seu lado, um estranho frio e alienado. Havia poucos instantes ainda estávamos juntos no carro, envoltos no som de uma gaita, e meu filho ria.

"Você viu isso?"

Einat Grinbaum me viu, alguns minutos depois, na entrada da escola, e veio até mim como um míssil. Adam tinha acabado de entrar. "Tem certeza de que quer ir?" "Sim, tenho certeza." E eu fiquei junto ao carro, esperando que minhas mãos parassem de tremer para poder dirigir. Além das pichações no muro na entrada e junto à sebe de arbustos, havia mais duas — POLÍCIA CORRUPTA e FORA SHUSTER —, em spray vermelho, na mureta do estacionamento.

"Com certeza é a turma da Nação do Islã", disse Einat, remexendo a corrente dourada em seu pescoço. "Eles só querem culpar um judeu." Moran Kerin juntou-se a nós. "A diretora me prometeu que vai apagar isso até o meio-dia. Eles estão querendo que as crianças estudem num prédio onde está escrito 'Os judeus são Satã?'"

"Esta perseguição tem de parar", disse Einat. "Que atrevimento desses nazistas."

Apesar de eu não ter dito uma palavra, os olhos das duas voltaram-se para mim. Sem dúvida eu era o foco inquestionável daquele encontro social. Outros pais se aproximaram de nós, apontaram para a pichação, expressando como estavam chocados, em inglês e em hebraico.

"Primeiro o atentado na sinagoga e agora isso", disse Zeev Cohen. "Temos de reforçar a segurança", interveio Moran, "quem escreveu isto também pode se tornar violento." Ela se calou e olhou para mim, esperando meu comentário. Atrás das mulheres que me cercavam, eu via as palavras pichadas no muro e estava arrasada. Elas com certeza sentiram minha perturbação, pois de repente Einat Grinbaum me envolveu num abraço cheiroso de cabelos recém-lavados. Eu não queria chorar, mas assim mesmo chorei. Einat assentiu com a permissão de seu abraço, como uma mãe cujo filho não prestou atenção em seu grito de aviso, correu e caiu, e agora ela beija suas feridas e o consola, mas, em seu íntimo, está contente com aquela queda, que o devolvera para o seu colo.

16.

No momento em que fiquei sozinha no carro, liguei para Michael. Eu chorava de modo histérico. Ele tinha certeza de que tinha sido um dos amigos de Jamal, talvez mesmo um de seus irmãos. Disse que viria me buscar para irmos juntos à polícia. "Eles vão pegar a merda desse covarde."

Eu esperava que fôssemos encontrar Natasha Peterson, mas, em vez da investigadora de trança, quem veio ao nosso encontro foi o detetive O'Malley, que se desculpou pela demora. Nós o seguimos até uma pequena sala de interrogatório no final do corredor. Ele apontou para uma cadeira e perguntou no que poderia ajudar. Contamos sobre a pichação. Para minha surpresa, ele conhecia todos os detalhes. A diretora da escola já havia apresentado sua queixa.

"Se é assim, é preciso que nós também apresentemos queixa?" Ele respondeu que não, que estavam cuidando do caso. "Cuidando como?", perguntou Michael. "Pelos métodos adequados", respondeu O'Malley. Eu lhe disse que tinha medo de que meu filho estivesse em perigo. "Eles escreveram que a vingança estava a caminho, isso soa como ameaça." O'Malley recostou-se em sua cadeira. "Compreendo seu temor", disse, "mas não compartilho dessa preocupação. Se vocês soubessem quantas pichações são feitas todos os dias nas escolas deste país — as ofensas, as ameaças, as insinuações sexuais —, e nunca vi isso extrapolar os muros em que são escritas."

"Não é bem uma situação normal", eu disse. "Há poucos meses houve aqui um atentado terrorista contra a colônia judaica. Agora temos uma pichação antissemita dirigida diretamente a meu filho. Você com certeza pode compreender por que estou perturbada."

O'Malley assentiu. Disse que podia compreender perfeitamente. Mas observou que, após todo atentado terrorista nos Estados Unidos, acontecem casos semelhantes — pichações, ameaças anônimas na internet, provocações de todos os tipos por trás das quais não há nenhuma ameaça real. "Então você está completamente tranquilo?", perguntei. "Com certeza. Vamos rastrear celulares e câmeras para ver quem estava nas redondezas e vamos pegar os garotos que fizeram isso. Mas de fato não acho que quem escreveu isso tentará atingir seu filho. Aliás, por que, em sua opinião, mencionaram exatamente o nome dele na pichação?"

Michael lançou-lhe um olhar arrasador. Não tentou sequer esconder sua hostilidade. "O que quer dizer com essa pergunta? A busca totalmente desnecessária que vocês fizeram em nossa casa fez alguns malucos pensarem que talvez Adam de fato estivesse envolvido nisso."

"Em nenhum momento dissemos que seu filho é suspeito de alguma coisa."

"Não faz diferença. No momento em que vocês entraram com cães farejadores, as pessoas começaram a falar."

"E você tem certeza de que estão falando à toa?"

O tom de voz de O'Malley era educado, como antes, e foi isso o que enfureceu Michael. Ele se levantou da cadeira. "Vim aqui apresentar uma queixa, não para que você me insinuasse coisas absurdas em relação a meu filho." "Não estou insinuando nada", respondeu o policial com tranquilidade. "Só estou perguntando. É o meu trabalho." "Seu trabalho é impedir um próximo atentado à sinagoga ou a próxima pichação. Não é estimular teorias conspiratórias perigosas."

Eu não estava habituada a ouvir Michael falar naquele tom com autoridades, certamente não nos Estados Unidos. Quando terminou de falar, fiquei preocupada, talvez tivesse exagerado e nos complicado. O rosto do O'Malley estava totalmente inexpressivo quando disse: "Obrigado, sr. e sra. Shuster, eu aprecio o fato de terem se dado o trabalho de vir aqui".

Enquanto caminhávamos para o estacionamento, Michael fervia de raiva. Nunca o vira tão irado assim. "Vou escrever para o chefe da delegacia e pedir que o demitam." Eu ouvia, distraída. Minhas mãos tremiam ao volante a caminho de casa. Parei no acostamento, com medo de provocar um acidente. Pedi a Michael que dirigisse em meu lugar. Quando chegamos em casa, Michael me serviu um copo d'água e perguntou se eu queria comer alguma coisa. "Não, obrigada", respondi, "acho que vou tomar um banho."

Na porta do banheiro, liguei para Lucia avisando que a oficina que seria ao meio-dia estava cancelada. "Lamento por ter avisado em cima da hora", disse, e me surpreendi um pouco com o silêncio no outro lado da linha. "Posso tentar fazer amanhã, em vez de hoje", propus. "Obrigada, Lila, não é necessário." A frieza em sua voz me confundiu. "Eu sinto muito mesmo, Lucia, sei que faltei muitas vezes nos últimos tempos, mas sexta-feira nos veremos como sempre, e vamos conversar, está bem?" Mais uma vez silêncio no outro lado. "Obrigada, Lila. E sobre sexta-feira, não é mesmo necessário."

Quando saí do banheiro, a mala de Michael estava em cima da cama, arrumada pela metade.

"Você ainda pretende voar para Washington?", perguntei, perplexa.

"Não tenho alternativa, Lilo", ele respondeu, "não posso cancelar a apresentação."

"Tentou adiar?"

"Não, não tentei", e, ante o meu silêncio, continuou, "essas coisas são marcadas com meio ano de antecedência, não posso dizer a eles que estou cancelando tudo porque fizeram uma pichação contra meu filho."

As lágrimas começaram a rolar em meu rosto. Michael largou a mala aberta e veio correndo para mim. Suas grandes mãos me envolveram. Fui engolida por elas. "Ouça, eles vão pegar o garoto que fez isso." Ficamos abraçados. Finalmente ele me largou e apontou para o seu telefone. "Já aparece em alguns sites de notícias: 'Crime de ódio no Vale do Silício'." Parecia que isso o satisfazia, como se a simples notícia sobre um crime de ódio fosse suficiente para neutralizar a força do ódio. "Liguei de novo para Adam enquanto você estava no banho e perguntei se ele queria voltar mais cedo para casa."

"E o que ele disse?"

"Ele insistiu em ficar." Vi em seu rosto que ele estava orgulhoso de nosso filho, que optara por ficar na escola, e não com o rabo entre as pernas. Eu até queria que ele voltasse, mas naquela manhã, no pátio, tinha visto como estava ansioso por se juntar a Iochai e Boaz, ali perto no gramado. Mas o que mais me surpreendeu foi ter visto como os dois o procuravam com o olhar, esperando por ele. Adam não era um garoto por quem os outros garotos esperavam, nem no jardim de infância, nem no fundamental, nem no ensino médio. Sempre tinha de andar rápido para que o grupo não seguisse em frente sem ele. Naquela manhã, na entrada da escola cujo muro ostentava o spray vermelho, vi dois garotos esperando por meu filho.

"Eu queria tanto não ter de viajar e deixar vocês." Michael acariciou meu rosto. "Quem sabe você não diz a eles que façam a apresentação sem você?" "Quem dera eu pudesse. Se eu disser a Berman que não irei ao Pentágono por causa de uma pichação na escola de Adam, ele vai procurar outro vice-presidente."

"O que está dizendo?", me revoltei. "Que isso é pouca coisa, que isso não está estressando você?"

"Lilach, claro que não estou gostando nada disso", sua voz agora estava fria, como se estivesse falando com um funcionário que erra seguidamente na leitura dos dados, ou com um soldado que segura o mapa ao contrário. "Mas acho que temos de manter as devidas proporções. Apresentamos uma queixa. Não posso parar de trabalhar até que prendam quem fez a pichação." O telefone dele tocou. Esperei para ver se atenderia, e ele atendeu. Quando falou, a voz já não denotava frieza, agora era amigável e calorosa. "*Hi*, estou acabando de fazer a mala. Diga a ele que nos encontraremos no aeroporto."

"Quem era?", perguntei, e ele, curvado sobre a mala: "Jane. Berman pediu que ela verificasse se estamos todos a caminho."

Ele largou a mala e foi buscar alguma coisa no banheiro. Kelev foi correndo atrás dele pelo estreito corredor. Desde cedo perseguia Michael pela casa, balançando a cauda, pelo visto pressentindo a despedida iminente. Eu também quis ir atrás de Michael até o banheiro, mas me obriguei a ficar onde estava, junto aos livros amontoados com desleixo ao lado da cama. Não era assim que queria me despedir dele, mergulhada num silêncio ensurdecedor. Desci até a sala. Michael continuou a fazer a mala. Pouco depois, desceu pela escada, a mala na mão, e me beijou na testa. "Uri vai passar por aqui depois para devolver a bicicleta", avisou, quando já estava na porta, e os dois sabíamos que a bicicleta era só um pretexto, que Michael tinha pedido a ele que desse um pulo para ver como eu estava. Antes de fechar a porta, me beijou novamente, agora na boca. "Vou ligar à noite."

17.

Pouco depois que ele saiu, recebi uma ligação telefônica do rabino da sinagoga reformista de Palo Alto. Lembrei-me de seu rosto marcado pela dor no noticiário da noite de Rosh Hashaná. Agora sua voz era segura e calorosa. Queria expressar seu apoio. "É uma época doida", ele disse, "não acreditava que em nossos dias ainda veríamos desses atentados sangrentos contra judeus." Depois disse: "Nossa congregação quer oferecer o nosso apoio a vocês. Gostaríamos que se juntassem a nós nas orações de algum sábado". Pensei no vestíbulo forrado de madeira da sinagoga. Imaginei se os pais de Lia Weinstein voltariam a rezar lá depois do que aconteceu.

Após o rabino foi a vez da rabina. Esther Klein, da sinagoga reformista Brit-Shalom, em San Francisco, anunciou em voz festiva que a congregação gostaria de nos abraçar. Ela mesma, assim disse, não ficara nem um pouco surpresa. Há muito tempo estava advertindo sobre a intensificação do ambiente antissemita na América.

Pouco tempo depois da conversa com a rabina, mais uma ligação. Uma jornalista do *Jewish News* se apresentou do outro lado da linha e pediu que eu descrevesse minha reação à pichação antissemita na escola. Logo depois dela, veio o telefonema de um correspondente do *Ynet*, que perguntou como estávamos nos sentindo no ambiente anti-israelense na América. E depois mais uma conversa, dessa vez com o *Chronicle*, querendo saber se eu achava que a tensão entre a comunidade afro-americana e a comunidade judaica estava chegando a um novo clímax. A todos respondi que não queria ser entrevistada. Exigi que não citassem nosso sobrenome. "Ele é menor", eu disse, "se divulgarem dados que o identifiquem, processo vocês."

Silenciei o telefone. Reguei o jardim. Arrumei a casa. Tentei ler um livro. Decidi fazer uma limpeza total, mesmo que Maria estivesse vindo na manhã seguinte. Desfiz tudo que tinha arrumado diligentemente antes. Empilhei cadeiras na mesa, enrolei tapetes para os lados. Levei os vasos de plantas do chão para prateleiras altas. Nossa casa tão conhecida parecia de repente ser a de outra família. Passei o aspirador, esfreguei, arrumei mais uma vez. Devolvi tudo a seu lugar, cadeiras, tapetes, vasos de plantas. Lavei a louça. Limpei a chaleira elétrica de resíduos calcificados. Quando terminei, era só meio-dia e meia. Corri as cortinas, fui para a cama, certa de que não conseguiria adormecer, mas, nem um minuto depois de meu corpo tocar o colchão, eu já estava num sono longo e profundo.

Acordei assustada em meio a um sonho. Com o coração palpitando, me aprumei na cama, ainda ressoando no ouvido o inconfundível som de uma explosão. Olhei em volta. Era o meu quarto, igual a como era quando adormeci. As cortinas turquesas moviam-se levemente ao vento. E para além delas, o canto de pássaros, um carro se afastando na rua, sons abafados.

Afastei o edredom e fui até a janela. Passei uma mão hesitante no vidro frio. Através dele avistei nosso quintal, a grama aparada, a pequena piscina, móveis de madeira e a cerca que Adam pintou no verão, em troca de um skate que Michael lhe prometera. Quando olhei para a cerca branca, lembrei-me de imediato do sonho que eu tinha sepultado debaixo do edredom: uma cerca branca, parecida com a de nossa casa, porém mais alta, alguém tinha feito uma pichação ali, eu tentava ler e não conseguia, assustada por não conseguir, até que Uri chegou e disse: *Mas você está olhando da esquerda para a direita*. E de repente a música na festa ficou mais forte, ameaçadora, e esse barulho — tão forte...

Fechei a janela num ímpeto. Fui ao banheiro para espantar o restante do sono. Uma mulher pálida e assustada me olhava do espelho, e eu lhe disse, acalme-se Lilach, foi só um sonho, e sorri para ela. Enxuguei o rosto com uma toalha que recendia a amaciante e passei creme nas faces em movimentos circulares.

Saí do banheiro. Na cabeça, um vago plano para uma quiche de cogumelos que ia preparar como jantar para Adam e para mim. Descendo a escada, ia listando os ingredientes em minha cabeça, e fui até a cozinha para verificar o que estaria faltando. Rabisquei uma lista de compras numa folha de papel. Quando ergui a cabeça, vi uma gota vermelha no chão, e mais uma, e mais uma. No nosso parquê cinza-claro, as gotas vermelhas se destacavam especialmente. Levantei-me da cadeira e fui buscar um pano.

Quando me ajoelhei para enxugar as gotas, vi que havia mais delas junto ao armário de onde tinha tirado o pano. Só então percebi que eu estava sangrando. Examinei meus pés. De meu calcanhar esquerdo escorria um fino filete de sangue. Sentei-me no chão. Retirei o caco de vidro que estava cravado na pele. Pressionei o corte longamente com o pano para deter o sangramento, que eu não tinha percebido e mesmo assim deixara seus sinais em todo o parquê. Tenho de pôr um Band-Aid, pensei, e me ergui, cuidando para não pisar com o calcanhar esquerdo. E parei uma fração de segundo antes de pisar com todo o meu pé num monte de cacos de vidro, no lugar em que a pedra atingira a janela.

18.

Não tenho ideia de quanto tempo fiquei ali, cercada de estilhaços de vidro. O sol da Califórnia banhava a casa de quatro direções diferentes, e à sua luz, os cacos de vidro brilhavam como diamantes. Entre todos aqueles fragmentos jazia a pedra, escura e pesada, e era difícil acreditar que aquele bloco de matéria, tão inerte, tinha pairado no ar um pouco antes, desafiando sua natureza terrena, sua existência de terra e musgo, quando foi atirado na vidraça de nossa janela francesa.

Ergui a pedra do chão, avaliei seu peso, segurando-a como se segura a cabeça de um bebê. A mão que tinha lançado essa pedra em nossa janela já tinha fugido havia muito tempo, junto com a faca com a qual nela gravara as letras N-D-I, Nação do Islã. Você tem de ligar para a polícia, pensei, mas fiquei ali parada. E foi assim que Uri me encontrou quando veio devolver a bicicleta, cercada de cacos de vidro, a pedra em meu colo.

"Lilach? O que aconteceu? Você está bem?"

Seu rosto preocupado me olhava através da vidraça quebrada, que dava para o jardim da frente. Ele estava segurando a bicicleta de Michael com suas grandes mãos, e agora apressou-se em depositá-la na grama e entrar pela janela escancarada.

"Você se feriu?"

Sinalizei com a cabeça que não. Mas ele já estava a meu lado, viu o pano manchado de sangue e ergueu meu pé descalço para melhor examiná-lo. "É só um arranhão", eu disse, "nem percebi que tinha me ferido até ver o sangue."

Seus dedos já tinham largado meu pé, mas seu calor permaneceu em minha pele. "Veja isto", eu disse, e lhe estendi a pedra. Sua mão ursina roçou na minha por uma fração de segundo. Na mão de Uri a pedra parecia ser muito menor. Ele passou os dedos pela inscrição gravada nela, delicadamente, como se acariciasse o rosto de uma criança.

"São os amigos de Jamal", disse, "eles marcaram Adam."

Lágrimas rolaram em meu rosto, e não tive forças para contê-las. "Ei", Uri aproximou-se de mim, tentando me acalmar, "está tudo bem."

Não consegui conter o riso que me saiu da garganta. "Você ouviu o que você falou, Uri? Quebraram nossa janela com uma pedra. Uma pedra! Como numa intifada! E você me diz que está tudo bem?" Ele sorriu constrangido, e seu olhar parecia dizer que estava disposto, de bom grado, a que eu desabafasse com ele se isso amenizasse em boa medida minha sensação de impotência.

Fiquei calada. Imaginei que logo ia me oferecer um lenço de papel ou um copo d'água, mas Uri não me ofereceu nada. Esperou que as lágrimas secassem por si mesmas e disse: "Vou dormir aqui esta noite. E amanhã. Até Michael voltar de Washington".

Assenti, apesar de isso não ser necessário. Uri não tinha perguntado, tinha comunicado.

"Sinto muito pela nossa última conversa", eu disse, após um momento. "Michael não me disse naquele dia que você iria buscar Adam na escola. Fiquei muito preocupada."

"Compreendo bem", disse ele. "Se eu fosse buscar meu filho na escola e ele não estivesse lá, eu também ficaria louco de preocupação."

Somente quando tentei me levantar me dei conta de quanto tempo ficara sentada imóvel entre os cacos de vidro, os músculos rígidos e doloridos, como após um longo voo. "Espere", disse Uri, "vou trazer um par de sapatos para você não se cortar de novo."

Ele foi até a sapateira no vestíbulo e voltou com minhas sandálias nas mãos, mas, quando olhou para o monte de cacos, mudou de ideia, depositou as sandálias num lugar onde não havia vidro e veio em minha direção em suas pesadas botas de caminhada. Ruídos de vidro estalando acompanhavam cada movimento de seu corpo. "Segure-se em mim", disse, e eu obedeci. Pus os braços em torno de seu pescoço e ele me levantou e levou até a sala, sem olhar para mim, e me pôs no chão de modo que meus pés pisavam exatamente nas sandálias. Apressei-me em me curvar e ajustar as tiras.

O policial que fazia a ronda chamava-se Jack, um rapaz rechonchudo com uma barba ruiva, e ele chegou quinze minutos após Uri se comunicar com a delegacia e informar sobre a pedra. Ele apertou minha mão com gentileza e fez uma série infindável de perguntas que poderiam ser resumidas em: "A senhora tem ideia de quem fez isso?". Eu lhe servi um café americano e biscoitos.

"Foda-se a Nação do Islã", ele disse baixinho para Uri enquanto eu levava a louça para a pia. "Eles criam problemas em todo lugar aonde chegam."

Saímos para o quintal. Jack examinou a grama, junto com uma policial que ficara esperando na viatura enquanto ele conversava comigo dentro de casa, e não pronunciou uma sílaba sequer desde que nos encontramos. Uma segunda viatura apareceu, e eu esperei que o detetive O'Malley não estivesse nela. Quando ele saiu do carro, lhe dei um cumprimento frio e suportei com bravura o entusiástico balançar de cauda com que Kelev o recebeu. O'Malley acariciou Kelev amistosamente, virou-se para Jack e perguntou: "O que temos aqui?".

"É culpa dele", eu disse a Uri em hebraico. "A droga da busca que ele executou aqui fez com que todos pensassem que Adam está escondendo algo."

O'Malley lançou-me um olhar e baixou os olhos, pois, apesar de não falar hebraico, tinha compreendido muito bem o que eu dissera. Eu esperava que Uri me fizesse um sinal para ficar calada, como Michael com certeza faria. Esse olhar secreto dos homens quando querem sinalizar que você passou do limite. Mas Uri não disse nada. Ao contrário, olhou para O'Malley com uma expressão severa, e eu, fortalecida pela hostilidade clara que Uri demonstrava para com o detetive, quase soltei o freio da minha própria hostilidade, e já ia me virar para O'Malley e jogar-lhe na cara tudo que estava pensando — dessa vez em inglês —, quando Uri se antecipou e dirigiu-se a Jack: "Se vocês não estão precisando de nós, acho que eu e a sra. Shuster vamos dar uma volta".

Atravessamos o gramado em direção ao carro de Uri.

"Você tem certeza que não é melhor ficarmos aqui?", perguntei. "Ao contrário", ele disse, "tenho certeza que é melhor não ficarmos aqui. O vidraceiro está a caminho. A firma de limpeza está a caminho. Venha, vamos refrescar sua cabeça antes de ir buscar Adam."

19.

Ao cabo de meia hora, já estávamos subindo pela floresta de carvalhos. Uri ia na frente. Seu silêncio me surpreendia. No momento em que saíra do asfalto do pequeno estacionamento para o solo terroso da floresta, ele se despira de palavras, como se despe de um casaco. De vez em quando parava para me esperar, percorria a paisagem com os olhos, aguardava que eu chegasse até ele e recuperasse o fôlego, antes de se lançar novamente à frente. Tentei diminuir o ritmo da subida, mas Uri o aumentou ainda mais. Quanto mais subíamos, mais ofegantes ficávamos. Isso soava quase indecente aos meus ouvidos, ofegar assim na presença de um homem estranho. Naquela floresta imensa, nossa solidão se destacou de repente. Voltei o olhar para Uri, para ver se ele também sentia isso, mas seu rosto estava sereno e aberto, pronto para assimilar a paisagem em sua inteireza. E como que para confirmar essa minha impressão, ele disse: "Você está sentindo o gosto do ar em sua língua?". E inspirou ruidosamente.

"Lembra um pouco a Galileia", eu disse. Pensei que ele ia rir de mim. Eu sempre ria desses israelenses para quem os fiordes na Noruega lembravam o lago Kineret, mas Uri até que concordou. Continuamos a escalar, eu mordia os lábios para não ficar muito atrás, me amaldiçoando por todos os exercícios físicos que não fizera, mas Uri era rápido demais, parecia-me que agora ele estava indo até mais rápido. Por fim, chegamos a uma pequena clareira. Desabei num matacão, corada e com um pouco de raiva. Tirei o agasalho e fiquei de camiseta. Juntei os cabelos num rabo de cavalo acima do pescoço suado. Deixei o vento me refrescar. Longe, lá embaixo, para além da floresta e das colinas, pude ver o mar. Uri olhou em volta, os olhos arregalados. Aspirou novamente o cheiro da floresta com evidente prazer.

Uma formiguinha subiu por minha perna. Deixei que subisse. "Acho que a Galileia é um dos lugares em Israel de que mais tenho saudades", ele disse. Eu sabia que aqui devia assentir, mas fiquei calada. A formiga chegou à metade da panturrilha. Era vermelha, dessas que no ensino fundamental chamávamos de formiga de fogo. Uri percebeu meu silêncio. Ele não sabia se devia contorná-lo ou investir sobre ele. "E você, tem saudades?"

"Da Galileia? Não mesmo."

Ele me olhou surpreso. Eu sabia disso, embora não estivesse olhando para ele. Pensei que ia perguntar alguma coisa, mas ele não perguntou. Tampouco mudou de assunto, como esperei que fizesse. Ficou calado e aguardou, e após alguns instantes, quando a formiga chegou ao meu joelho, eu lhe contei sobre aquela viagem. Foi em outubro de 2000. Eu estava no fim do sétimo mês, pouco depois do terceiro exame. Os enjoos tinham finalmente passado, e Michael propôs que tirássemos umas férias e saíssemos num passeio. Durante todo o percurso, saindo de Tel Aviv, conversamos sobre a lista de canções de ninar que íamos preparar para Ofri. Era a brincadeira de que mais gostávamos naquela época, preparar listas de canções que cantaríamos para a bebê. E assim cantávamos no carro a caminho do norte, nos revezando na escolha das músicas, e toda vez que eu desafinava, Michael falava, dirigindo-se à minha barriga: "Ofriqui, não preste atenção na sua mãe, ela tem um coração de ouro, mas o ouvido musical de um sapo". A estrada nos levava montanha acima. Lá embaixo estendia-se o mar da Galileia, que o sol fazia brilhar e nos ofuscar. Pedi a Michael que dirigisse com cuidado. Dois bobocas, saímos para um passeio no norte como se nesse país fosse permitido fazer isso sem antes verificar se algum exercício não estava programado na área de segurança.

Estacionamos não muito longe do Forte Nimrod e começamos a caminhar. Descemos por entre os carvalhos. Eu erguia bolotas do chão e punha no bolso, e disse a Michael que um dia faríamos com elas um móbile para a menina. Ao longo de todo o sinuoso caminho para baixo, falamos apenas sobre Ofri: do que ela ia gostar, quem viria a ser, como íamos fazê-la ouvir os Beatles em vez desse lixo que hoje tocam para as crianças. Quando as explosões começaram, estávamos a meio caminho do Banias. Você conhece esse percurso? Não é muito íngreme. Decididamente adequado a uma mulher no fim do sétimo mês, mas no caso de que esteja descendo caminhando, e não correndo como uma louca porque está ouvindo sirenes e com medo de que mísseis caiam em cima dela. Corri por todo o caminho, rezando para não tropeçar. E não tropecei. Cheguei ao estacionamento do Banias tremendo inteira. De algum modo Michael convenceu alguém a nos levar de carro de volta para cima. A princípio, tínhamos planejado pegar carona, mas, devido às explosões, não havia uma só alma do lado de fora. E Michael sempre soube como mobilizar pessoas. Não me lembro muito bem da viagem de volta, só que não conseguia parar de tremer, e que Michael continuava dizendo está tudo bem, está tudo bem, e agradecendo ao nosso motorista por ajudar uma mulher grávida. O motorista respondeu: "É um prazer, é mesmo um prazer". E enquanto eu estava saindo do carro, ele me disse: "Boa sorte, querida, tomara que, quando o bebê que está em sua barriga crescer, já não haja mais guerras". Quando desci do carro, havia uma mancha de sangue no estofamento. Afastei-me e fiquei atrás de uma árvore. Mas não me incomodava se estivessem me vendo. Baixei a calcinha e vi o sangue.

A enfermeira do departamento de obstetrícia extrapolava sua função de tantas boas intenções. Ela me disse que muitas mulheres abortam no fim do sétimo mês. Que não se fala muito sobre isso, mas é de fato comum. Que, na maioria dos casos, isso não quer dizer nada em relação à próxima gestação, realmente nada. Disse-me que eu ainda teria muitos filhos encantadores e que eu ainda viria ao departamento para mostrá-los a ela. Eu queria que ela me deixasse só, mas ela ficava, falava com alegria sobre os filhos que eu ainda teria, perguntou dez vezes se eu tinha certeza de que não queria comer nada. Maternal, essa seria a palavra que a maioria das pessoas usaria para defini-la. Mas eu não queria que essa enfermeira fosse minha mãe, eu queria ser a mãe de Ofri.

Michael tirou uma licença no trabalho para ficar comigo no hospital e outra licença para ficar comigo em casa, pois, após a alta hospitalar, eu não queria sair da cama. As tensões militares continuaram, e alguns dias depois Michael foi convocado a servir como reservista. Eu ficava debaixo do edredom com as cortinas fechadas, às vezes ligava a televisão e procurava uma *sitcom* americana, com risos gravados ao fundo. Uma vez apertei por engano um botão do controle remoto e cheguei à imagem de uma mãe árabe se lamentando, com seu bebê morto nos braços. Apertei outro botão, e Phoebe, de *Friends*, como uma fada boa e loira, me afastou de lá.

Nossa vida seguia, o coração continuava a bater como antes. Mas no silêncio entre as batidas eu sempre a ouvia, ouvia o silêncio de uma bebê que tinha saído de mim e não produzira nenhum som. Michael ligava para casa sempre que podia. "Você está bem?", perguntava, e eu dizia "sim", e não dizia *Michael, a luz do sol está me machucando*. Não dizia, *Michael, eu ainda a sinto se mexer em minha barriga, apesar de ela não estar mais lá*. Porque ele estava na frente de batalha, e eu na retaguarda, e na retaguarda espera-se que se seja forte. Duas semanas depois, Michael voltou para casa. Abraçamo-nos no vão da escada, ele cheirava a óleo de fuzil. Quando saiu do abraço e me olhou, ficou assustado. "Você não comeu este tempo todo?" "Não se preocupe", eu disse, "agora vou comer, agora que você voltou vou comer e comer e comer." Preparei o jantar para nós. Abri a garrafa de vinho que compramos na França quando eu estava no terceiro mês e combinamos que íamos beber depois do parto. À noite, na cama, pensei naquele momento embaixo da árvore e comecei a chorar como uma doida. Mas eu não sou uma doida, Uri, esse país é que é maluco, e por isso não estou disposta a ter saudades da Galileia, nem de nenhum outro lugar, porque não sou maluca, e por mais que me digam que possivelmente o aborto ia acontecer de qualquer maneira, para mim está claro — minha bebê morreu por causa do Oriente Médio.

"Sabe", eu disse, olhando nos olhos de Uri pela primeira vez desde que começara a falar, "depois que viemos para a América, sonhei algumas vezes que ainda morávamos no antigo apartamento em Tel Aviv. Eu amava Israel, amava como uma mulher espancada ama seu marido espancador, mas compreende que tem de se afastar dele para salvar os filhos."

20.

Quando descemos, o céu já estava começando a ficar róseo. O silêncio entre nós não estava mais carregado como ficara depois que acabei de contar sobre Ofri. A caminhada tinha desarmado o silêncio; a cada passo que dávamos, era como se algo mais lhe tivesse sido retirado, e quando chegamos de volta à área asfaltada, nossos passos silenciosos já estavam leves e suaves. Curvei-me para tirar a lama dos sapatos, mas Uri sinalizou-me que não era preciso. "Não é esse tipo de carro." E de fato, o carro de Uri estava bagunçado, sujo e cheirando a serragem, e tudo isso fazia com que fosse até mais aconchegante do que nosso carro impecável, com seu cheiro artificial de lavanda que oprimia as narinas.

A caminho para ir buscar Adam, paramos por um momento na casa de Uri. Fiquei do lado de fora e ele entrou para preparar uma mochila com alguns petrechos para a noite que iria passar em nossa casa. Olhei pela janela para o quintal maltratado. Na extremidade do gramado que crescia sem ser cuidado havia uma grande cama elástica enferrujada. Lembrei-me da foto com o menino de cabelo dourado plantando bananeira em Frishman Beach, em Tel Aviv. Uri saiu com uma pequena mochila no ombro. Acho que percebeu quando olhei para a cama elástica, pois logo ligou o rádio, como se quisesse encher de ruído o silêncio que reinava ali.

Por um momento eu o imaginei lá, sozinho na casa. Quais eram os livros que tinha na biblioteca. Que quadros tinha pendurado na parede. Tentei pensar nele sozinho, na sala, depois do banho, à noite. (Por que você tem tanta certeza de que está sozinho?, pensei de repente, um homem como este com certeza tem alguma mulher.) Mas ele não tinha. Eu podia cheirar a solidão emanando dele como uma loção pós-barba.

Quando chegamos à escola de Adam, não havia mais sinal da pichação daquela manhã. O muro fora repintado no mesmo e conhecido *off-white*. Mas a parte recém-pintada tinha uma tonalidade um pouco diferente. No lugar dos dizeres apagados agora havia uma enorme mancha branca.

Adam saiu na companhia de Iochai e Boaz. Quando me viu, tentou se portar como sempre, mas um dia inteiro fingindo indiferença já deixara nele seus sinais. Estava encurvado e esmaecido, e seu rosto jovem parecia murcho como o de um velho. Somente quando eu disse que tinha vindo com Uri, um débil sorriso assomou em seus lábios. Ao chegarmos ao carro, Uri olhou para ele pelo retrovisor e disse: "Você parece alguém que está precisando de uma pizza".

Fomos comer num restaurante italiano. Uri e Adam de um lado da mesa, eu do outro. Na mesa, uma toalha xadrez vermelha. O lugar estava cheio de clientes. Olhei em volta procurando sinais suspeitos, pois se alguém tinha sido capaz de atirar uma pedra pela nossa janela, talvez também fosse capaz de nos atacar no meio do restaurante. O rapaz negro ali, com os olhos cobertos pela aba do boné — será que está olhando para nós? As mãos enfiadas dentro do agasalho, eu gostaria de poder vê-las. Imediatamente lembrei-me das viagens de ônibus em Haifa, na época dos atentados, quando cada passageiro no ponto era um terrorista em potencial. De como, em toda ida ao shopping, minha mãe me mostrava onde ficava a saída de emergência, dizendo *corre para lá se acontecer alguma coisa*. De como uma vez desci de um lotação no Hadar só porque um rapaz árabe vestido com um casaco entrou, e eu fiquei tensa porque, talvez... Odiei Haifa naquele inverno dos atentados. A qualquer momento a rua conhecida, iluminada, poderia se transformar numa selva em chamas. Desde que mudamos para a América, eu não tinha me sentido assim. Dezessete anos nos Estados Unidos e nunca quisera saber onde ficava a saída de emergência no shopping. E não ficava pensando qual dos passageiros no ônibus poderia explodir de repente. Agora eu varria os rostos de quem estava no restaurante. O rapaz de boné já tinha ido embora, mas não fiquei tranquila. Olhei para os lados, tensa e atenta a todo movimento. De onde virá um lobo?

21.

Por fim, não era possível adiar mais a volta para casa. Quando estávamos no carro, Michael ligou outra vez. Mais cedo, quando eu lhe contei ao telefone sobre a pedra, senti em sua voz que tentava me consolar. Mas ele estava no outro lado do país, num aeroporto coberto de neve, e eu estava aqui, na Califórnia, e, com todo o respeito pelos celulares, era simplesmente longe demais. Eu disse então que ia ligar depois e me apressei em desligar. Agora ele ligava mais uma vez e perguntava por que eu não tinha atendido durante as últimas horas, dizia que tinha ligado em cada intervalo entre reuniões. Senti o calor queimar meu rosto. Talvez, se Adam não estivesse no banco traseiro, eu diria a Michael que intervalos entre reuniões não eram o bastante para mim e que se quisesse saber o que estava acontecendo conosco, poderia embarcar num avião e vir. "Ponha-o no viva-voz", gritou Adam, "para ouvirmos também." Passei para o viva-voz. Michael, Uri e Adam trocavam informações. Olhei pela janela. Michael disse: "Então boa-noite para todos", e desligou. E nós três continuamos nossa viagem, Uri dirigindo, eu a seu lado, o menino atrás.

Uri estacionou na entrada de nossa casa. Quando desligou o motor, fiquei tensa ao ver um vulto de pé, no escuro, diante da garagem. Apontei para ele num gesto breve. Uri olhou para lá e fez um sinal com a cabeça como que dizendo "eu sei, eu vi". Saímos do carro e percorremos o caminho até a entrada da casa. Quando me inclinei para tirar a chave da bolsa, pensei vislumbrar um movimento entre os arbustos. Fiquei gelada, assustada. Vi que Uri também, como eu, olhava na mesma direção, e que até mesmo Adam, com seus fones de ouvido, percebera o que estava se passando. "Não se preocupem", disse Uri após um instante, "venham, vamos entrar."

Maria e o vidraceiro tinham feito um bom trabalho. A casa brilhava. A vidraça fora consertada. Mais uma vez fora provado que tudo acontece muito rapidamente no Vale do Silício, se você tiver bastante dinheiro. Eu me ajoelhei diante da sapateira e descalcei os sapatos de caminhada. "*Ia'la*, Adam, para o chuveiro." Foi impressão ou eu tinha mesmo ouvido o som de passos no outro lado da porta de entrada? Tranquei a porta. Adam subiu num débil protesto, eu agradeci a Uri por ter vindo dormir em nossa casa. "Isso realmente não é nada", disse, "estou contente de estar aqui." Dei-lhe uma toalha limpa do armário das toalhas. Preparei para ele a cama no grande quarto de hóspedes. Uri ficou na entrada do quarto e se ofereceu duas vezes para ajudar, mas insisti em esticar eu mesma o lençol, e depois de ficar alguns minutos sem ter o que fazer, ele disse: "Bem, então vou tomar um banho".

Quando saiu, estendi um cobertor para ele, arrumei o travesseiro. Acendi o abajur. Ouvi Adam sair do banheiro no andar de cima e subi para me lavar. De quanta água se precisa para apagar a pichação vermelha do muro da escola, o abraço de Einat Grinbaum, a ausência de Michael? Quando esfreguei o calcanhar, examinei o arranhão provocado pelos cacos do vidro da janela. A água quente corria por meu peito, meu ventre e minhas costas. Minhas coxas doíam por causa da escalada na cordilheira de Santa Cruz, mas era uma dor boa, uma dor de movimento. Agradeci a Uri em meu íntimo por ter me levado àquele passeio. Eu o ouvi tomando banho no andar de baixo. Os banheiros ficavam exatamente um acima do outro, e pela leve mudança no fluxo da água, eu soube que tinha acabado de fechar a torneira. Continuei debaixo do chuveiro por muito tempo, deixando a água escorrer pelo corpo.

No momento em que abri a porta, eu soube que eles não estavam. O vazio da casa me atingiu como uma lufada de ar frio. Mesmo assim eu disse: Adam? Uri? E quando não responderam, chamei mais uma vez em voz alta: Uri? Adam? O silêncio era absoluto. Entrei no quarto. Vesti-me rapidamente e desci a escada correndo. Uri? Adam?

O ar fora de casa envolveu meus cabelos molhados e minhas orelhas ainda úmidas como um capacete de gelo. Olhei em volta. Nem sinal deles. Eles só foram dar um passeio, eu disse comigo mesma, levaram Kelev para dar uma volta. Mas nossa cerca branca pareceu-me de repente estranha, como se alguém a tivesse aproximado um pouco mais da casa, como se a rua estivesse se alargando para dentro do nosso quintal. Um pensamento estranho, maluco, que me fez atravessar o gramado da frente com passos cautelosos. A cerca estava no lugar. Isso eu sabia. Cercas não se movem tão rápido assim. Mas no canto esquerdo dela havia alguém. Um vulto de casaco. Ombros largos. E junto à garagem havia mais alguém, as mãos nos bolsos do agasalho. Meu coração batia tão forte que Michael poderia ouvi-lo em Washington. Já não sentia frio nos cabelos e nas orelhas. Minhas costas estavam cobertas de suor. Olhei para os lados. Pensei em gritar. Mas não sabia bem o quê. E no momento seguinte o grito em minha garganta petrificou-se. Do outro lado da cerca, dois olhos negros olhavam para mim.

Havia três pessoas em volta de nossa casa. Talvez fossem da polícia, foi minha esperança, mas sabia que não eram. Jack alegara que eles não tinham pessoal bastante para nos dar segurança. "Afinal, não existe uma ameaça concreta, sra. Shuster." Pois eis aí uma ameaça concreta, três pessoas em torno de nossa casa. E a cada instante ficava mais claro que não se tratava de vizinhos ou transeuntes. Essas pessoas estão observando a casa, planejando alguma coisa.

Naquele momento, Adam e Uri apareceram na extremidade da rua, Kelev a seu lado. Corri para eles, as pernas tremendo, só para afastá-los da casa, para que não se aproximassem. Assustada, vi que os vultos em torno da casa também estavam voltados para a mesma direção. Eles vão apunhalá-lo, compreendi, com terrível lucidez, vão apunhalar Adam na porta de casa. Abri a boca para gritar, quando percebi que era tarde demais. Eles eram mais rápidos que eu. O rapaz de ombros largos já tinha chegado até Adam, a mão erguida para meu filho, para um *high-five.*

Fiquei olhando, perplexa. Os outros dois também fizeram um *high-five* com Adam e olhavam para Uri com aquele respeito que eu já aprendera a identificar. À luz pálida do poste, reconheci o garoto ruivo com o solidéu, o rapaz robusto de rosto inexpressivo, e Iochai Kerin. Percorri os últimos passos que me separavam do grupo e ouvi Uri dirigir-se aos garotos em sua voz tranquila. "Vocês viram alguma coisa suspeita agora?" O ruivo balançou a cabeça, negando. Iochai Kerin estufou o peito e disse que um Mazda vermelho já tinha passado pela casa seis vezes. Tinha anotado a placa. "É o vizinho da ponta da rua", eu disse, "a filhinha dele só adormece andando de carro."

Iochai pareceu ficar desapontado. Uri deu uma batidinha em seu ombro. "Fiquem alertas. A próxima patrulha vai chegar às nove horas." Todos eles assentiram, como se fosse Uri — e não as luzes da rua — quem iluminava seus rostos na escuridão da noite.

Entramos em casa. Eu me contive até Adam subir para o quarto. Dirigi-me a Uri num sussurro colérico: "Você está louco? Os garotos estão brincando de nos dar proteção?". Ele olhou para mim espantado, real e sinceramente, não estava compreendendo minha raiva, e isso só me deixou mais nervosa. "Você não pensou em me consultar antes de trazer uma força secreta para patrulhar a casa?"

"Não quis incomodar você com isso."

"Eles são menores, Uri. Os pais deles sabem que estão aqui? E se alguém da Nação do Islã vier mesmo até aqui e os atingir?"

Um leve sorriso aflorou em seu rosto sereno e bonito.

"Acho que a probabilidade de alguém realmente vir aqui é muito pequena." Meu medo, compreendi de repente, para ele era só um exercício, uma oportunidade para treinar os músculos. "Então por que eles estão aqui? Por que têm de estar lá fora nesse frio?" "É uma experiência importante." "Você perdeu o juízo, Uri? Eles são crianças, *crianças*!"

A simplicidade de sua postura, encostado na ilha, na cozinha. Peguei o pano que estava sobre a bancada de mármore, ainda manchado de sangue, e joguei no lixo. "Lilach, não entendo o que tanto a incomoda. Esses garotos são uma equipe, eles são uma comunidade, e quando alguém da comunidade é atingido, eles se mobilizam por ele. A meu ver, isso é uma coisa bonita."

"É exatamente o que a turma de Jamal fez quando jogaram uma pedra em nossa janela. Devolveram guerra contra alguém da comunidade."

Uri ficou calado. Não queria brigar comigo. Mas havia algo obstinado e firme no modo como se postava agora na cozinha, algo que me fez sentir que, não importava o que eu dissesse, esse homem manteria sua posição.

"Se amanhã um dos garotos aqui decidir fazer uma operação de represália e jogar uma pedra em algum muçulmano, ou fazer uma pichação contra o Corão, ou sabe lá Deus o quê, você vai querer isso em sua consciência?"

"Eles não farão uma coisa dessas." Ele parecia tão seguro que quase me convenci. Olhei pela janela, numa extremidade de nosso quintal havia um garoto gorducho de costas para mim. "Eles têm canivete?"

"Mesmo que algum deles tenha se entusiasmado e trazido um Leatherman, claro que não vão usá-lo." "Então por que o trouxeram?" Uri encheu um copo com água e disse que, se alguém na sinagoga tivesse um canivete na véspera de Rosh Hashaná, talvez Lia Weinstein ainda estivesse viva.

As copas das árvores estremeciam ao vento. Pus a mão na vidraça. "Está frio lá fora. É melhor você levar seus pupilos para casa. Falaremos amanhã de manhã."

Sua expressão serena foi abalada pela primeira vez desde que tínhamos começado a falar. "Lilach, quero dormir aqui esta noite e proteger vocês."

"A polícia da Califórnia vai nos proteger esta noite, Uri. Boa noite."

22.

Fiquei com medo de não conseguir adormecer. Mas meu sono foi profundo e tranquilo, sem sonhos. De manhã cedo, quando Michael ligou de Washington para perguntar como eu estava, respondi com orgulho que tinha dormido muito bem.

"Ótimo", disse ele, "ainda bem que Uri está aí." "Uri acabou não dormindo aqui", eu disse, percebendo o tom de vitória que se infiltrou em minha voz. Ele perguntou o que havia acontecido, por que tínhamos mudado de planos. Notei certa censura em sua voz. De repente compreendi que não fora apenas por minha causa que tinha ficado contente ao ouvir que Uri ia dormir em nossa casa, mas também por sua causa, para que ele pudesse adormecer no hotel em Washington. Eu lhe contei da ronda noturna que Uri tinha organizado, as sentinelas que tinha colocado no quintal. "Não sei, Michael, ontem à noite me ocorreu que talvez Uri tenha criado uma espécie de subterrâneo e arrastou os garotos para ele, com essa história de que 'é preciso guerrear de volta' que ele está alimentando neles."

O silêncio de Michael não foi um bom augúrio. Sua hesitação chegou até mim pela linha telefônica. Consegui imaginá-lo me ouvindo em seu quarto em Washington, deitado, de cueca, na ampla cama de hotel, seu casaco pendurado nas costas da cadeira. "Estou vendo por que essas patrulhas a deixaram nervosa, Lilo. Mas devo lhe dizer que isso também revela preocupação da parte dele. Não entendo muito bem por que você se voltou assim contra ele." "E se ele, na próxima etapa, os enviar para fazer algo mais do que patrulhas? Ações de represália?"

"Diga-me, o que está havendo com você? Primeiro você fugiu com o garoto para o México, e agora essas ideias? Parece coisa de filme, Lilach. Como ideias de alguém que passa muito tempo sozinha em casa com seus pensamentos."

Assim são as coisas. Abre-se uma pequena brecha entre você e a realidade, e a partir daí todos a tratam como se fosse uma construção destinada a ser demolida. Dois meses depois de Adam nascer, Michael e eu fumamos um baseado que me levou a um ataque de pânico. Mistura de hormônios pós-parto, déficit de sono e uma erva forte me levaram a quatro dias de internação sob o rótulo "episódio psicótico". Durante quarenta e oito horas pensei que nossos vizinhos estavam tramando raptar o bebê. Implorei que Michael pegasse Adam e fugisse com ele para um lugar seguro. Ao cabo de dois dias, a paranoia passou, e após mais dois dias, tive alta e fui para casa, e nunca mais toquei em erva em toda a minha vida. Desde então não falamos sobre esse fato. Não contei a ninguém sobre a internação, nem a Noga e Tamar quando vieram nos visitar, e com certeza não contei a minha mãe. Michael não mencionou esse ataque uma vez sequer. Mesmo agora, apesar da raiva perceptível em sua voz, ele foi decente o bastante para não mencionar isso explicitamente. Após um breve silêncio, disse que voltaria depois de amanhã. Que estava com saudades de nós. Que estava pensando, quando voltasse, em irmos os três a Los Cabos, para descansar, no mar, de tudo que tinha acontecido.

Ouvi a porta do quarto de Adam se abrir. "Tenho de desligar", eu disse a Michael, "Adam acordou. Quero preparar o café da manhã."

Desci até a cozinha e preparei uma omelete. Adam juntou-se a mim alguns minutos depois. Notei a rapidez com que tinha se arrumado. Aquele ar desajeitado que sempre envolvia seus movimentos parecia ter sido deixado para trás e a mim se revelava, quem sabe pela primeira vez, o homem que ele viria a ser.

"Onde está Uri?"

Por isso tinha se vestido tão depressa, um soldado que quer impressionar seu comandante fazendo tudo em seu tempo. Foi até o armário e tirou três pratos, dispondo-os na mesa com surpreendente vitalidade.

"Ele teve de voltar para a casa dele ontem à noite."

De uma só vez seus movimentos ficaram mais lentos. Como os de um pássaro interceptado em meio ao voo. Ele sentou-se à mesa, deixando o prato destinado a Uri no lugar em que estava. Pus a omelete diante dele. Sentei-me a seu lado com o meu café.

"Por que você odeia ele, mãe?"

O sangue me subiu ao rosto. Não sabia se era por Adam ter razão, e o rubor de meu rosto expressava a profundeza de minha hostilidade a Uri, ou se era por ele estar errado, ter percebido a intensidade do sentimento, mas não sua natureza.

"Eu não o odeio", falei, hesitante. Adam sorriu com amargura. Continuou calado durante todo o percurso até a escola.

23.

Depois de deixá-lo na escola, liguei para Shir. Ela atendeu logo. Ontem tinha ligado sete vezes, Jack tinha lhe contado sobre a pichação e ela queria saber como eu estava, mas naquela manhã infelizmente não poderia se encontrar comigo, estava cheia de trabalho. "Só um cafezinho rápido", eu lhe disse.

"Você viria mesmo de Palo Alto até o distrito financeiro só para um cafezinho?", ela perguntou.

"Nada disso, tenho outras coisas a resolver no centro", respondi, constrangida com a mentira e, ainda mais, com a solidão que a tinha engendrado.

Após o ataque psicótico, os médicos tinham aconselhado que eu ficasse sob observação. Havia alguns psicólogos israelenses no Vale do Silício, mas não quis me consultar com nenhum deles. A comunidade era pequena demais, todo mundo conhecia todo mundo. Optei por uma terapeuta americana. Na primeira consulta eu chorei e fiquei calada. Na segunda, tentei falar e descobri que não conseguia. Eu falava um bom inglês, mas minha língua interior era o hebraico, eu não sabia falar de mim mesma em outra língua. Na terceira consulta, eu disse à terapeuta que o tratamento estava condenado ao fracasso devido a diferenças entre culturas. Ela disse que não importava a língua que eu falasse no tratamento. "O verdadeiro problema é você não ter uma língua para falar com você mesma, pois me parece, Lila, que você se sente um pouco estranha em toda parte, não só na América." Quando saí de lá naquele dia, eu tinha a intenção de voltar, mas então Adam pegou seu primeiro resfriado, e a vida continuou... E agora, uma refém de meu coração, com horas demais dentro de casa. Tempo demais para ter pensamentos não saudáveis, que fazem Adam ter raiva de mim, Michael se preocupar comigo. Quando finalmente estacionei no distrito financeiro, Shir ligou se desculpando, tinha acabado de entrar numa reunião, não poderia sair agora, mas quem sabe eu continuava com meus assuntos no centro e ela tentaria escapar para um café em algum momento? Balbuciei "está tudo bem" e voltei para o estacionamento. Reprimi o desejo de ir até a escola de Adam e fui para casa. Fiz biscoitos de manteiga segundo a receita de Karen Goren.

Adam voltou às oito horas da noite. Desceu suado da bicicleta, apesar do frio lá fora. Uma hora e meia antes, eu tinha ligado para ele para perguntar se era para ir buscá-lo depois do curso. Ele disse "não precisa". A frieza em sua voz me assustou. Você dá à luz um filho, e a primeira coisa que ele faz quando sai do útero é chorar na própria voz, que não é a sua. Pois, até o nascimento, ele falava pela sua garganta, e quando tinha fome, você queria comer, e agora ele chora com a voz dele, e você dá graças por essa voz que anuncia que está tudo bem, que ele respira sem precisar de você. Você ouve um primeiro gorgolejar, um primeiro balbucio, uma primeira fala. Você vai guardando frases, até que um dia aquela voz familiar muda. No caso de Adam isso aconteceu aos poucos. Foi minha mãe quem nos disse, ao fim de uma conversa telefônica três anos atrás: "A voz dele não parece a mesma. Ele está doente?". "Não", respondi. "Ele está crescendo."

Agora ele trancou a bicicleta na garagem e entrou em casa, deixando Kelev entrar com ele. Pus a quiche de cogumelos na mesa e o observei, satisfeita, enquanto a devorava com apetite. "Como foi no Uri?"

"Legal."

"O que vocês fizeram?"

"Corremos. Tem sobremesa?"

"Tem sorvete."

Kelev veio ficar junto à mesa. Adam acariciou sua cabeça num movimento circular. E eu, que queria afagar a cabeça de Adam, mas não sabia se ele ia permitir, inclinei-me para Kelev e também acariciei sua pelagem marrom.

Quando terminei de lavar a louça, fui para a cama e liguei a televisão. Ouvi Adam e Kelev quando saíram para um passeio e voltaram, e a televisão no quarto de Adam ser ligada, e assim ficamos, ele em seu quarto e eu no meu, cada um assistindo a um programa diferente. Permanecemos assim até que os latidos vindos da casinha de cachorro no quintal nos fizeram correr para fora, irrompendo cada um de seu quarto, correndo escada abaixo, enquanto atrás de nós as duas televisões continuavam com seus programas.

24.

Quando chegamos, ele ainda vivia. Seu pelo estava coberto de sangue e algo mais (querosene, compreendi após um instante, tinham derramado querosene nele, queriam queimá-lo vivo). Kelev gania de dor, um ganido baixo, terrível, que deixou claro para mim, mais do que o sangue e o aspecto de seu crânio no lugar em que a pedra o atingira, que dessa vez nenhum veterinário conseguiria salvá-lo. Mas minha voz não revelou isso, minha voz estava firme quando me dirigi a Adam dizendo: "Corra para casa e ligue para Uri".

Temi que não me obedecesse, mas ele correu para dentro, como se estivesse esperando que alguém lhe desse ordens, que alguém lhe dissesse o que, diabos, ele devia fazer. Ajoelhei-me junto a Kelev. A pele rósea em seu dorso estava agora coberta do sangue que escorria de sua cabeça. Acariciei-o com delicadeza e senti o sangue e o querosene mancharem minha mão e a manga. Ele ficou ali deitado, olhando para mim. Sua respiração era muito rasa e fraca. Já não tinha força para gemer. Sua cabeça estava um pouco deformada pelo golpe que sofrera, mas os olhos permaneceram iguais, negros e bons. "Perdão, Kelev", sussurrei. "Perdão." Ele abriu a boca e vomitou. Vi sua língua cor-de-rosa, que costumava se projetar para fora junto à mesa, quando esperava que Adam lhe desse alguma coisa. Olhei diretamente para ele e sussurrei cãozinho bom cãozinho bom cãozinho bom, até compreender que ele já não me via mais.

Naquele momento, depois que ele morreu, não senti tristeza. Na verdade, não senti nada. Pois apesar de saber que a imagem de Kelev em nosso gramado iria me perseguir por toda a vida, que anos se passariam até que o som de seu ganido me largasse, apesar de seus olhos pretos me terem perfurado o peito, naquele momento meu coração estava trancado e bloqueado e minha cabeça só pensava numa coisa: Adam não pode ver isto.

Pois eu tenho um filho neste mundo e sou responsável por ele. Sou responsável por impedi-lo de saber as coisas terríveis que as pessoas são capazes de fazer. Só por isso eu tinha mandado que fosse se comunicar com Uri, porque, para mim, estava claro que o chefe de Estado-Maior Uri Ziv não podia fazer nada por nós naquele momento, além de cavar um grande buraco no jardim.

Não desperdicei nem um minuto. Combatendo no exército dos progenitores, corri do gramado para a churrasqueira, tirei a cobertura de plástico da grelha e voltei correndo para Kelev, para cobri-lo antes que Adam voltasse. Estendi o plástico por cima do corpo sem vida sobre a grama e o cobri rápido quando de repente ouvi um grito de gelar o sangue atrás de mim. Adam estava na porta de casa. Olhava para a grama, para o lugar onde jazia coberto o filhote de cão que ele tinha salvado cinco anos atrás. Um filhote assustado e ferido que naquele dia subiu na bicicleta junto com ele e comeu de sua mão, em conta-gotas, nos dias seguintes, e o acompanhava a toda parte, e todo dia corria para ele, quando voltava da escola. De repente compreendi como fora ridículo meu esforço para cobrir Kelev. A cobertura de plástico preto podia esconder o crânio esmagado e os olhos vidrados, mas não podia esconder o fato de que nosso cão estava morto. Alguém tinha entrado em nossa casa e o matado.

"Adam", eu disse, e estendi a mão para ele. Mas ele me ignorou, projetou-se à frente e tirou o plástico, ergueu o corpo sem vida e pôs a alma para fora num grito, gritou como nunca eu o tinha ouvido gritar. Nunca pensei que uma garganta humana fosse capaz de produzir sons como aqueles. Ele afundou o rosto na pelagem negra, coberta de sangue e querosene, e chorou, balbuciando dentro dela frases fragmentadas (quantas vezes o vi sussurrar para Kelev palavras tranquilizadoras, quando o cão se assustava com algum barulho e começava a latir, só Adam sabia acalmá-lo). "Adam", eu me ajoelhei a seu lado. Pus a mão em suas costas, mas ele não se virou para mim, acariciava o pescoço de pelo denso e macio, roçava com dedos trêmulos a cicatriz no dorso. E até que a cicatriz não era feia, feio era quem a tinha feito.

"É por minha causa", ele disse com a voz embargada, "eles fizeram isso com ele por minha causa." E antes que eu conseguisse dizer algo, ele se deitou no solo, gemendo e gritando, batendo com a cabeça repetidas vezes no chão, como nos acessos de birra quando tinha dois anos de idade, só que então era uma criança e agora é um rapaz. E sua explosão era tão forte, uma perda de controle tão violenta e absoluta, que involuntariamente recuei, temendo receber um pontapé de uma perna desvairada. "Acalme-se", sussurrei. E, por fim, também gritei: "Adam, acalme-se!". Mas ele não se acalmou, tive a impressão de que seu choro ficava mais forte, sacudindo todo o seu corpo, a dor o torturando por dentro. Foi assustador vê-lo assim, e não menos assustador foi descobrir que eu não era capaz de acalmá-lo. Pois quando tinha dois anos, quando surgiram esses acessos, eu era a única que sabia como lidar com eles. "Um abraço de aço", era como eu e Michael chamávamos aquilo. Eu envolvia o pequeno corpo em meus braços e não deixava que saísse, mantendo-o assim até que o acesso passasse e ele voltasse a si. E agora, aos dezesseis anos, eu não era capaz de lhe impor aquele abraço de aço. Eu não podia ajudá-lo.

Não sei por quanto tempo ele ficou gritando ali no gramado, junto ao corpo de Kelev. Luzes se acenderam nas casas dos vizinhos, mas ninguém saiu. Toda vez que eu achava que o choro se amainava, vinha uma nova onda de gritos e gemidos. Minha impotência me pesava e paralisava. Por vezes temi que Adam fosse enlouquecer. E talvez já tivesse enlouquecido. Talvez aquele fosse o aspecto da loucura. Algo terrível acontece e a alma simplesmente desaba diante disso, quebrando de uma só vez, e tudo que resta é um corpo que grita e esperneia.

Não consegui mais olhar para ele. Não conseguia ver seu rosto vermelho, distorcido, cheio de lágrimas e saliva. Não conseguia mais ouvi-lo gritar assim, como um animal, e não como gente. A cada minuto era menos o meu filho e mais alguém — não, mais uma coisa — enlouquecida.

Desviei os olhos dele, olhei para a cerca. Tapei os ouvidos para não ouvir os gritos. (Fui embora, eu estava lá, mas fui embora.) Nem ouvi o carro se aproximando, o ruído de passos correndo pelo gramado. Até o momento em que Uri se ajoelhou junto a Adam, seu grande corpo cobrindo o do meu garoto como uma gigantesca águia. "Chega", ele disse, "chega, está tudo bem", e pôs a mão no ombro de Adam. Adam continuou a se agitar, mas Uri não recuou. Estendeu sua outra mão e o abraçou com força. E dentro desse abraço, dentro do abraço dele, meu filho por fim se acalmou.

25.

Propus que entrássemos em casa. Queria que Adam lavasse o rosto, bebesse algo, talvez tentasse dormir. Mas Uri disse: "Um momento, primeiro vamos enterrá-lo". Ele foi até a garagem, voltou com ferramentas e disse para Adam: "Avante, não vou fazer isso sozinho". Adam levantou-se, ainda ofegante, longas horas se passariam antes de ele voltar a respirar de modo normal. Com mãos trêmulas, pegou a pá e começou a cavar junto com Uri no quintal dos fundos. Tiveram de mudar o local duas vezes, por terem chegado a um cano. Na terceira vez, cavaram fundo o bastante. Uri depositou o cão delicadamente; Adam tornou a chorar, mas então em silêncio, um choro amargo de adultos. Uri pôs a mão em seu ombro e disse: "Venha, vamos cobri-lo". Adam obedeceu.

Entramos em casa. Preparei um chá. Ficamos sentados, os três, na cozinha, sem dizer nada. Eram onze da noite. Depois,

Uri subiu com Adam até seu quarto e ficou com ele durante quase uma hora. Por fim, a porta se abriu e Uri voltou sozinho. "Está dormindo", me disse.

"Sobre o que vocês conversaram?"

"Eu contei para ele sobre uma operação em que vi um amigo meu ser morto."

Tive vontade de vomitar, mas em vez disso lavei as xícaras de chá. "Obrigada por ter vindo", disse enfim, quando já não havia louça na pia a ser lavada.

"Vou dormir aqui esta noite", ele disse. Assenti. Ao cabo de um instante, sussurrei mais uma vez: "Obrigada".

E novamente o quarto de hóspedes no andar térreo. A mesma roupa de cama que tinha estendido na véspera. Fronha para o travesseiro. Edredom do armário. Um abajur ao lado da cama. Dei uma toalha para Uri e, quando ele entrou no banheiro, pus sobre a cama o moletom de Michael, que achei que lhe serviria bem.

Subi para o andar de cima. Fui para o chuveiro com passos pesados. Tirei a calça de moletom e fiquei de calcinha. Ia tirar a blusa quando vi as manchas de sangue na manga. E só nesse instante, sabendo que Adam estava dormindo e não ia me ouvir, me permiti por fim chorar. Fiquei sentada na borda da banheira, a cabeça entre as mãos. As lágrimas rolavam por minhas faces. Abracei as pernas e cravei as unhas na carne da panturrilha, para não gritar.

"Lilach?"

Uri estava no outro lado da porta. Sua voz era macia e cautelosa. "Lilach? Você está bem?"

Quis dizer que sim, mas nenhuma voz saiu da minha boca. O choro inundava minha garganta e meu rosto. Ele abriu a porta e me achou sentada na borda da banheira, amarfanhando com os dedos a manga coberta de sangue. Seus olhos verdes eram tranquilos e amáveis quando se ajoelhou diante de mim. Mas o abraço de Uri, que conseguiu acalmar Adam, teve efeito oposto em mim. Todas as lágrimas que tinha contido naquela noite irromperam então, pois enquanto Adam estava acordado, eu era a adulta responsável, a mãe no controle, mas, agora que ele dormia, passei de adulta responsável a menina assustada. Como se somente então, quando Adam adormecera, me viesse a plena consciência da perda de Kelev, de todo o terror que aquela noite trouxera consigo. Vá embora, eu quis lhe dizer, seu abraço só me fragmenta, mas não consegui falar nada. Uri acariciou meu ombro. "Venha", disse, "você vai se resfriar." Ergui a manga manchada de sangue e mostrei a ele. Ele olhou para as manchas vermelhas e disse baixinho: "Tire isso". Fiquei como estava, na borda da banheira. Uri estendeu a mão, abriu o zíper e tirou meu agasalho, que exalava um leve cheiro de querosene. "Vou lhe trazer uma roupa", ele disse, e saiu. Tirei a camiseta e a calcinha e tomei uma ducha sentada, não tive força para ficar de pé, a água escorria e se misturava com as lágrimas. Por fim, me enrolei numa toalha e saí.

Numa cadeira, no lado de fora, me esperava a roupa que Uri trouxera para mim. Eu a vesti diante do aquecedor, no banheiro. Quando me acalmei um pouco, entrei no quarto de Adam e arrumei seu cobertor. Mesmo dormindo, sua respiração ainda estava entrecortada. Seu corpo tremia na cama.

Saí do quarto e fechei a porta delicadamente. Uri estava no corredor e cravou em mim olhos interrogativos. "Só quis verificar se estava coberto", eu disse, e ele assentiu e perguntou se poderia usar o computador no escritório de Michael por alguns minutos, precisava enviar alguns e-mails e tinha deixado o telefone em casa quando correu para o carro.

Deitada na cama, coberta por todos os lados, liguei para Michael. Ele não atendeu. Liguei mais uma vez, e, quando de novo não atendeu, liguei para Jane. Desculpe pela hora, Jane, eu pretendia dizer à secretária de voz melosa, mas tenho de falar com ele, talvez você tenha o número de algum dos outros representantes em Washington. Ela tampouco atendeu. Frustrada, liguei para o hotel. "O sr. Shuster está?", perguntei.

"Não, senhora, ele foi embora esta manhã."

"Como assim?", me surpreendi. "Ele está em Washington esta noite."

"Pode ser, senhora, mas não em nosso hotel."

Desliguei. Por que Michael mudou de hotel? E por que não me disse que mudou de hotel? Tentei ligar outra vez para ele. Em vão...

Liguei novamente para Jane. Certo, era tarde da noite, mas uma moça bonita como ela com certeza estaria agora em algum bar na cidade. Pois a julgar pelo que Michael me contou quando lhe perguntei, Jane Green deveria estar agora em San Francisco, Califórnia. Na última festa da companhia nós conversamos um pouco, eu e Jane. Ela usava um vestido curto de cetim, cujo irmão gêmeo estava pendurado agora em meu armário e nunca fora usado. Ela ria muito, contou-me com orgulho que tinha mil seguidores no Instagram.

Tornei a ligar para Michael, e de novo para Jane, e quando não atendeu, eu a procurei no Instagram. O último *story* tinha sido postado em Washington, naquele dia, à tarde.

Era bem típico de Michael isso de mudar de hotel, para que os outros membros da equipe não os vissem juntos, e eu sabia que isso não mudava nada. Isso é o que fazem os vice-presidentes, transam com suas secretárias, é parte das exigências do cargo. Não porque tivesse deixado de me amar, apenas porque podia fazer isso.

Desci para a cozinha. Tinha de fazer algo com as mãos. Minha mãe sempre dizia que quando as mãos estão ocupadas, a gente não chora, e diferentemente de outras coisas que minha mãe dizia, nesse ponto ela tinha toda razão. Resolvei fazer biscoitos, ou algo assim, para termos no dia seguinte. Peguei uma tigela, farinha, manteiga, e quando me virei, vi Uri atrás de mim.

"Você não está dormindo, Uri?"

"Você não está dormindo, Lilach?"

"Não estou conseguindo", respondi. "Pensei em fazer biscoitos." "Ótimo, vou aprender a receita." Eu queria que ele fosse para o quarto e me deixasse só. Não tinha forças para falar. Mas ele ficou lá, e não seria agradável mandá-lo embora. Comecei a preparar a massa e deixei que ficasse me observando, sem falar, enquanto eu misturava e mexia e amassava, e o tempo todo ele me olhando, aprendendo. Por fim, pus a forma dentro do forno e ajustei o timer. "É isso, teremos biscoitos amanhã de manhã, vou preparar um pacote para você levar ao escritório."

"Obrigado."

"Desculpe por ontem, Uri, se eu não tivesse mandado você embora, talvez, talvez isso não tivesse..." E de repente comecei a chorar de novo, agora em voz alta, um choro entrecortado. Uri disse assustado: "Shhhh, você vai acordar Adam". E apressou-se em me fazer entrar no quarto de hóspedes ali ao lado e fechar a porta. Ele me abraçou novamente, um abraço apertado, e eu me afundei em seus grandes braços, em seu peito largo, que exalava um forte aroma, e ele passou a mão em meus cabelos, "shhh, está tudo bem", seus dedos envoltos em meus cabelos, subindo e descendo pela nuca, num movimento destinado a me acalmar, mas me excitando, excitando-o. E dentro desse abraço, eu o senti pressionar embaixo, como estava duro, e sabia que estava sentindo meus seios, livres debaixo da blusa, junto a ele. Nossas respirações de repente estavam muito pesadas, e a saliva em minha boca, muito doce, e todo o meu corpo dizia a ele que viesse, que viesse logo para mim.

Parte III
Pátria

I.

O motorista, na saída do aeroporto Ben Gurion, pediu mil e duzentos shekels para nos levar ao kibutz Gadot. "É um preço abusivo", eu lhe disse, mais chocada com a ousadia do que realmente irritada. Ele deu um largo sorriso: "É isso aí, senhora, se quiser, tudo bem, se não quiser, também". Michael dispôs-se a pagar, os anos na América haviam atrofiado seus músculos da pechincha e, de qualquer maneira, ele não tinha cabeça para essas bobagens agora. "Espere um momento", eu disse, e tornei a entrar no saguão do aeroporto. Contornei uma família de religiosos que ostentava uma placa que dizia: "Bem-vindo, Avitar". Esgueirei-me entre soldadas de farda que pulavam aos gritos em volta de uma garota com dreadlocks e fui até dois homens corpulentos que estavam no balcão do café oferecendo em voz baixa uma viagem barata num táxi não permitido. "Quanto até o kibutz Gadot?" O mais jovem me examinou com o olhar, passando pelos brincos e anéis, e disse: "Dois mil shekels". Sorri e ele também sorriu. Atrás dele, uma menina de saia começou a chorar apontando para cima, para um balão que subia em direção ao teto. O mais jovem disse então: "Mil e duzentos". "Mil e duzentos me propuseram para o táxi permitido." O mais velho interveio na conversa: "Então, mil". E quando hesitei, acrescentou: "*Ial'la*, minha querida, não vai achar nada melhor".

Dez minutos depois já estávamos no engarrafamento da Rodovia Um. Eu estava com calor. Não tinha feito bem as malas.

A chamada telefônica tinha sido no meio da noite, o voo que conseguimos era de manhã cedo e, com tudo isso, eu tinha esquecido completamente de verificar como estava o tempo em Israel. Agora, olhava pela janela para os carros lá fora. Abri o vidro e inspirei, com hesitação. Após dezesseis horas no ar reciclado dos aviões — vinte horas, considerando a conexão em Washington —, o ar fora do táxi era uma mudança positiva. Pareceu-me que, além do calor e da fuligem, eu sentia mais um cheiro, talvez dos laranjais no outro lado da estrada, mas Adam reclamou no banco da frente. "Então, mãe, fecha, está quente", e eu me apressei em obedecer. Michael ligou para Assi. "Em terra", ele disse, "estamos no táxi. Vamos direto para o cemitério."

O motorista olhou para nós pelo retrovisor. Acho que, mesmo antes da ligação, ele suspeitava que éramos do tipo que voltava por causa da morte de alguém. Michael estava encolhido, o punho junto ao rosto. Você tem de estender a mão e tocar nele, eu disse a mim mesma, ele precisa de você. Adam estava no banco da frente, próximo ao espelho, de onde pendia uma *hamsa* que balançava a cada curva abrupta do motorista. Michael estava no assento a meu lado, e entre minhas coxas eu ainda podia sentir a presença de Uri (porque, de fato, quase vinte e quatro horas já haviam se passado, mas o tempo num avião é uma cápsula congelada, uma parada compulsória na corrente pulsante da vida em si mesma). Eu afundei no banco de couro. Como é que todos sempre se preocupavam com a saúde de Moshe, com todos aqueles cateterismos e safenas, e no fim foi Ada quem se foi primeiro? Quando Michael me ligou de Washington no meio da noite, não compreendi de início que estava se referindo a ela. Estava certa de que me contava que seu pai tinha morrido. Desde sua primeira internação numa UTI, essa possibilidade soava em cada chamada telefônica de Israel. Ninguém pensou que Ada se anteciparia. Não só porque Ada estava constantemente atrasada, mas sobretudo porque não parecia ser o tipo de pessoa que morre. Sua fala era sempre tão frenética quanto seus movimentos — o tilintar permanente de pulseiras, colares e anéis. Por isso não entendi quando Michael me ligou no meio da noite. E talvez, no táxi a caminho do kibutz, eu ainda não estivesse realmente entendendo, teria de chegar ao cemitério para poder acreditar.

Ada tinha morrido às oito horas da manhã no Hospital Poriah, mas Moshe e Assi esperaram para dar a notícia e, com a diferença de fuso horário, só viemos a saber no meio da noite. Como foi difícil e terrível imaginar as horas em que Ada agonizava no Poriah, enquanto nós, na Califórnia, não fazíamos ideia de nada, nem sequer pensávamos nela, e as horas intermediárias depois disso, em que, para nós, ela continuava viva, quando na verdade não estava mais.

Assi estava nos esperando na entrada do kibutz. No caminho para o cemitério eu disse a Iael que tinha sido terrivelmente súbito, e ela olhou para mim, surpresa: "Quão súbito pode ser um câncer?". Michael estava não muito longe de mim, seu punho coberto de marcas deixadas por seus dentes, e não parecia ter ouvido nada. Mas à noite, depois que todos que vieram prestar condolências foram embora, vi que ele e Assi estavam discutindo na varanda. "Como vocês ousaram não me contar isso?", ele perguntou com sua tranquilidade michaélica, que me estressa mais do que os berros mais fortes que possa haver. "Mamãe não queria preocupar você, o que você poderia fazer sabendo disso na América?"

Michael pegou um cigarro do maço de Assi — não o acendeu, apenas o rolou sobre a mesa, como se tivesse prazer em mostrar a Assi que, diferentemente dele, não precisava daquilo. "Não me interessa o que nossa mãe queria, estou falando com você — você tinha de me contar." Assi apagou o cigarro no vaso de rosas — se Ada estivesse aqui, daria um tiro nele por isso — e virou-se para Michael. "Michael, com todo o respeito, você não estava aqui quando eu corria da radioterapia de mamãe no Poriah para o cateterismo de papai no Assutal, então não me venha agora com reclamações."

Michael arrancava, distraído, algumas ervas que cresciam junto às bordas do vaso. No cigarro que Assi tinha apagado ali, ele teve o cuidado de não tocar. "De agora em diante, você me informa de tudo que disser respeito à saúde do papai, ouviu?"

Assi disse: "Sim, comandante", e sorriu. Estava claro que estava dizendo *vá se foder*.

2.

Fomos dormir no antigo quarto de Michael, no sofá-cama. A roupa de cama cheirava a murta. Era um truque de Ada. Uma vez por semana ela colhia ramos de murta à beira dos caminhos do kibutz, punha nos armários e tirava na manhã seguinte. Finalmente tirei a roupa que tinha no corpo desde a mobilização apressada em Palo Alto. Tomei um banho meticuloso no pequeno banheiro. Deitei no sofá já aberto. Michael veio atrás de mim, tateando no escuro, e eu fui grata à escuridão que escondia meu rosto dele. Seu corpo debaixo do cobertor era grande como sempre, mas sua voz era muito fraca quando disse: "Quando eu estava no primeiro ano, fui com ela colher frutas, e ela tropeçou e torceu o tornozelo. Em vez de ajudar, comecei a gritar com ela para que se levantasse de uma vez. Não estava me importando nada com ela, só tinha medo que minha mãe caísse e não se levantasse, e eu ficasse sem mãe".

Ficamos calados. Podia se ouvir o vento rugindo lá fora, entre os juncos. "Assi tinha razão", sussurrou Michael um instante depois, "ela sabia por que estava escondendo a doença de mim. Eu tinha fugido da responsabilidade de cuidar deles."

"Você não fugiu", eu disse com delicadeza. "Você viajou para trabalhar. É isso que filhos fazem quando crescem. Eles saem de casa." Ele balançou a cabeça negando. "Filhos normais saem de casa e vão para Kfar Saba, como Assi, ou para Kiriat Ono, como sua irmã. Não vão para a outra extremidade do mundo. *Rabak*, Lilo, tiveram de esperar um dia inteiro com o enterro por nossa causa."

"Todos se sentem culpados quando seus pais morrem, Michael. Não é por causa da realocação."

No meio da noite, ouvimos Adam chorar no pequeno quarto ao lado. Os outros talvez pensassem que estava chorando por causa de Ada, mas eu sabia que era por causa de Kelev. Fui até ele. Abracei-o sem falar. Esperei que adormecesse. Contava que Michael já estivesse dormindo quando voltasse para a cama, mas estava acordado. Quase não dormimos naquela noite. Michael se revirava na cama e, deitada a seu lado, eu tentava parar de pensar em Uri. Lembrei o gosto de sua boca na minha, o momento em que me penetrou, o modo como seus dedos passearam em meu corpo. Durante todo aquele dia, eu temia que meu corpo me traísse, se alguém olhasse para mim de verdade. As faces coradas, os olhos ainda tomados pela visão de outro corpo, estranho, em cima do meu. Mas ninguém viu, ninguém adivinhou.

As pessoas que vieram prestar condolências após o enterro diziam a Moshe que bela nora ele tinha, e não sabiam que nem sempre eu era bonita assim, o que eu tinha feito foi o que avivou cada detalhe do meu rosto.

Nos dias seguintes, Michael serviu amendoins, sementes de girassol e biscoitos e atendeu a todos na *shiva** como se deve. E durante as noites, ele afundava em meu colo e chorava, sem dizer uma palavra. Não fosse o molhado em minha

* Período de sete dias após o falecimento, durante o qual a família não sai de casa e recebe os que vêm prestar solidariedade.

blusa onde seus olhos haviam tocado, eu não saberia. Pouco depois do nascer do sol, ele se levantava e saía para correr na estrada que rodeava o kibutz, como antigamente, e eu ficava na cama, tensa, atenta a qualquer ruído que Adam fizesse ao despertar. Pensei que ele ia passar a *shiva* com Tamir e Aviv, mas, a maior parte do tempo, se fechou no antigo quarto das crianças, olhando as fotos de Kelev no telefone. Quando eu entrava, deixava que lhe acariciasse as costas, não afastava minha mão (era como acariciar o dorso de Kelev, pensei, ele está deixando você tocar na pele exposta).

Eu passava o dia na pequena sala de Moshe e Ada, servindo bebida, conversando com uma onda interminável de pessoas que vinham expressar suas condolências. Parentes e conhecidos não paravam de vir, apertavam as mãos, sentavam-se na varanda, diziam a Michael: "Então, que tal a vida na América?". Perguntavam onde achávamos que era melhor. Por vezes seguidas, Moshe pegava seu telefone e mostrava aos visitantes fotos que tinha tirado em nossa casa. O aparelho passava de mão em mão, e os visitantes olhavam admirados para a piscina. Quando chegou a vez de Assi, ele passou o telefone a quem estava a seu lado, sem olhar.

Decidimos que iríamos para Haifa logo após a *shiva*. Minha mãe sugeriu que dormíssemos em sua casa, mas, no último dia da *shiva*, saí por um momento da sala e procurei um hotel. "Encontrou alguma coisa?" Michael estava na porta do quarto que uma vez fora o nosso, mastigando um salgado de azeitonas de Ada, que esquentara no micro-ondas. O freezer de Ada e Moshe estava abarrotado de quitutes como aquele, e para nós todos estava claro que Ada tinha programado muito bem sua *shiva*, preparando tudo a tempo, pois não confiava que Moshe soubesse como receber as pessoas sozinho.

"Acho que sim", eu lhe passei o telefone para que visse as fotos do hotel. "Eles escrevem que a piscina é aquecida."

"Eu não lhe contei a situação surreal por que passamos no hotel em Washington!", ele disse. Desabei numa cadeira, mas Michael não notou. Ele engoliu o resto do salgado de uma só vez e continuou a falar: "Na segunda noite, Berman resolveu nos fazer mudar de hotel — tome nota para a posteridade — por suspeita de espionagem industrial!"

"Espionagem industrial?"

"Ele identificou no bar do hotel um chefe de equipe que uma vez trabalhou conosco e agora trabalha com os concorrentes. Isso o deixou preocupado, então foi atrás de informações e descobriu que todas as delegações que tinham vindo fazer uma apresentação no Pentágono estavam hospedadas no mesmo hotel. O homem *explodiu* em cima de Jane e Alice — como é que elas não tinham perguntado isso quando reservaram os quartos?"

Água gelada corria agora em minhas veias, enquanto Michael continuava a contar: "Veja só, ele mandou Jane ir para Washington em menos de duas horas, para encontrar um outro hotel para toda a delegação e reprogramar toda a logística".

"E ela encontrou?" Minha voz soou metálica e inexpressiva, mas Michael estava mergulhado demais em sua história para perceber. "Sim, no outro lado da cidade. Esperamos meia hora por um táxi e ficamos mais uma hora e meia num engarrafamento, na hora do rush, só por causa de Berman e da paranoia dele."

"Lilo, está tudo bem?" Michael inclinou-se em minha direção. Desde que chegamos, ele só tinha vestido um jeans esfarrapado e camisetas que tirava do antigo armário dele e de Assi. Na blusa que vestia agora estava escrito *Corrida em torno do Kineret* em letras desbotadas de tanta lavagem. Se algum dos seus funcionários estivesse aqui agora, não o reconheceria.

"Lilo?"

Eu não chorei. Não disse nada. Fiquei sentada, as mãos abraçando meu corpo, e Michael logo entendeu que não era por causa de Ada, curvou-se para me abraçar e passou sua grande mão em minhas faces, meu rosto, minhas costas.

3.

O hotel em Haifa estava cheio de franceses. Adam e Michael faziam imitações deles no refeitório, espichando os lábios, prolongando sílabas e caindo na gargalhada toda vez que eu sussurrava: "Shh, eles vão nos ouvir". "Eles vão nos ouuuuuuvir", disse Michael, prolongando o U, como se fosse uma paródia de um pintor em Montmartre, e Adam riu tão forte que o suco de frutas do café da manhã lhe escorreu pelo nariz. "Venci", declarou Michael com satisfação, pois no último dia da *shiva* eles tinham feito uma aposta — quem ia fazer o outro rir a ponto de verter o que estivesse bebendo pelo nariz. Eu não estava lá quando apostaram, estava voltando de uma caminhada em volta do kibutz, mas, quando me aproximei da casa de Moshe e Ada, ouvi as risadas ainda de longe. Um riso de *shiva*, desregrado e desafiador.

Com que facilidade Michael tornou a entrar naquela vida de kibutz. Três voltas correndo pela estrada que circundava o lugar toda manhã. Salgados de azeitona na varanda, ao meio-dia. À noite, quando os que vinham prestar solidariedade iam embora, Assi, Michael e os garotos iam jogar futebol. Às vezes alguns amigos se juntavam a eles. Assi disse que, a partir de agora, iam fazer isso uma vez por ano. "Vamos chamar de Torneiada." Mas no último dia da *shiva*, algo em Assi esfriou. Michael tirou a mala de debaixo da cama e levou para o carro que tínhamos alugado. Assi olhou para a mala com olhos apertados e disse: "Então é isso, *back to America*". Michael olhou para a bola que estava num canto do terreno e disse para Assi:

"*Ial'la*, mais um jogo". Por um momento era possível pensar que nunca havia partido, como se desde sempre tivesse estado aqui, nas refeições das sextas-feiras e nos dias úteis, nos jogos de futebol e no *hamsin*.

Eu o invejei. Como, em determinado momento, ele é capaz de deixar de ser Michael Shuster, CEO, e simplesmente entrar no quarto de sua infância e ser de novo aquele garoto do kibutz, que joga futebol, ou esse pai que ri com seu filho dos turistas franceses num hotel em Haifa. Comigo isso não funcionava assim. Duas vezes os garçons se dirigiram a mim em inglês. Talvez eu nunca esteja em casa, nem aqui nem lá.

À noite, fomos ver minha mãe. Por três vezes me confundi no caminho por causa dos bairros novos. Quando enfim chegamos, todos trocaram abraços e beijos. Em volta da mesa de jantar, desenrolou-se uma animada conversa sobre um astro de *reality show* que eu não conhecia, que tinha molestado sexualmente uma cantora da qual eu nunca tinha ouvido falar. Adam estava sentado ao lado de minha mãe, que amontoava comida em seu prato, como se tivesse de compensá-lo por dezesseis anos de fome absoluta. Assim que chegamos, minha mãe deu a Adam um longo abraço que me aqueceu o coração e quase derreteu aquele ponto gelado que havia lá, bem no centro, onde o nome dela estava gravado. Mas então minha irmã e seu marido chegaram com os três netos, e vi como minha mãe os abraçava. Não que o abraço nos netos que viviam em Israel fosse mais longo. Pelo contrário, talvez apenas porque esse amor era tão natural, fluindo por si mesmo, não havia necessidade de demonstrá-lo.

Quando terminamos de comer, eu me levantei para tirar a mesa. Minha mãe se inclinou para a lava-louça e subitamente me pareceu muito pequena, mais encurvada do que eu me lembrava. "Preciso perguntar a Nitsan", pensei. Mas talvez minha irmã não tivesse percebido essas mudanças. O tempo passou para ela e minha mãe no mesmo ritmo, era o mesmo rio, elas mudaram juntas. Só para mim, que tinha vindo de longe, as mudanças eram repentinas como um soco.

"Então, como vão vocês?", minha mãe perguntou através da pilha de louças. "Como está Michael?" "Ele está bem", eu disse, "está digerindo." Minha mãe assentiu e estendeu a mão para pegar o detergente. "E como vai Adam?"

"Vai bem", respondi. "Espero que ele não tenha sentido demais a morte de Ada", ela disse. Não mesmo, eu quis dizer, mas me contive. Pois assim como não tinha sentido a morte de Ada a fundo, talvez não levasse a de minha mãe, quando chegasse o dia. Talvez fosse isso que ela tinha perguntado. "Ele vai ficar bem", falei após um momento. E arrumei as xícaras de café na bandeja.

"E quanto àquele garoto da escola dele que morreu?"

Parabéns, mãe, mesmo quando você está encurvada junto à lava-louça, ocupada arrumando os pratos sujos, ainda sabe bater exatamente onde está doendo. "Foi por causa de drogas", eu disse.

Ela se afastou da lava-louça e tirou pratos de sobremesa do armário. "Acredite em mim", suspirou, "as crianças de hoje em dia... E você está dizendo que Adam não ficou abalado?"

Eles mataram nosso cão, mãe. Jogaram uma pedra em nossa casa. "Não, não mesmo. Ele está numa fase boa. Participa de um curso de que gosta muito."

"Aquele do Mossad."

"Como assim?"

"Você contou ao telefone que um membro do Mossad estava dando o curso."

"Ah, isso foi Adam quem disse uma vez. Quando começou a frequentar as aulas. Não sei se é verdade."

"É pena", ela disse. "Já contei a todos no cabeleireiro que meu neto está estudando para ser um agente do Mossad."

Voltamos para a sala com a bandeja do café e os bolos. Michael não tocou na sobremesa, foi para um aposento lateral e mergulhou numa conversa telefônica com Berman. Quando estávamos voltando para o hotel, disse que tinha antecipado nosso voo para o dia seguinte. "Tem rumores de vazamento de informação. Berman está sob pressão atômica, temendo que o Pentágono descubra e cancele tudo. Se no fim optarem pela outra firma, é um prejuízo de milhões."

"Foi por isso que ele entrou num filme cheio de espiões no hotel em Washington?"

Michael não sorriu. "Isso soa um pouco exagerado, mas não é totalmente implausível. Não acho que ele acreditou mesmo que alguém viria espionar no hotel. Mas ficou pressionado pelo fato de que todas as delegações concorrentes circulavam pelo mesmo saguão."

"O que poderia acontecer?"

"Tem conversas, tem ensaios da apresentação que você não quer que ouçam. Algum idiota pode deixar um laptop aberto quando vai por um momento ao banheiro."

E eu me lembrei da expressão de Uri quando eu estava a seu lado, no meio da noite, no escritório, diante do computador de Michael. Seu belo rosto brilhava à luz que vinha da tela. "Preciso escrever alguns e-mails", ele disse, num tom de desculpas. Naquele momento aquilo me pareceu natural. E quando perguntou se por acaso eu sabia a senha de Michael, fui até lá e a digitei para ele. A data de nascimento de Adam. Naquele momento me pareceu lógico. Mas agora, nos declives de Haifa, senti de repente meus joelhos começarem a tremer.

4.

A funcionária do aeroporto perguntou se tínhamos feito as malas nós mesmos. Por trás dela estava pendurado um imenso pôster de Bar Refaeli. A pele reluzente da modelo só ressaltava as espinhas vermelhas no rosto da funcionária, quando se inclinou para colar em nossa mala a autorização de passagem. Fomos em direção ao duty-free, passando por fotos imensas de paisagens de Israel: soldados chorando no Muro das Lamentações, uma foto aérea da fortaleza de Massada, anêmonas em Gamla.

Dispúnhamos de algum tempo até a decolagem, e Michael foi até o duty-free para comprar Halva a preços módicos e levar para o escritório — *a present from Israel.* Uma atendente da companhia de cosméticos Ahava ofereceu-me lama mineral do mar Morto ao preço promocional de vinte dólares por sachê. Adam pediu para comprar um pacote de chocolates para seus colegas do curso.

Quando o avião decolou, fechei os olhos e me recostei na poltrona. Queria dormir, mas não consegui. Há pessoas que têm medo de voar, porém eu estava com medo do momento em que íamos pousar. Quando voltarmos para casa, Kelev não estará lá para nos receber. Quando voltarmos para casa, vou ter de perguntar a Uri o que estava buscando no computador de Michael no meio da noite. Uri… seu nome me fez transpirar apesar do exagero do ar-condicionado do avião. E Michael, como se tivesse percebido alguma coisa em meu arrepio, virou-se para mim de repente e disse: "Combinei com Uri de ele ir nos buscar no aeroporto".

"Você está regulando bem? Podemos pegar um táxi." "Ele propôs isso algumas vezes durante a semana… Por que não, Lilo? Ele é como se fosse da família."

Só então me dei conta de que ele estivera aqui conosco, em todos os últimos dias. Michael falava ao telefone com ele quase toda noite e se comunicava pelo WhatsApp durante o dia. O monitor de TV no avião informou que estávamos a uma altitude de trinta mil pés. Abaixo de nós o mar estava negro, opaco. Em nossa volta, o aroma de pãezinhos aquecidos no micro-ondas.

"O que você sabe sobre ele, Michael?"

Michael suspirou. Não entendera minha nova irrupção de hostilidade. "O que sei é que, durante a *shiva*, ele ligou toda noite para saber como estávamos e que cuidou para mim de dois projetos que, não fosse ele, se perderiam."

"Do M.C.G.?"

Ele olhou para mim surpreso. E balançou a cabeça, negando. "Ele não tem autorização para entrar em meus dados sobre o M.C.G. Berman concordou que entrasse na equipe, mas só no nível três." (Seu computador, Michael, o que havia no seu computador.) Ele esperou que eu reagisse, e como fiquei calada, continuou em tom conciliatório. "Mas fora o M.C.G., ele cuidou de tudo para mim."

"Se Jamal Jones não tivesse morrido, ele nunca chegaria na vida a um cargo como esse."

Michael olhou para mim perplexo. Mais do que isso, assustado. Ele pensou que eu estivesse desvairada. Adam estava na fileira de assentos ao lado, os olhos fechados, as pernas estendidas à frente, os fones de ouvindo tocando hip-hop a todo volume. Michael olhou para ele e tornou a olhar para mim. Eu falei rápido, sussurrando, para não lhe dar oportunidade de me fazer calar.

"Berman estava com medo de espionagem industrial. Talvez saiba do que está falando. Você trabalha em uma das empresas de segurança mais sigilosas no Vale, na qual ninguém consegue entrar. E para Uri você estendeu um tapete vermelho."

"Você enlouqueceu. Primeiro pensou que ele tinha criado um grupo secreto de *price tag* e agora pensa que… na verdade, o quê?"

"Sistemas de armas que interessam ao Pentágono, interessam ao Mossad também."

Ele abriu a boca, sem acreditar no que estava ouvindo. Eu sussurrei bem rápido:

"Uri disse que Adam ligou para ele quando Jamal morreu, mas e se Uri esteve na casa da família Hart ainda antes de Adam ter ligado, ou quem sabe Adam sequer ligou para ele?"

"Você percebe como isso parece loucura?"

"Alguém tentou incriminar Adam por algo que ele não fez. Eu achava que Netta era quem tinha falado com a polícia, mas talvez tenha sido Uri. Pense nisso, Michael: quanto mais nos preocupávamos com Adam, mais fundo deixamos Uri entrar em nossa vida."

"Basta", ele disse em tom agressivo. "Vamos parar com essa conversa." E inclinou o encosto de seu assento para trás e fechou os olhos.

Ficou treze horas de olhos fechados. Treze horas durante as quais fiquei olhando para o pequeno monitor de TV que informava a progressão do voo, quantos pés nos separavam do grande mar lá embaixo e quanto tempo faltava para chegarmos em casa. E enquanto o avião voava em linha reta, os pensamentos em minha cabeça voavam em círculos, projetavam-se para baixo, subiam vertiginosamente. Pessoas à minha volta se levantavam para ir ao banheiro, faziam alongamentos, assistiam a filmes nas telinhas de TV às quais se conectavam pelos cabos pretos dos fones de ouvido fornecidos pela companhia aérea. Refeições quentes foram servidas em utensílios de plástico. Copos de água foram bebidos. Livros foram lidos. Passageiros dormiam de boca aberta, de boca fechada. Fora do tempo, já não mais na hora de Israel e ainda não na hora dos Estados Unidos, meus olhos arregalados, minha língua seca dentro da boca: Foi você quem jogou a pedra, Uri? Foi você quem fez a pichação? E Kelev, foi você?

E Jamal?

5.

Assim que pousamos em San Francisco, Michael ligou o telefone e verificou se o fuso horário estava corrigido. Meu telefone continuou a mostrar a hora de Israel. Não o corrigi. Nos próximos dias, seis da tarde seriam sete da manhã, nasceres do sol seriam pores do sol, e vice-versa. E levando em conta tudo o que aconteceu, até que foi muito lógico.

Quando saímos da esteira das malas no aeroporto, Michael olhou em volta, procurando Uri. Estávamos com os pacotes e os presentes que compramos no duty-free. No avião, ainda tínhamos ouvido hebraico de todos os lados, a língua nos cercava como as murtas de Ada. Fora do aeroporto, o hebraico se dissipou e desapareceu numa mistura de inglês e outras línguas. Não muito longe de onde estávamos, identifiquei uma família que estivera no avião e agora tentava regatear o preço do táxi. O taxista olhava para eles espantado e repetia o preço que tinha estipulado um momento antes. Eles pareciam ter vindo para um passeio de bar mitzvah. O filho deles vestia uma camiseta do Barça. As meninas, um pouco mais velhas, faziam selfies com seus telefones.

"Onde ele está?", perguntou Adam, olhando em volta ansioso. Ele também estava esperando se encontrar logo com Uri. Eu temia o momento em que ia aparecer. Atrás de todo homem que se aproximava, me parecia vê-lo surgir, vestindo o casaco roto no qual eu o vira pela primeira vez na noite da festa, ou o paletó elegante que comprara pouco depois de começar a trabalhar na empresa de Michael. Logo eu estaria novamente diante de seus olhos verdes, que olharam de perto meu rosto naquela noite, quando gozei. Logo eu iria apertar de forma educada sua mão ursina, que tapou minha boca para eu não gritar de tanto prazer, e depois acariciou minhas faces com uma delicadeza que me surpreendeu.

Mas Uri não veio. Michael foi ao banheiro, escovou os dentes e trocou a camiseta de Israel por uma camisa. Adam também foi lavar o rosto e voltou pouco tempo depois, o cabelo penteado para trás. Por fim eu também fui, fiquei numa fila tranquila e organizada de mulheres americanas, urinei no ar para uma privada que brilhava de tanto alvejante, me maquiei. Esperava vê-lo quando saí do banheiro, mas Michael e Adam estavam no mesmo lugar. Sozinhos.

"Vamos ligar para ele", eu disse.

"Ele não atende", respondeu Adam, "papai tentou duas vezes."

Peguei o telefone e liguei também. Sem resposta. "Talvez tenha esquecido", sugeri.

"Talvez esteja num engarrafamento", disse Adam, "ou se enganou em relação à hora."

"Vamos pegar um táxi?", perguntei.

"Um momento com o táxi", interveio Michael. "Vamos checar antes se ele está bem."

Lá estava eu, repreendida, enquanto Michael tentava ligar novamente para Uri. Virei-me de costas para os dois. Os últimos passageiros do nosso avião já tinham entrado nos táxis e partido.

"Alô?"

Virei-me rapidamente para Michael. Pensei que Uri enfim tinha atendido. "Jane, é Michael, pousamos agora mesmo, e Uri Ziv deveria ter vindo nos buscar. Você por acaso tem ideia de onde ele está?"

Adam e eu estávamos a seu lado. A qualquer momento Uri ia ligar, se desculpar e dizer que tinha esquecido. Isso acontece com todo mundo. Michael iria acalmá-lo, não aconteceu nada. Mas à medida que o tempo passava, a preocupação no rosto de Michael aumentava. Adam passou uma mão nervosa pelo cabelo. Ao cabo de longos minutos, a secretária voltou à linha. Ouvi sua voz soar no telefone, junto à orelha de Michael, abafada demais para eu compreender o que estava dizendo, mas não precisei ouvir. A perplexidade no rosto de Michael já me bastava. Ele desligou sem se despedir.

"Uri está preso", ele nos disse, o rosto pálido. "A polícia o prendeu ontem à noite."

Michael foi o primeiro a se recompor, abriu o aplicativo e chamou um Uber para nos levar para casa. Quando estávamos carregando a bagagem, Jane ligou novamente e perguntou se ele poderia ir agora ao escritório. Berman estava estressado com a questão do Pentágono. Michael respondeu que sim e chamou outro Uber para ele. Quando nos separamos, prometeu a Adam que ia informá-lo assim que soubesse o que havia acontecido. A viagem para casa transcorreu em meio a esforços desesperados para conseguir alguma informação. Adam ligou para colegas do curso, mas estavam todos em aula, e o único garoto que atendeu não sabia de nada sobre a prisão. Quando chegamos em casa, Adam sentou-se no sofá na sala e continuou a fazer ligações, e eu me fechei no quarto e tentei desfazer as malas. Dez minutos depois, liguei para Michael. Quando atendesse, eu lhe diria tudo, sem esperar até a noite. Eu deveria ter feito isso muito antes. A ligação caiu, mas não desisti; liguei novamente, e novamente, até que ele atendeu. Falou comigo em inglês, sua voz estava estranha e distante quando disse: "Não posso falar agora, Lilach, os policiais não me permitem".

6.

Espionagem industrial. Foi o que me disse nosso advogado, após onze horas de espera. "Seu marido, sra. Shuster, é suspeito num caso grave de espionagem industrial." Meu olho estava fixo nos longos cílios do advogado. Estava difícil me concentrar no que dizia. As palavras não penetravam na membrana leitosa que me envolvia. Desde o momento em que chegara na delegacia, eu percebia tudo e não prestava atenção em nada. Estava consciente dos fortes cheiros, dos sons de fundo, do pequeno furo no estofamento da cadeira na sala de espera e, em compensação, as frases que me diziam, as pessoas que falavam comigo — nisso eu tinha dificuldade para me focar. O advogado percebeu. Talvez por isso tenha repetido a acusação: "espionagem industrial grave".

Ele esperou que eu protestasse. Que negasse, que perguntasse: "O quê? Por quê?", mas eu só ficava olhando, chocada, para seus longos cílios, e ele respondeu às perguntas que eu não fizera como se as tivesse feito em voz alta: "A polícia prendeu seu marido por causa de documentos que foram encontrados na busca feita no computador de seu amigo, Uri Ziv". Suas palavras me penetraram aos poucos. Eles prenderam Uri quando ele tentava vender informações a concorrentes. Em seu computador tinham descoberto segredos comerciais em enorme quantidade, aos quais só Michael tinha acesso.

"Ele não é amigo dele", eu disse por fim.

"Perdão?"

"Uri e Michael, eles não são realmente amigos."

Estávamos no estreito corredor da delegacia. O advogado anotou minhas palavras numa pequena caderneta, do tipo que ninguém mais usa hoje em dia. Anotou cada palavra que eu disse. Ele custava uma fortuna.

"Mas seu marido o ajudou a entrar na empresa num processo acelerado. Ele o recomendou."

"Michael não ajudou Uri em espionagem alguma", respondi com firmeza. "Se Uri fez alguma coisa, Michael não tem nada a ver com isso."

Os cílios do advogado pestanejaram com rapidez por trás dos óculos. Ele falou num tom muito sério, o tom com que um médico comunica resultados ruins de uma biópsia.

"A suposição atual no trabalho dos investigadores é que o sr. Shuster introduziu conscientemente um espião na empresa e passou ao sr. Ziv segredos comerciais. No computador do sr. Ziv foram descobertos documentos sigilosos que somente seu marido poderia ter lhe passado."

(Seus olhos verdes brilhando à luz da tela do computador de Michael. Seu grande corpo no agasalho de Michael, que eu havia lhe emprestado. Meu cheiro ainda em seus dedos quando ele usava o teclado.)

"Uri dormiu lá em casa quando Michael estava em Washington. Ele teve acesso ao computador de meu marido."

A mão do advogado deteve-se um momento em cima da caderneta, antes de continuar a escrever. Ele não ergueu os olhos quando perguntou: "A senhora poderia esclarecer as circunstâncias que levaram o sr. Ziv a dormir em sua casa quando seu marido não estava?".

Abracei meu corpo com as mãos e sibilei: "Ele foi ajudar".

Aqui o advogado ergueu o rosto para mim e tirou os óculos de aro fino.

"Sra. Shuster..."

"Lilach".

"Lila, veja, estou aqui para ajudar seu marido. Só lhe peço que me conte tudo. Acredite-me, já ouvi de tudo na vida."

"Fizeram um atentado contra meu filho", eu disse, evitando seu olhar. "Na noite em que Uri dormiu lá em casa tinham matado nosso cão. Um dia antes fizeram uma pichação contra meu filho na escola. Jogaram uma pedra em nossa casa — há documentação disso, chamamos a polícia." (Para as outras coisas não há documentação, senhor advogado, e não creio que vamos falar sobre elas. Mesmo que, por trás dos óculos e dos cílios esquisitos, seus olhos até que sejam bons.)

O advogado inclinou-se em minha direção. "Sabem quem fez isso?"

Balancei a cabeça negando. "A polícia acha que é um crime de ódio", e antes que ele reagisse acrescentei: "Somos judeus, de Israel. Meu filho se complicou com garotos da Nação do Islã".

Ele ia anotar, mas sua caneta-tinteiro parou de funcionar, ele balbuciou uma desculpa e tirou do bolso outra, não menos luxuosa. “Então a polícia considera isso um crime de ódio por parte de rapazes?”

Assenti. Fiquei pensando se devia lhe contar sobre Jamal e Adam, ou se isso só iria complicar as coisas ainda mais.

“E para se defender, e defender seu filho desse tipo de ameaça, o sr. Ziv dormiu em sua casa quando seu marido estava fora a negócios?”

“Sim”, sussurrei, e pude ouvir, acima do rumor na sala de espera da delegacia, o ruído da vidraça se despedaçando, que me despertara naquele dia.

“Perdoe-me por voltar ao assunto, a senhora está dizendo que o sr. Ziv veio para proteger vocês na ausência de seu marido, isso definitivamente dá a impressão de que eram bons amigos.”

Ele estava esperando uma resposta. Respirei fundo. “Não”, eu disse, “Michael pensava que eram amigos, ele estava enganado.”

O advogado fez mais algumas perguntas. Sua conversa telefônica com Michael tinha sido curta e entrecortada, e desde então os investigadores não lhe tinham permitido vê-lo. Ele anotou tudo de modo meticuloso. Depois perguntou se eu queria beber alguma coisa. Quando se levantou para me trazer água, a caderneta caiu e se abriu, e eu vi que nas margens das páginas cheias de uma escrita apertada e densa havia também pequenas figuras que ele tinha esboçado. Ele ficou constrangido, mas eu fiquei contente por estarmos nas mãos desse homem, que além de anotar fatos e detalhes também rabiscava distraidamente cães e cavalos rudimentares. Ele ergueu a caderneta e voltou ao cabo de um instante com um copo d’água.

“Seu marido vai ter de passar por um polígrafo”, ele disse, sentando-se a meu lado, “mas o que a senhora disse pode sem dúvida ser bom para ele. Se tudo que contou for verdade, e o polígrafo confirmar, eu acredito que tudo vai...”

Meu risinho o interrompeu. Ele olhou para mim, um tanto ofendido. "Desculpe", eu disse, "eu o interrompi. O senhor queria dizer que acredita que vai ficar tudo bem."

7.

"Quando é que papai vai voltar?", perguntava Adam toda manhã, nos dias que se seguiram desde que Michael fora preso, e toda manhã eu lhe respondia que não sabia... Ele fazia muitas outras perguntas, e a todas eu dava a mesma resposta. Mas na sexta-feira, depois de Michael ter sido interrogado durante toda a semana, Adam desceu pela escada, e ainda antes de abrir a boca para perguntar, eu lhe disse: "Venha, sente-se aqui comigo".

Preparei um café para mim e um suco de laranja para ele. "Beba antes que as vitaminas se percam." Pensei que ia discutir, mas ele bebeu. Desde que Michael fora preso, ele tinha cuidado comigo, quase tanto quanto eu tinha com ele. Do outro lado da janela estava nosso quintal, e nós dois olhamos para lá, onde crescia uma grama nova. Adam passou a mão pela leve plumagem de pelos em seu rosto. Perguntei-lhe se sabia o que era espionagem industrial. Ele sabia o que era, ainda melhor do que eu.

"Mesmo assim", disse, "se é isso que eles pensam, por que não soltam papai sob fiança?"

"Porque este não é um caso comum de espionagem industrial. O sistema que seu pai desenvolveu para o Pentágono é mais do que um segredo comercial, ele tem sérias implicações em segurança."

"Isto diz respeito a armamento?"

"Sim."

"Então eles pensam que papai vendeu armas para os iranianos ou algo assim?"

"Não exatamente", eu disse, tentando resolver até onde contar para ele o que o advogado tinha me dito. "No início eles pensaram que ele tinha espionado para o Mossad."

Os olhos de Adam se acenderam. Se havia uma coisa que ele compreendera de todos os filmes de suspense a que assistira é que os americanos e os israelenses trabalhavam juntos. Era jovem demais para ter ouvido falar de Jonathan Pollard. Por um breve e doce momento seu pai apenas lhe pareceu cool.

"Ele fez isso?", perguntou, emocionado. "Papai trabalha para o Mossad?" Balancei a cabeça, negando. A luz em seus olhos se apagou, então voltou a se acender quando perscrutou meu rosto procurando o segredo que, assim esperava, eu estava escondendo dele. Para apagar aquela centelha de uma vez por todas, acrescentei: "O advogado disse que os investigadores abandonaram essa hipótese".

Adam pareceu decepcionado. Do que eu tinha entendido do advogado, Uri tinha negado desde o início ter qualquer ligação com o Mossad, mas é claro que ninguém acreditou nele. E devido ao que pensavam sobre a ligação entre Uri e Michael, tampouco acreditaram em Michael. Esclarecimentos junto ao Mossad, se é que aconteceram, não teriam acalmado os americanos, pois nenhum serviço de inteligência que se preze vai se apressar em admitir que um de seus agentes foi pego.

Adam tomou o resto do suco, pensativo, pôs o copo na mesa e se virou para mim com o rosto iluminado: "Mas, mãe, os garotos do curso disseram que Uri trabalha no Mossad!".

Fiquei ouvindo enquanto ele tentava me convencer, agitando as mãos, entusiasmado, numa voz cheia de esperança de que Uri e Michael fossem agentes secretos espionando juntos em prol da segurança de Israel. À medida que se desdobrava no esforço por defender Uri, eu me sentia endurecer. E por fim eu lhe disse, num tom frio, que o que isentara Uri da suspeita de espionagem em questões de segurança foram exatamente os garotos do curso. Após os investigadores falarem com eles, se convenceram, além de qualquer dúvida, de que Uri Ziv estava longe de ser um espião — um verdadeiro agente não iria se expor diante de um grupo de garotos de dezesseis anos.

Adam ficou calado. A humilhação estava estampada em seu rosto. Em seus olhos as lágrimas lutavam com as inibições, e as inibições venceram. Ele não chorou, apenas perguntou finalmente, baixinho: "Então o que os investigadores acham que aconteceu?".

"Tem certeza de que gostaria de falar sobre isso agora? Sei o quanto você gosta de Uri."

Sua mão fechou-se num punho sobre a mesa, fina e pálida. "Continue, mãe, me conte."

A frieza foi embora. Fui o mais delicada possível quando lhe contei sobre as dívidas de Uri, a imensa hipoteca que assumira pouco antes de a empresa que criou ter desmoronado. "Os filhos dele voltaram para Israel e ele ficou empacado aqui."

"Mas eu não entendo, mãe", sua voz estava muito fraca agora, e ele contraiu todo o corpo, "se papai arranjou um trabalho de alto nível para Uri, por que ele simplesmente não economizou do seu salário? Por que se arriscar assim?"

Para mim, isso até que estava claro. No Vale do Silício, um engenheiro de programação pode passar três anos no mesmo cargo até ter uma promoção. E Uri não podia esperar três anos. Já fazia muito tempo que haviam dito que ele ainda seria chefe do Estado-Maior.

"Ele queria estar com os filhos dele", eu disse, "e para fazer isso, teria de conseguir muito dinheiro, e rápido."

Quando os investigadores compreenderam isso, aliviaram um pouco a pressão sobre Michael, mas ainda não o libertaram. A polícia não conseguia compreender por que ele saíra de seu normal para introduzir alguém que na verdade não conhecia num cargo tão sensível.

Terminei o café. Levei Adam para a escola. No caminho, paramos num abrigo para cães abandonados. Adam queria doar os pacotes de ração que havíamos comprado para Kelev e que agora não teriam mais utilidade. Quando chegamos, ele pediu que eu levasse os pacotes e ficou no carro. "Você não quer acariciar os cães?", perguntei. Ele acenou que não. Na entrada da escola, me surpreendeu dando um beijo em meu rosto antes de descer do carro.

Quando eu estava a caminho de casa, liguei novamente para o advogado. Se ele estava cansado das conversas comigo, tratou de não deixar transparecer. "Eles ainda suspeitam de que seu marido estava envolvido", disse-me em tom de desculpa. "Têm certeza de que ele ganhou alguma coisa com isso. Se não, por que teria se esforçado tanto para colocar o sr. Ziv na empresa?"

Dessa pergunta ficou claro que Michael não tinha dito aos investigadores uma palavra sobre a maneira pela qual Uri se aproximara de nós. Imaginei que ele não quisesse suscitar mais perguntas sobre o caso de Jamal, principalmente depois que a polícia tinha enfim encerrado o caso e determinado que a morte na festa fora causada por consumo de drogas. Outro homem que estivesse preso talvez se sentisse pressionado e deixasse escapar toda essa informação, mas Michael era uma das pessoas mais ponderadas que conheci. Assim eles foram educados na unidade do Exército. E por isso, quando lhe perguntaram por que tinha usado de toda a sua influência para introduzir Uri na empresa, Michael falou sobre fraternidade de armas no Exército israelense. Em nossa cultura, ele lhes disse, era como se fossem irmãos.

Por fim se convenceram. Depois de oito dias, eles lhe devolveram o relógio e o paletó e disseram que estava livre para ir embora. Fui buscá-lo, junto com Adam. Nós três nos abraçamos.

Quando estávamos no estacionamento, Berman ligou e disse a Michael que tirasse uma semana de férias, ele precisava decidir se seria capaz de deixá-lo entrar de novo nos escritórios da empresa. "Você realmente não é um espião, Michael, mas é um *fucking idiot*. O Pentágono ouviu toda essa história e nos mandou para os quintos do inferno."

Fomos para casa em silêncio. Na entrada de Palo Alto, Adam perguntou se podia ouvir Kanye, e Michael disse: "Não tem como, prefiro voltar para a prisão".

E por um momento, só um momento, tudo foi um pouquinho menos terrível.

8.

A cerimônia de encerramento do ano letivo deveria ser realizada ao ar livre, mas, no último momento, a transferiram para o ginásio esportivo, por causa de um temporal. Shir Cohen acenou para mim quando entrei e apontou para o lugar que guardara a seu lado. Einat Grinbaum estava sentada na fileira seguinte e filmava tudo com seu telefone. As crianças estavam de pé no parquê, segurando os diplomas que tinham acabado de receber. A orquestra da escola executava uma canção que eu não conhecia. Algumas garotas, vestidas com collant, dançavam. Shir acenou com a cabeça na direção da entrada. Anabella estava à porta do salão, com o mesmo vestido preto do qual eu me lembrava. O mesmo pingente dourado no pescoço. Não consegui tirar os olhos dela. Os outros pais também não. A diretora foi até ela a passos largos, cruzou seu braço sardento com o braço negro e levou a mãe de Jamal para a primeira fila. A orquestra continuou a tocar e os pais continuaram a filmar e fotografar, mas me pareceu que tentavam não incluir aquela mulher silenciosa no cenário do salão ornamentado.

Quando a cerimônia começou, a diretora comunicou que, todo ano, a escola concederia a um aluno que se destacasse uma bolsa em nome de Jamal Jones, e pediu que Anabella ficasse a seu lado para entregar o certificado pela primeira vez. A mãe de Jamal levantou-se e foi até ela, com passos demasiadamente pesados e lentos. Quando enfim ocupou seu lugar junto à diretora, levou a mão à sua bolsa e tirou um papel dobrado. Ao ver o papel, a diretora trocou um olhar com sua vice, que estava ao fundo do palco. Elas não tinham esperado por isso. Anabella Jones deveria entregar o certificado em nome de seu filho morto e voltar para seu lugar. Discursos não programados podem provocar choro. Choro pode levar a descontrole emocional. O descontrole emocional de uma mãe não cabe numa cerimônia de encerramento de trezentos e noventa e sete jovens. O luto de Anabella deveria ficar contido, ela teria de conduzi-lo como se conduz um cavalo, exibi-lo ostensivamente e devolvê-lo a seu lugar.

"Quero ler para vocês uma canção que Jamal escreveu." Seus dedos de pianista alisaram o papel, deslizaram sobre ele algumas vezes, mesmo depois de já estar estendido no púlpito. "Talvez seja um rap, mas eu não faço rap. Então... vou apenas ler como se fosse um poema comum, está bem?" O público assentiu num único movimento de cabeça.

Era uma longa canção, imatura, mas prestamos atenção a ela com reverência, pois sabíamos que não haveria outras canções. Seus olhos azuis, ele escreveu, um dia seremos um só, ele escreveu, e eu não sabia para quem tinha escrito, e por que tinha escrito, mas ouvi atentamente cada palavra.

E no fim de um verso, Anabella dobrou de repente o papel num movimento rápido, brusco, que surpreendeu as pessoas do público por ser tão contrastante com o tom suave com que ela estava lendo, com seu gestual, que lembrava mais do que tudo o movimento deslizante de um animal subaquático. "É isso", ela disse, e não tive certeza se queria dizer que a canção terminara, ou que continuava, mas ela decidira interrompê-la ali. A diretora hesitou um momento e tornou a subir ao palco.

Pareceu-me ver um sinal de alívio em seus lábios finos, que tinham se contraído quando Anabella começou a ler e agora relaxavam um pouco. "Obrigada, Anabella. E agora, vamos entregar a bolsa em memória de Jamal Jones."

A diretora disse o nome da vencedora, e uma garota de cabelos pretos subiu ao palco, o rosto sério, como a situação exige. Ela recebeu de Anabella um envelope dourado e apertou sua mão de forma festiva. Ao fundo, na parede do salão, foi projetada a foto de Jamal, da qual eu me lembrava, da mesa na sala de sua casa. Seu rosto — aberto, luminoso — brilhava para nós, enorme, do outro lado do salão de ginástica.

Procurei Adam com os olhos. Não fui a única. Pais e alunos voltaram os olhares na direção de meu filho. Ele estava de pé no parquê do salão de ginástica, Boaz e Iochai a seu lado, o rosto mergulhado em seu diploma. Tive vontade de me levantar e levá-lo de lá, de uma vez, antes que fosse fulminado por aqueles olhares investigativos, mas, quando me levantei e me apressei a ir até ele, descendo as escadas, ele virou o rosto para mim e sinalizou com um gesto de cabeça um aviso. Não.

Continuei a descer pela escada, mas não fui até ele. Afastei-me do salão, deixei para trás o discurso da diretora e a orquestra da escola e fui até o banheiro. A porta da cabine estava toda coberta com dizeres ofensivos. Taylor puta. Amy está dando. Amanda *full of shit*. Crueldade do dia a dia, antiga e conhecida, a única diferença entre a América e Israel eram os nomes das crianças humilhadas escritos nas portas. Eu me sentei sobre a tampa da privada, respirei fundo. Por longos momentos, fiquei olhando para os nomes escritos na porta do banheiro. Quando saí da cabine, Anabella estava diante da pia. Seu rosto largo enchia o espelho. Sob a axila mantinha um grande pergaminho. O diploma de Jamal, entendi.

"*Hi*", eu disse.

"*Hi*", ela respondeu.

Que tortura deve ter sido vir aqui hoje. Ver todos aqueles jovens recebendo seus diplomas. Ouvir a programação para o ano seguinte. Conversas sobre a entrada na faculdade daqui a dois anos.

"A canção que você leu é bonita", eu disse. Esperei que falasse algo, mas ela ficou calada. Abri a torneira, a água jorrou em minha mão. Ensaboei bem, embora não fosse necessário.

"Ouvi falar do cão de vocês."

Como ouviu falar? De quem ouviu falar? Quem fez isso foi se gabar para você? Ou a notícia foi rastejando lentamente até você como esses caracóis que a chuva faz sair de seus buracos e agora cobrem o muro da escola pintado de branco.

Fechei a torneira. Procurei papel absorvente para enxugar as mãos, mas não havia. Anabella ficou olhando para mim enquanto eu enxugava as mãos na calça, meus dedos deixando listras longas e molhadas no tecido.

"Vai ficar para o almoço?", perguntei. Eu sabia que o comitê de pais tinha encomendado um catering de qualidade, havia mesas dobráveis no fundo do salão. "Não creio que eu possa aguentar isso", disse ela.

Fui até a porta. Ela veio atrás de mim. Caminhei na direção do salão. Ela veio atrás de mim. A distância física entre nós era estranha e constrangedora. Não éramos duas mulheres que caminham lado a lado e não éramos duas mulheres que por acaso tinham saído ao mesmo tempo do banheiro público. Apressei os passos, ela apressou os dela. O que você quer de mim? O que você quer?

Quando entrei no salão, fui surpreendida pelo toque de seu braço. A mão dela ardia. O contato de seu braço me arrepiou por um instante, e Anabella não precisou de mais do que isso. Ela pôs sua grande mão escura em minha mão, seus dedos se entrelaçaram com os meus, ainda úmidos. "Venha", ela disse, e entrou. E assim caminhamos ao longo do parquê no salão de ginástica da escola, para onde convergiram todos os olhares, até chegarmos à primeira fileira para assistir ao final da cerimônia.

9.

Quando enfim fui visitá-lo, ele parecia estar mais magro do que eu me lembrava. Seu rosto estava coberto por uma barba espessa, e seus olhos verdes e vivazes estavam opacos e escuros. Pensei que se surpreenderia ao me ver, mas seu rosto não denotou surpresa alguma. Observou-me sem pressa. Ele sabia que eu viria.

Fiquei calada. Ele se calou também. Perto de nós, um prisioneiro negro deu um beijo de despedida na esposa e nos filhos através da divisória de vidro. Uri olhou para eles. Algo em sua aparência havia se esvaziado de repente. Ele está sozinho aqui, pensei. Ninguém vem visitá-lo. Fiquei pensando se seus filhos sabiam que estava aqui. Lembrei-me do garotão de cabelo dourado em Frishman Beach. Esperei, por ele, pelos dois, que nunca viesse a saber. Meus olhos evocaram Tali Ziv, tão bela, altiva. Perguntei-me se ele tinha lhe contado.

Ele acompanhou com os olhos a família do prisioneiro, que se encaminhava para a saída. Um menino de cabelo encaracolado puxava um dinossauro, deixando que se arrastasse pelo chão sujo. Quando chegou à porta, olhou para trás, para o homem no lado dos prisioneiros, e acenou-lhe com um largo sorriso, como se fosse uma despedida rotineira na entrada do jardim de infância. A mãe do menino pôs a mão em seu ombro e o empurrou para que continuasse a andar. O dinossauro atrás deles.

Uri voltou o rosto para mim. "Eles vêm aqui toda semana, o menino e a mãe, os irmãos mais velhos às vezes aparecem, mas o pequeno vem toda semana." Assenti. Em minha cabeça entrechocavam-se muitas perguntas que eu estava com medo de fazer. Por quem você se calou, Uri? Por que não lhe contou? A quem de nós você quis defender? "Obrigada", sussurrei.

O guarda gordo no canto me observava curioso. Minhas joias, a blusa de seda branca, eu não me parecia com as outras mulheres daqui.

"Mas você não veio só para me agradecer", disse Uri finalmente, e me lançou um olhar que me assustou. Como se eu tivesse entrado numa caverna que eu pensara estar vazia e, de repente, um par de pupilas refulgiu na escuridão. "Não foi por isso que você veio."

"Verdade", respondi após um instante. "Não é por isso que estou aqui." E antes de perder a coragem, me inclinei para ele: "Eu queria lhe perguntar sobre Jamal".

Por trás de seus olhos, divisei um clarão verde conhecido. Foi assim que me aparecera na primeira noite, junto à casa da família Hart. "Você fez alguma coisa com ele? Pode me dizer, juro que não vou contar a ninguém."

Minhas têmporas latejavam como se eu estivesse no meio de uma corrida desvairada. Uri suspirou, passando a mão pela testa, e vi que suas unhas estavam roídas.

"Lilach, seu filho odiava aquele menino. Você não tem de acreditar em mim, ele falou sobre isso com outras pessoas."

"Esta é a única coisa que eu sei com certeza. Todo o resto são coisas que você disse."

Ele baixou os olhos, num gesto que me confundiu. Inclinei-me para ele. Se fosse possível, eu tocaria em seu ombro. "Você nos disse que Adam fez uma pesquisa sobre produção de metanfetamina e você apresentou isso como se tivesse ajudado a apagar a pesquisa do computador. Mas eu não acho que havia algo realmente grave no computador de Adam, Uri." Ele ainda não desviara o olhar do chão da sala de visitantes. Suas mãos repousavam em suas coxas como, havia algumas semanas, tinham pousado nas minhas. Seu rosto continuou inexpressivo quando eu disse: "Você envenenou Jamal e fez com que suspeitássemos de Adam, porque assim abriria uma porta para se aproximar de Michael. E quando isso não bastou, você jogou uma pedra em nossa casa e matou nosso cão".

"Logo você vai dizer que eu também cobri Adam de pancada, disfarçado de um garoto negro."

"Foi Jamal quem bateu em Adam, isso eu já sei."

"E eu me aproveitei disso, nisso você tem razão. Mas não toquei naquele menino."

Ele pronunciou essas palavras baixinho. Precisei me curvar para a frente a fim de conseguir ouvir. Ele percebeu isso, mas não elevou a voz. "Quando Jamal desabou na festa, Adam ligou para mim. Talvez estivesse assustado por ter visto o garoto morrer. Talvez por ter sido ele mesmo quem o matou. Não perguntei a ele, para mim não fazia diferença."

"Não fazia diferença?" Lutei comigo mesma para não erguer a voz e ir embora dali. "Não", ele respondeu apenas. "Eu sabia, do que Adam contava, que o pai dele era funcionário graduado na Sylum. Identifiquei nessa história uma oportunidade para me aproximar de Michael e me atirei em cima dela. Surfei nessa onda, mas não fui eu quem a criou."

"Você está mentindo!" Meu sussurro foi em hebraico, mas seria impossível se enganar quanto ao tom. O casal que estava a nosso lado olhou para mim por uma fração de segundo e continuou com seus assuntos. Obriguei-me a me acalmar. Não foi assim que eu pretendera ter essa conversa. Uri esfregou sua nova barba com sua mão enorme e ursina, em sua manga de prisioneiro. "Veja, Lilach, talvez seu filho tenha ido a essa festa como foram todos os outros garotos, e a morte de Jamal não tenha nenhuma ligação com ele. E pode ser que uma vez na vida ele se encheu de ser vítima. Você sabe, talvez ele nem tivesse a intenção de matá-lo, talvez só quisesse envolver Jamal com drogas para que o expulsassem da escola e o bullying terminasse, e de algum modo tudo saiu do controle. Ele teve de se proteger. Você vai ter de decidir em que possibilidade quer acreditar."

A essa altura já não pude evitar erguer a voz. "Desde o primeiro momento, você tentou me fazer pensar que foi Adam." Eu sufocava. Eram possibilidades demais. Pontos de interrogação demais.

"Se fosse meu filho", disse Uri em outro tom, tranquilo, "acho que eu perguntaria a ele." Seus olhos estavam longe de mim, fixos num ponto invisível do espaço. "Mas dizem que esta é uma das coisas que uma mãe simplesmente sabe, não é?"

10.

No dia em que Adam viajou, Michael não veio conosco ao aeroporto. "Uma entrevista de trabalho", ele me disse em tom de desculpa, "tenho de me preparar." Adam pôs a grande mala no assento traseiro e perguntou se poderíamos ouvir hip-hop no caminho. Quando saímos da garagem, Michael ficou no quintal, acenando em despedida. Sua imagem foi diminuindo enquanto avançávamos na rua verde e tranquila, que desembocava numa alameda verde e tranquila, numa das cidades mais verdes, tranquilas e seguras da América.

Quando passávamos pelo balcão do check-in, o sol penetrou pelas grandes janelas do aeroporto ofuscando os olhos. "Não esqueça o protetor solar", eu disse. "Lá é muito fácil ter uma queimadura de sol."

"Realmente, mãe, você pode ter uma queimadura em qualquer lugar."

(Aquela manhã em Tahoe, em que saí para esquiar com Uri, e por causa do frio, esquecemos o protetor e os dois nos queimamos no rosto e na nuca. Seus olhos verdes se destacando na neve.)

O grupo de rapazes que estava à nossa frente foi em direção ao portão de embarque e desapareceu dentro dele. Seus risos alegres permaneceram atrás deles, como uma nuvem de perfume, e nós penetramos nessa nuvem em silêncio, calados. Acima de nós, piscava o quadro de decolagens, Paris, Tóquio, Roma. No céu acima do aeroporto, espraiavam-se inúmeros roteiros e, de todos, ele escolhera justo este, Israel. Meu filho estava voltando para Israel. E não fazia diferença que fosse por apenas três semanas. Não fazia diferença que o instrutor do Taglit* tivesse me prometido em quatro conversas diferentes que meu filho não-importa-o-que-houvesse iria pousar em San Francisco no dia 3 de julho. (Ele é menor, eu o ameacei, eu acabo com vocês, e Michael pegou o telefone e pediu que desculpasse a sua mulher, como toda mãe ela está um pouco emocionada, para nós estava claro que era uma excursão de estudo com tempo estipulado, e permitíamos que ele viajasse.) Não faz diferença. Pois eu sei que ele na verdade não vai voltar desse passeio. No fim vai nos comunicar que quer imigrar para Israel.

No quadro de voos, a palavra "Tel Aviv" mudou de verde para laranja e começou a piscar. O embarque estava começando. Adam tinha a mochila nos ombros, como no primeiro dia na escola. Por trás ele parecia um garoto de catorze anos. Só quem o olhasse de frente se confundiria de repente com os olhos de adulto. E talvez ele também se confundisse de repente, o adulto e o menino brigavam dentro dele, pois de súbito ele estendeu a mão úmida de suor para pegar a minha, no mesmo aperto desesperado de que eu me lembrava do tempo do jardim de infância e do início do ensino fundamental, aperto de não-me-deixe-aqui.

* Programa em que jovens judeus passam um curto período em Israel para aprender sobre o país, sua história e seus problemas.

"Quer voltar para casa?", perguntei, e logo me arrependi, pois a pergunta já seria o bastante para interromper o contato de sua mão na minha. Ele balançou a cabeça energicamente, negando, mas não se mexeu. Eu sabia que não podia olhar agora em seus olhos, que meu olhar só ia arruinar aquele momento, em que um jovem de dezesseis anos concorda em segurar por um momento a mão de sua mãe. Em vez disso, olhei para seus dedos, que envolviam com força minha mão, delicados e finos. Assim que ele nasceu, eu o abracei — rosado, macio, maravilhoso — e contei seus dedinhos, para confirmar que tudo estava em seu lugar. Agora eu olhava para aqueles dedos e perguntava a mim mesma se eram os de um assassino. E ele, talvez percebendo isso, libertou num movimento brusco sua mão da minha, aprumou-se um pouco e disse: "Tenho de ir".

Estávamos diante do portão de embarque. Seus olhos estavam tempestuosos e escuros, como o mar de Tel Aviv no inverno. Os olhos de Jamal na foto na casa de Anabella Jones eram negros como veludo negro. A sobrancelha esquerda de Adam estremeceu um pouco. Seus lábios se entreabriram, talvez para falar. Se eu perguntasse agora, neste momento, talvez me respondesse. Inclinei-me para ele, a mão em seu ombro.

"Cuide-se."

Grafia atualizada segundo o Acordo Ortográfico da Língua Portuguesa de 1990, que entrou em vigor no Brasil em 2009.

capa e ilustração de capa
Fido Nesti
composição
Jussara Fino
preparação
Manoela Sawitzki
revisão
Ana Alvares
Ana Maria Barbosa

Dados Internacionais de Catalogação na Publicação (CIP)

Gundar-Goshen, Ayelet (1982-)
Outro lugar / Ayelet Gundar-Goshen ; tradução Paulo Geiger. — 1. ed. — São Paulo : Todavia, 2022.

Título original: רילוקיישן
ISBN 978-65-5692-301-7

1. Literatura israelense. 2. Romance. 3. Ficção contemporânea. I. Geiger, Paulo. II. Título.

CDD 892.436

Índice para catálogo sistemático:
1. Literatura israelense : Romance 892.436

Bruna Heller — Bibliotecária — CRB 10/2348

todavia
Rua Luís Anhaia, 44
05433.020 São Paulo SP
T. 55 11. 3094 0500
www.todavialivros.com.br

fonte
Register*
papel
Pólen soft 80 g/m²
impressão
Geográfica